D0358252

les grandes dates des États-Unis

les grandes dates des États-Unis

sous la direction de
André Kaspi
professeur d'histoire des relations internationales à Paris-I

Hélène Trocmé
maître de conférences à Paris-VII
Malie Montagutelli
professeur agrégée d'anglais
enseignante à Paris-I et Paris-III

17 RUE DU MONTPARNASSE 75298 PARIS CEDEX 06

Responsable éditoriale
Anne Leclerc

Secrétariat de rédaction
Mireille de Monts

Secrétariat d'édition
Joëlle Narjollet

Correction-révision
Bernard Dauphin - Annick Valade - Monique Bagaïni

Mise en pages
Michel Cabaud

Cartographie
Michèle Bézille

Dessin
Léonie Schlosser

Fabrication
Michel Paré

ISBN 2-03-740004-7

PRÉFACE

L'histoire des États-Unis est la victime, en Europe, d'un surprenant paradoxe. Elle est bien courte, dit-on, puisqu'elle ne remonte qu'au XVIIIe siècle. Pourquoi, dans ces conditions, faudrait-il la découvrir ou réfléchir à ses grands moments ? Et puis, ajoute-t-on d'un air entendu, les Américains sont les fils et les filles des Anglais, des Allemands, des Italiens, des Français. À quoi servirait-il de leur accorder une attention que seuls leurs ancêtres méritent ? La guerre de l'Indépendance, la guerre de Sécession, la conquête de l'Ouest, le temps de la Prohibition, autant d'épisodes qui n'ont plus de secrets pour nous, que nous croyons connaître. George Washington, Abraham Lincoln, le général Custer, Woodrow Wilson et Franklin Roosevelt ne conservent pas le moindre mystère. Leur carrière, leur place dans les mentalités collectives, leurs réussites et leurs échecs, allons donc ! nous n'avons pas à les découvrir, nous les connaissons déjà. Et, si, de temps à autre, des lacunes subsistent, nous sommes certains que les bons vieux films d'outre-Atlantique et les spots publicitaires les combleront. Comme si l'histoire des États-Unis nous avait été révélée dès notre naissance ! Comme si l'ignorance des autres à l'égard de notre passé suffisait à justifier nos à-peu-près et nos certitudes absolues !

Malie Montagutelli et Hélène Trocmé ne partagent pas cet optimisme béat. L'une est agrégée d'anglais ; l'autre, agrégée d'histoire. Toutes deux ont obtenu un doctorat de troisième cycle à la suite de leurs travaux sur l'histoire et la civilisation américaines. Leur connaissance des États Unis leur donne une humilité de bon aloi, l'humilité de ceux qui saisissent l'extraordinaire complexité du monde américain d'hier et d'aujourd'hui. Expérience pédagogique et recherches personnelles leur ont appris combien il est difficile de pénétrer dans le passé de l'Amérique du Nord, qu'il faut remonter à l'époque où les Indiens occupaient ce vaste territoire, qu'il convient de saisir, de toute la force de son imagination, l'enchevêtrement des peuplements blanc et noir, l'énormité et la diversité de l'expansion économique, le mélange, étonnant et inachevé, des peuples et des individus, la réussite, toujours remise en cause et contestée, d'une expérience originale, peut-être unique dans l'histoire de l'humanité. Les auteurs n'ont pas la prétention de tout dire ni même de tout évoquer. Un livre n'y suffirait pas. Ils voudraient stimuler l'intérêt et la curiosité, initier plus que rassasier, toucher un vaste public – étudiants, journalistes, hommes et femmes d'affaires, voyageurs et touristes, amateurs de romans et de films, téléspectateurs, hommes et femmes cultivés désireux de compléter leurs connaissances ou de les vérifier, cherchant à obtenir rapidement un renseignement sur l'histoire des Américains, désirant survoler d'abord un terrain mal connu avant de le fouiller systématiquement.

Il suffit de parcourir cet ouvrage pour que la méthode de ses auteurs apparaisse avec clarté. En premier lieu, le début des années 30 de notre siècle sert de charnière à l'ouvrage. C'est un choix, arbitraire, qui s'explique par la volonté de privilégier le contemporain, voire le très contemporain. Au fond, il est plus aisé de s'informer sur les périodes antérieures que sur le passé proche et le présent. De plus, l'accession de Franklin Roosevelt à la présidence marque une rupture ou, si l'on préfère, le début d'une ère nouvelle, avec l'intervention de l'État fédéral dans la vie économique et sociale, la naissance de la présidence impériale et l'extension impressionnante de la politique étrangère du pays. Et puis, les États-Unis occupent dans le monde d'après 1945 une place primordiale qui n'était pas la leur auparavant. Les voici propulsés, par la force des circonstances, par l'immensité de leurs ressources, au rang de superpuissance.

Avant et après cette césure, le découpage chronologique est classique, commode et répond aux nécessités de l'exposé historique.

En deuxième lieu, chaque chapitre se lit selon une grille que l'on retrouvera du début à la fin de l'ouvrage : histoire politique et institutionnelle, histoire de la politique étrangère, histoire économique et sociale, histoire culturelle et intellectuelle, histoire des inventions et des technologies, dont l'intérêt est capital pour une société qui symbolise le modernisme et le changement incessant. Cette division, convenons-en, pose des problèmes, dans la mesure où un même fait peut relever de plusieurs rubriques et ne figure pourtant qu'une seule fois pour éviter les redites. Le défaut est pallié par un index détaillé. Un instrument essentiel dont on ne cessera pas de dire combien il est utile, sinon indispensable dans tout ouvrage qui a des prétentions scientifiques et dans toute chronologie comme celle-ci. S'il cherche un mot, un épisode, une explication qui lui paraissent introuvables, peut-être le lecteur fera-t-il bien, avant de vouer les auteurs aux gémonies, de consulter l'index qui est l'un des moteurs de l'entreprise.

En troisième lieu, un glossaire, soigneusement établi, donne les définitions sans lesquelles la compréhension des phénomènes américains serait fort difficile, sinon impossible. Un exemple : comment indiquer la procédure par laquelle le Congrès vote les lois fédérales ? Elle est, pourtant, indispensable à qui veut comprendre la nature du régime, l'influence du président des États-Unis, les contre-pouvoirs qui limitent son autorité. C'est pourquoi la définition du mot « act » est fondamentale. Comme elle ne pouvait pas être incluse dans un chapitre plutôt que dans un autre, sa place est tout naturellement dans le glossaire, qui, lui aussi, remplit un rôle majeur.

En quatrième lieu, M. Montagutelli et H. Trocmé ont dressé, à la fin de chaque chapitre, de courtes biographies. Car l'histoire est avant tout celle des femmes et des hommes qui ont construit le pays, l'ont fait ou le font vivre. Marc Bloch comparait l'historien à l'ogre de la fable qui recherche plus que tout le fumet de la chair humaine. Des portraits agrémentent donc un exposé qui pourrait paraître aride. Soudainement, le lecteur sera ramené à la réalité quotidienne, passée ou présente, des États-Unis. Et les portraits qu'il ne découvrira pas, à cause du manque de place ou du caractère de l'ouvrage, il sait qu'il les découvrira ailleurs. Car chaque chapitre est suivi de quelques indications bibliographiques. Ici, une explication est nécessaire. En matière de bibliographie, tout auteur est contraint de trancher : ou bien il livre une liste interminable d'ouvrages qui satisfait son goût pour l'exhaustivité et désarçonne d'autant plus le lecteur que la plupart des titres, en anglais, sont quasiment introuvables dans nos bibliothèques ; ou bien il sélectionne, encourt le risque de négliger des titres qui à d'autres sembleront indispensables, mais indique au lecteur le raccourci à emprunter pour aller à l'essentiel. C'est, on le devine, le deuxième parti qui a été pris ici. Tant mieux ! C'est le plus honnête, le plus efficace et le plus simple.

Un dernier trait mérite d'être relevé. Des cartes, nombreuses et fort bien faites, illustrent le texte et l'éclairent en même temps. Rien n'est plus malaisé, en effet, que de repérer les lieux dans un pays qui ressemble, suivant l'expression de Raymond Aron, à une île-continent. Aussi l'utilisateur doit-il bénéficier de cette aide visuelle qui lui donnera, de surcroît, une idée des espaces infinis entre New York et Los Angeles, entre Chicago et La Nouvelle-Orléans.

Cette chronologie présente plusieurs niveaux de lecture. On peut la lire d'affilée, en passant de la fondation des colonies anglaises à la proclamation de leur indépendance, de l'expansion territoriale et économique des États-Unis au XIXe siècle à leur transformation en superpuissance du monde contemporain, en foyer de créations techniques et technologiques, en centre culturel de notre temps avec ses succès, ses échecs et ses multiples interrogations. On peut la lire en fonction d'intérêts spécifiques. Par exemple, pour répondre à la question : dans quel contexte humain, industriel et agricole, le Bureau du recensement a-t-il proclamé que les États-Unis ne disposaient plus d'un front pionnier ou, pour reprendre l'expression américaine, d'une Frontière ? On peut la lire tout simplement parce qu'on se demande qui fut Andrew Jackson, à quelle date Harry Truman fut élu, comment les États-Unis rejetèrent le pacte de la Société des Nations et le traité de Versailles. On peut tourner les pages avec distraction, en passant d'une biographie à une carte, d'une définition à une date, jusqu'au moment où, par hasard, on tombe sur un événement qu'on ne soupçonnait pas, sur des distances qu'on n'imaginait pas, sur un personnage qu'on ne connaissait que vaguement. La chronologie est un merveilleux instrument de découverte, l'incitation à aller plus loin. Un peu à la manière d'un dictionnaire. Sait-on combien de fortes personnalités ont nourri leur culture de la lecture intermittente d'une encyclopédie, d'un ouvrage de référence ?

L'avant-propos est un résumé qui rappelle les grandes lignes d'une entreprise. Il ne doit pas faire oublier la somme de travail, l'excellente connaissance de l'histoire et l'esprit de synthèse que suppose une chronologie de ce type. Nous savons tous qu'il est plus facile de faire long que de faire bref, de raconter au fil de la plume que de s'en tenir aux faits et aux dates, inlassablement vérifiés, de répondre aux questions qu'on se pose plutôt qu'à celles que posent les lecteurs.

Malie Montagutelli et Hélène Trocmé échappent ici aux pièges de l'écriture et font œuvre utile.

André Kaspi
Professeur à la Sorbonne

SOMMAIRE

Chapitre I **Jusqu'en 1607**

La découverte du continent nord-américain

> *Une telle fertilité ne se rencontre nulle part ailleurs.*
> *Une telle abondance est presque indescriptible !*
>
> Voyage de Philip Amadas et Arthur Barlowe en Virginie (1584).

Immense sous-continent couvrant près de 20 millions de km², l'Amérique du Nord a été envahie et « découverte » à plusieurs reprises. Les populations indigènes rencontrées par les premiers explorateurs européens n'étaient elles-mêmes pas autochtones. Les Amérindiens sont venus d'Asie orientale à différents moments de la préhistoire. La chronologie des civilisations qui se sont épanouies sur l'actuel territoire des États-Unis est encore floue et controversée. Si elles n'égalent pas les splendeurs impériales du Mexique ou du Pérou, ces sociétés, plus rustiques et moins opulentes, présentent un grand intérêt, notamment par leur extrême diversité linguistique et culturelle.

La « découverte » européenne d'un « nouveau monde » remonte aux environs de l'an 1000, avec les voyages des Vikings, partis sans le savoir sur les traces des moines irlandais du haut Moyen Âge, qui cherchaient vers l'ouest des îles mystérieuses. Mais c'est seulement à la fin du XVᵉ siècle que l'Europe est mûre, scientifiquement et économiquement, pour tirer parti d'un « nouveau monde » dont la richesse l'éblouit.

Christophe Colomb aborda aux Antilles : il ne peut donc être tenu pour responsable de « l'invention » du continent nord-américain. Entre 1492 et 1540, une multitude d'expéditions partent d'Europe occidentale à la recherche de nouvelles terres. Mais, vers 1500, nul ne peut prévoir quelle puissance européenne dominera l'Amérique du Nord. Espagnols, Portugais, puis Français et, plus tard, Anglais se font concurrence dans les eaux poissonneuses de Terre-Neuve et sur les côtes du continent américain. Seuls les Espagnols réussissent, après plusieurs échecs, à installer quelques colonies permanentes. En Amérique du Nord, le XVIᵉ siècle est celui des explorations, le XVIIᵉ, celui de la colonisation. Mais, déjà, les contacts entre Amérindiens et Européens transforment le mode de vie des uns et des autres.

Le peuplement amérindien

v. 50000 à 11000 av. J.-C.
Vagues successives de peuples mongoloïdes venus de Sibérie par le détroit de Béring.

v. 35000 à 8000 (ou 5000) av. J.-C.
Période paléo-indienne : chasse aux grands mammifères, outillage lithique indiquant plusieurs cultures désignées par les noms des sites archéologiques : Sandia, Clovis, Folsom (Nouveau-Mexique).

v. 10000 ou 8000 av. J.-C.
Fin du Pléistocène ; recul des glaces et réchauffement général du climat ; disparition de certaines espèces animales.

v. 8000 (ou 5000) à 1000 av. J.-C.
Période archaïque : civilisations semi-nomades (chasse et cueillette), puis agriculture importée d'Amérique centrale : épis de maïs d'env. 3000 av. J.-C. trouvés à Bat Cave (Nouveau-Mexique). Agriculture et poterie se répandent à travers toute l'Amérique du Nord (v. 2000 av. J.-C.). Animaux domestiques : chiens, dindes.

v. 3000 à 1000 av. J.-C.
Migration des Aléoutes et Esquimaux de Sibérie en Amérique du Nord.

v. 1500 (ou 1000) av. J.-C. à 1000 (ou 1500) apr. J.-C.
Période formative : agriculture, parfois avec irrigation ; poterie, sculpture, tissage et, par endroits, métallurgie du cuivre. Civilisation des « Bâtisseurs de monts », cultures d'Adena (1000 av. J.-C.-200 apr. J.-C., dans la vallée de l'Ohio), de Hopewell (300 av. J.-C.-700 apr. J.-C., dans tout le Middlewest) et civilisation mississippienne (env. 700 à 1500 apr. J.-C.). Dans le Sud-Ouest, civilisations Mogollon, Hohokam et Anasazi, ancêtres des Pueblos, dont l'âge d'or se situe entre 750 et 1000 apr. J.-C. – villages denses et prospères, artisanat raffiné. Au Mexique, civilisations maya, zapotèque et toltèque.

v. 1025.
Invasion du sud-ouest des États-Unis actuels par des tribus navajos venues du Nord.

v. 1275.
Période de grande sécheresse provoquant l'abandon de nombreux sites pueblos.

L'invention de l'Amérique par les Européens

986
Le Viking Bjarni Herjulfson, parti à la recherche d'une colonie fondée par Éric le Rouge au sud-ouest du Groenland, s'égare vers l'ouest et, le premier, aperçoit une côte qui serait celle du continent nord-américain.

v. 1000
Leif Ericson, fils d'Éric le Rouge, explore ces côtes et nomme trois régions : Helluland, « le Pays des pierres plates » (Terre de Baffin ?), Markland, « la Terre des forêts » (Labrador ?), et surtout Vinland, « la Terre des vignes » (Terre-Neuve : identification confirmée par les découvertes archéologiques de l'Anse-aux-Meadows).

1004-1008
Exploration des côtes par les frères de

Leif Ericson, Thorwald et Thorstein, peut-être jusqu'en Nouvelle-Angleterre.

1010-1015
Voyages du marchand islandais Thorfinn Karlsevni, jusque dans la baie d'Hudson (?).

v. 1415
Fin des colonies vikings du Groenland.

v. 1450
Voyages portugais sans doute jusqu'à Terre-Neuve (?).

1473-1481
Expéditions anglo-danoises (Bristol), vers les îles légendaires d'« Antillas » et de « Brazil ».

1492-93
Premier voyage du Génois Christophe Colomb, engagé par Isabelle de Castille, pour atteindre « Cipangu » par l'ouest. Découverte de San Salvador (Bahamas) et d'Hispaniola (Saint-Domingue).

1493-1496
Deuxième voyage de Colomb. Découverte de Porto-Rico. Fondation d'une colonie à Saint-Domingue.

1494
Traité de Tordesillas, avec arbitrage du pape Alexandre VI, traçant une ligne de partage (à 370 lieues à l'ouest des îles du Cap-Vert) entre la colonisation portugaise et celle de l'Espagne.

1497
Premier voyage de John Cabot, explorateur italien au service d'Henri VII d'Angleterre. Il aborde à Terre-Neuve et poursuit vers le sud, jusque sur les côtes du Maine (?).

1498
Deuxième voyage de Cabot, à la recherche de « Cipangu ». Il explore les côtes d'Amérique du Nord (jusqu'à la baie de Chesapeake (?), puis disparaît à jamais.

1498-1500
Troisième voyage de Christophe Colomb, qui aborde à Trinidad et aperçoit le continent.
L'Italien Amerigo Vespucci, membre d'une expédition espagnole, aperçoit peut-être le continent sud-américain.

v. 1500
Expéditions portugaises en direction du Labrador.

1506
Christophe Colomb meurt, persuadé d'être allé en Asie.

1507
Le géographe Martin Waldseemüller propose pour le Nouveau Monde le nom d'« America », en l'honneur d'Amerigo Vespucci.

Explorations et tentatives de colonisation

1508-1513
Explorations espagnoles à partir des Antilles.

1513
Juan Ponce de León explore les côtes de Floride (nom désignant tout le sud-est des États-Unis actuels).

Vasco Núñez de Balboa parvient à traverser l'isthme de Panamá et découvre l'océan Pacifique.

1521-1528
Tentatives espagnoles de colonisation en Floride.

1524
Expédition française commandée par l'Italien Giovanni da Verrazano pour chercher la route des Indes. Il aborde le continent dans la région des Carolines (?), remonte vers le nord, découvre les baies de New York et de Narragansett (Newport), après quoi le navigateur longe la côte du Maine.

1528
Échec de la colonie espagnole fondée par Pánfilo de Narváez dans la baie de Tampa (Floride).

1534
Premier voyage de Jacques Cartier : il explore le détroit de Belle-Isle, l'entrée du golfe du Saint-Laurent et l'île du Prince-Édouard.

1535
Deuxième voyage de Cartier : il remonte le Saint-Laurent jusqu'aux sites futurs de Québec et de Montréal.

1539-1543
L'Espagnol Hernando de Soto, parti de

Les civilisations précolombiennes d'Amérique

Aires géographiques	**Nord-Est**	**Sud-Est**	**Grandes Plaines**
Nom des principales tribus	Iroquois (6 nations) Algonquin Ojibwa Illinois Miami	Cherokee Creek Seminole Chickasaw Choctaw	Osage Omaha Sioux (Dakota) Blackfoot Cheyenne Comanche Pawnee
Groupes linguistiques	Algonquin Hokan-Sioux	Hokan-Sioux	Hokan-Sioux
Mode de vie	agriculture villages (longues maisons, ou wigwams) canoës	agriculture (maïs-courges haricots-tabac) villages temples	chasse (chevaux, bisons) tipis

l'intérieur de la Floride, atteint la rive occidentale du Mississippi et les monts Ozark. Après sa mort, les survivants rejoignent la côte du golfe du Mexique.

1540-1542
Francisco de Coronado, parti du Mexique, découvre le Colorado, le Nouveau-Mexique et le nord du Texas.

1541
Troisième voyage de Cartier au Canada et à Terre-Neuve.

1542
Exploration de la côte du Pacifique : Juan Cabrillo prend possession de la Californie au nom du roi d'Espagne. Après sa mort, Bartolomeo Ferrerro poursuit jusque sur la côte de l'Oregon.

1562-1565
Fondation d'une colonie de huguenots français en Floride. Premières représentations européennes d'Indiens d'Amérique, publiées par J. Lemoyne.

1565
Fondation de Saint-Augustine, en Floride, par les Espagnols. Massacre des huguenots français.

1579
Sir Francis Drake explore la côte de Californie et la baie de San Francisco.

du Nord au moment de la conquête

Sud-Ouest	Bassin et Hauts plateaux	Californie	Nord-Ouest et Alaska
Pueblo Apache Navajo	Shoshone Nez Percé Ute Paiute	Yokut Miwok Maïdu Pomo	Kwakiutl Nootka Chinook Tlingit Haida Aléoute-Eskimo
Athapascan Uto-Aztèque	Uto-Aztèque	Penutien Athapascan	Algonquin Penutien Athapascan Eskimo-Aléoute
agriculture avec irrigation architecture d'adobe	cueillette de plantes sauvages chasse (petit gibier)	cueillette petites tribus dispersées chasse et pêche	pêche mâts-totems

1583
Première tentative de colonisation britannique en Amérique par Sir Humphrey Gilbert : il explore les côtes de Terre-Neuve puis se perd au retour.

1584
Sir Walter Raleigh, demi-frère de Gilbert, reprend le projet, découvre l'île de Roanoke, en Caroline du Nord, et appelle cette région Virginie, en l'honneur de la reine Élisabeth.

1585-1586
Fondation, puis abandon de la colonie de Roanoke.

1587
Nouvelle expédition à Roanoke, avec le peintre John White ; la colonie fondée disparaît 3 ans plus tard.

1588
Première description en anglais de l'Amérique du Nord, due à Thomas Harriot, membre de l'expédition de Raleigh à Roanoke.

1589
Richard Hakluyt publie à Londres plusieurs récits d'explorations britanniques. Aquarelles de John White.

1598
Début de la colonisation espagnole dans le Sud-Ouest.

1603-1606
Voyages de Samuel de Champlain au Canada, pour fonder des comptoirs commerciaux.

1604
Fondation par les Français de Port-Royal en Acadie.

Économie et société

v. 1500
Population amérindienne d'Amérique du Nord : de 1 à 10 millions selon les sources.

v. 1520
Premières épidémies d'origine européenne parmi les Indiens (variole, rougeole, influenza, etc.).

1520
Premier chargement de fourrures (surtout de castors) à destination de l'Europe.

v. 1525
Début de la culture de la canne à sucre dans les Antilles.

1540
Introduction du cheval, par l'expédition de Coronado dans le Sud-Ouest.

v. 1550
Procédé nouveau pour sécher le poisson (hausse de la consommation de morue en Angleterre).

1565
Introduction du mouton par les Espagnols au Nouveau-Mexique. Apparition de métiers à tisser chez les Indiens.

1577
À Terre-Neuve : 150 bateaux de pêche français, 100 espagnols, 50 portugais, 15 anglais.

v. 1580
En Europe, apparition de produits agricoles du Nouveau Monde : tabac, tapioca, tomates, pommes de terre, etc.

1587
Naissance à Roanoke du 1er enfant anglais en Amérique du Nord : Virginia Dare, petite-fille de John White.

1603
Monopole du commerce des fourrures accordé par Henri IV au sieur de Monts, compagnon de Champlain.

v. 1600-1700
Les chevaux échappés des colonies espagnoles du Sud-Ouest tranforment le mode de vie des tribus indiennes des Grandes Plaines.

Biographies

Cabot, John (v. 1450-v. 1498). Le Génois Giovanni Caboto devient citoyen de Venise en 1476, puis s'installe à Londres vers 1485. En 1497, muni de lettres patentes du roi Henry VII l'autorisant à « découvrir des terres inconnues des chrétiens », il s'embarque sur un navire de taille très modeste. Il atteint, 52 jours plus tard, une contrée qu'il croit être l'Asie, son but, et que les historiens identifient soit à l'île de Cap-Breton soit à Terre-Neuve. Il en « prend possession » au nom du roi d'Angleterre, et rentre à Bristol. Il repart en 1498, aborde probablement à Terre-Neuve et disparaît, ayant dit-on « trouvé des terres nouvelles au fond de l'Océan ». Bien que sans lendemain, ses voyages marquent le point de départ de la colonisation britannique en Amérique du Nord, un siècle après.

Verrazano, Giovanni da (v. 1480-1528). Issu d'une riche famille florentine, ayant des liens étroits avec les financiers italiens de Lyon, Jehan de Verazane est l'homme que choisit François Ier pour lancer la France dans l'aventure américaine. À la tête d'une expédition destinée à découvrir le fameux passage du Nord-Ouest, il aborde en Caroline du Nord à la hauteur du 34e parallèle, suit la côte vers le sud, reconnaît des îles, aperçoit le détroit de Pamlico, qu'il prend pour un passage vers le Pacifique, puis remonte vers le nord jusqu'à Terre-Neuve. Au passage, il explore la baie de New York et celle de Narragansett, mais semble avoir « manqué » le Chesapeake. À son retour, il remet au roi un rapport qui contient la première description de la côte nord-est de l'Amérique. Il semble avoir fini tragiquement, dévoré par des Indiens, lors d'un second voyage, sur les côtes d'Amérique du Sud, François Ier se tourne alors vers Jacques Cartier pour continuer l'exploration du Nouveau Monde. Mais celle-ci se fera bien plus au nord : les Français ont ainsi laissé passer l'occasion de s'implanter dans la riche région côtière au sud de la baie de Chesapeake.

Sir **Raleigh,** Walter (v. 1552-1618), favori de la reine Élisabeth, qui l'anoblit en 1585, et demi-frère de sir Humphrey Gilbert, qui obtint des lettres patentes l'autorisant à s'emparer de « tous pays non possédés par des chrétiens ». Gilbert ayant disparu au cours d'une expédition à Terre-Neuve, Raleigh fait renouveler le privilège à son nom. La colonisation est pour lui une affaire de famille. En fait, il illustre bien l'intérêt soudain des classes dirigeantes britanniques pour les entreprises de colonisation vers la fin du XVIe siècle. Il se lance dans une série d'entreprises, veut créer une colonie en « Virginie », pour plaire à la reine et dans l'espoir de fonder une communauté utopique dans le Nouveau Monde. Il s'entoure de personnalités de premier plan : mathématicien, cartographe, médecin, dessinateur, etc. Pourtant, la colonie de Roanoke, fondée en 1585, ne survivra pas à la famine et aux attaques des Indiens. En 1590 elle a disparu ; Raleigh a d'ailleurs cédé ses droits à une compagnie commerciale, et s'est retiré sur ses terres, en Angleterre. En 1595, il repart pour une autre expédition, sur les côtes de Guyane. Sous Jacques Ier, il est accusé de conspiration, enfermé plusieurs années, à la Tour de Londres, libéré pour conduire une autre expédition à l'embouchure de l'Orénoque, et finalement exécuté, en 1618.

Bibliographie

W. Cumming, R. A. Skelton, D. Quinn, *la Découverte de l'Amérique du Nord* (Paris, 1972 [trad. de l'anglais]).

J. Bérenger, Y. Durand, J. Meyer, *Pionniers et colons en Amérique du Nord* (Colin, 1974).

Ph. Jacquin, *Histoires des Indiens d'Amérique du Nord,* (Payot, 1976).

Chapitre II 1607-1685

La colonisation britannique

Mes amis, je vous souhaite toute sorte de bonheur, dans le présent et dans l'avenir... Vous serez gouvernés par les lois que vous vous donnerez vous-mêmes et vous vivrez comme un peuple libre, et, si vous le voulez, comme un peuple libre et industrieux. Je n'empièterai sur les droits de personne, je n'opprimerai personne... Je suis votre ami sincère, William Penn. Londres, le 8 du mois dit avril 1681.

Adresse aux colons déjà installés en Pennsylvanie.

À l'aube du XVIIe siècle, la Grande-Bretagne des Stuarts est prête à se lancer dans la colonisation. Elle va d'ailleurs y trouver un exutoire à ses problèmes sociaux et religieux.
Dans un premier temps, la couronne britannique se décharge des entreprises coloniales sur des compagnies de marchands, auxquelles une charte est accordée. Les deux Compagnies de Virginie, celle de Londres et celle de Plymouth, se voient attribuer chacune une aire géographique sur la côte nord-américaine.
Après plusieurs échecs, le premier établissement permanent est fondé en Virginie en 1607, et nommé Jamestown, en l'honneur du souverain Jacques Ier. Quelques années plus tard, la Nouvelle-Angleterre naîtra autour des noyaux primitifs de Plymouth et de la baie du Massachusetts.
Tandis que Français et Hollandais poursuivent leurs aventures en Amérique du Nord, la couronne britannique, après la révolution et la restauration des Stuarts en 1660, s'intéresse de plus près aux colonies, notamment par la donation de territoires américains à de hauts personnages du royaume. Ainsi sont créées les colonies de la région centrale (New York, New Jersey, Pennsylvanie) et du Sud (Caroline et, bien plus tard, Géorgie, en 1732). L'économie différencie les colonies : au sud, Virginie et Maryland prospèrent grâce à la monoculture du tabac, et le système des plantations encourage, après 1750, l'importation d'esclaves africains. Au nord et au centre, activités maritimes et agriculture diversifiée l'emportent. La diversité des régimes de colonisation (compagnie à charte, Propriétaire doté par la Couronne ou administration royale directe) est atténuée par une tendance à l'uniformité des gouvernements provinciaux qui, tous, associent à un gouverneur choisi par l'autorité centrale un conseil de notables et une assemblée de colons.

Fondation des colonies

1606-1607
Premiers essais de colonisation en Nouvelle-Angleterre par la Compagnie de Plymouth. Échecs.

1607
☐ **Mai** Fondation de Jamestown, en Virginie, par une centaine de colons sous les auspices de la Compagnie de Londres.

1608
Fondation de Québec par Samuel de Champlain.

1609
Premier voyage de l'Anglais Henry Hudson, pour la Compagnie hollandaise des Indes orientales. Il remonte le fleuve Hudson jusqu'au site actuel d'Albany. Fondation de Santa Fe (Nouveau-Mexique) par les Espagnols.

1611
Mort d'Hudson, après l'exploration de la baie qui porte son nom.

1613
Fondation d'un premier comptoir hollandais à Manhattan.

1614
Expédition du Hollandais Adrian Block à Manhattan, Long Island, et fondation de Fort Nassau près d'Albany.

1620
Les pères pèlerins, puritains anglais réfugiés en Hollande depuis 1609, munis d'une lettre patente de la Compagnie de Londres, s'embarquent sur le *Mayflower* et fondent la colonie de Plymouth.

1622
La région du Maine est attribuée à John Mason et Ferdinando Gorges par le Conseil de Nouvelle-Angleterre.

1624
Fondation de la Nouvelle-Hollande par la Compagnie hollandaise des Indes occidentales.

1626
Peter Minuit, gouverneur de cette colonie, achète l'île de Manhattan aux Indiens, pour 60 guilders ($ 24), payés en nature, et la nomme Nieuw Amsterdam.

1630
Fondation de la Colonie de la Baie du Massachusetts, et notamment de la ville de Boston, par John Winthrop. Début de la grande migration de puritains.

1631
Fondation de Portsmouth (New Hampshire).

1632
Charles Ier accorde une charte à George Calvert, Lord Baltimore (noble catholique), l'autorisant à s'établir en Virginie, au nord du Potomac.

1634
Fondation du Maryland par Leonard Calvert, fils du précédent. 50 % des colons de Saint Mary's sont catholiques.

1635
Fondation du New Hampshire par John Mason.

1636
Fondation de Providence (Rhode Island) par Roger Williams, chassé du Massachusetts pour avoir désapprouvé la politique d'intolérance religieuse. Fondation du Connecticut par des colons du Massachusetts.

1638
Fondation du Delaware par la Compagnie de Nouvelle-Suède, avec des capitaux privés hollandais.

1642
Fondation de Montréal (Canada) par les Français.

1653-1654
Des colons de Virginie s'installent au nord de la baie d'Albemarle, dans la future Caroline du Nord.

1663
Charte de Charles II à un groupe de 8 « Propriétaires », pour coloniser la région comprise entre 31 et 36°N., la future Caroline.

1664
Prise de Nieuw Amsterdam par les Anglais, qui la nomment New York.
Le duc d'York, maintenant Propriétaire de la colonie néerlandaise, cède le New Jersey à sir William Berkeley et à George Carteret.

1670
Fondation de Charleston (Caroline du Sud) par des colons anglais venant de la Barbade.

1673-1674
Exploration de la vallée du Mississippi par les Français Louis Joliet et Jacques Marquette.

1676
Division du New Jersey en deux parties dont l'une est attribuée à un groupe de quakers.

1682
Fondation de la Pennsylvanie par le quaker William Penn, muni d'une charte royale.
Fondation de la Louisiane française après l'expédition de Cavelier de La Salle.
Installation de colons espagnols au Texas.
Le duc d'York cède le Delaware (qui ne lui appartient pas !) à William Penn.

Le gouvernement des colonies

1608
Le capitaine John Smith élu président du Conseil de la Compagnie de Virginie.

1609
Troubles intérieurs en Virginie. Nouvelle charte.

1611
Sir Thomas Dale, gouverneur de Virginie, impose une sorte de loi martiale (Dale's Code).

1618
Quatrième charte de Virginie.

1619
Première réunion de l'Assemblée générale de Virginie, composée de 22 « bourgeois » élus par les planteurs et siégeant aux côtés du gouverneur et de son conseil.

1620
Signature à Cape Cod, par 41 pèlerins, du *Mayflower Compact,* établissant le gouvernement par contrat de la future colonie de Plymouth.

1621
William Bradford devient gouverneur de la colonie de Plymouth.

1623
Création par Jacques Ier du Conseil pour la Nouvelle-Angleterre, qui définit des zones de colonisation.

1624
Suppression par la Couronne de la charte de Virginie, qui devient colonie royale, mais garde la même forme de gouvernement.

1630
Première réunion de l'Assemblée géné-

rale du Massachusetts (organisation d'un gouvernement autonome).

1631
Dans la Colonie de la Baie du Massachusetts, le droit de vote est réservé aux membres de l'Église congrégationaliste.

1632
Au Maryland, définition du gouvernement de Propriétaire.

1635
Première réunion de la Chambre des Délégués du Maryland.

1636
Rompant avec ses commanditaires londoniens, la Colonie de Plymouth se donne un gouvernement, avec Assemblée générale et gouverneur.

1639
Lois fondamentales du Connecticut : gouvernement semblable à celui du Massachusetts.

1641
Premier Code de lois du Massachusetts.

1643
Création de la Confédération de Nouvelle-Angleterre, alliance défensive des colonies de Massachusetts, New Haven, Plymouth et Connecticut.

1644
Roger Williams obtient une charte pour le Rhode Island, instituant la séparation totale entre l'Église et l'État.

1649
Exécution du roi Charles Ier d'Angleterre.

1652
Annexion du Maine par le Massachusetts.

1654-1655
Au Maryland, conflit entre catholiques et puritains.

1655-1658
Lord Baltimore, privé de son pouvoir de Propriétaire par le dictateur Cromwell.

1660
Restauration en Grande-Bretagne : avènement de Charles II.

1662
Nouvelle charte royale accordée au Connecticut.

1664
Charles II donne à son frère, le duc d'York, un immense territoire américain incluant la Nouvelle-Hollande.

1665
New Haven est intégrée au Connecticut.

1669
Constitutions fondamentales des Carolines, rédigées par John Locke.

1680
Le New Hampshire devient colonie royale distincte du Massachusetts.

1682
William Penn définit la forme de gouvernement de la Pennsylvanie (gouverneur, Conseil et Assemblée).

1683
Première réunion de l'Assemblée provinciale de New York.

1684
Abrogation de la charte du Massachusetts par Charles II, et dissolution de la Confédération de Nouvelle-Angleterre.

1685
Avènement de Jacques Ier, duc d' York, sur le trône d'Angleterre : New York devient donc colonie royale.

Relations avec les Indiens et les autres colons européens

1607
En Virginie, le capitaine John Smith, capturé par le chef Powhatan, est libéré sur l'intervention de la princesse indienne Pocahontas.

1613
Raid des colons de Virginie contre les colonies françaises de Port-Royal (Acadie) et de Mont-Desert (Maine).

1614
Traité entre Powhatan et les colons de Virginie. Mariage de Pocahontas, baptisée en 1613, et de John Rolfe.

1616
Pocahontas est présentée à la cour de Jacques Ier.

1616-1618
La varicelle décime les tribus indiennes de Nouvelle-Angleterre.

1621
Traité d'alliance défensive entre les pèlerins de Plymouth et les Indiens Wampanoag contre les Narragansett.

1622
Attaque de la Virginie par la confédération Powhatan (6 tribus d'Algonquins), avec le chef Opechancanough.

1637
Guerre contre les Pequot dans la vallée du Connecticut.

1644
Deuxième attaque des Powhatan en Virginie. Mort d'Opechancanough.

1646
Traité entre Virginie et confédération Powhatan, qui cède d'importants territoires.

1655
La Nouvelle-Hollande s'empare de la Nouvelle-Suède.

1664
Nieuw Amsterdam se rend aux Anglais.

1673-1674
Les Hollandais reprennent New York pendant quelques mois.

1675
Attaque de la Virginie par les Indiens Susquehannock.

1675-1676
Guerre du roi Philippe, chef des Wampanoag de Nouvelle-Angleterre. Fin de l'indépendance des Indiens de Nouvelle-Angleterre.

1677
Traité avec les Indiens en Virginie. Nouvelle cession de territoires.

1680
Au Nouveau-Mexique, révolte des Pueblos menés par Popé. Les Espagnols sont chassés de Santa Fe.

Population, économie et société

1607-1608
Famine, scorbut et dysenterie à Jamestown : la population passe de 105 à 32.

1609
Première récolte de maïs à Jamestown.

1610
Population de la Virginie : 350 h.

1612
Première récolte de tabac à Jamestown. La première cargaison de tabac part pour l'Angleterre en 1614.

1617
Distribution des terres aux colons de

Virginie : 50 acres par personne transportée en Amérique.

1619
Arrivée à Jamestown, sur un bateau hollandais, de 20 Africains, comme serviteurs engagés.

1627
Premiers moulins à blé à Manhattan.

1629
Grandes concessions territoriales accordées aux colons de la Nouvelle-Hollande (« Patroons »).

1630
Population des colonies britanniques : 4 646 h., dont 50 Noirs en Virginie.
1 500 000 livres de tabac exportées de Virginie.

1641
Première mention officielle de l'esclavage dans un texte de loi du Massachusetts.

1644
Début des constructions navales et de l'industrie textile dans le Massachusetts.

1652
Frappe des premières monnaies d'argent à Boston, en dépit de l'interdiction britannique.

1660
Population totale des colonies britanniques : 75 058 h., dont 2 920 Noirs.

1664
Loi du Maryland précisant que les Noirs convertis au christianisme restent néanmoins esclaves à vie.

1675-1677
Révolte des colons de la Frontière, en Virginie, menés par Nathaniel Bacon, déclaré « rebelle » et exécuté.

1677-1680
Révolte de Culpeper en Caroline contre les grands propriétaires.

1680
Population des colonies britanniques : 151 507 h., dont 6 971 Noirs.

1683
Premiers colons allemands (mennonites), à Philadelphie.

Religion, éducation et culture

1607-1655 Missions franciscaines en Floride espagnole. Environ 25 000 Indiens convertis.

1609 L'Église anglicane est établie en Virginie.

1620 Première Église congrégationaliste à Plymouth.

1624 Publication à Londres d'une *Histoire de la Virginie* par John Smith, qui encourage beaucoup l'immigration.

1628 Fondation de l'Église réformée hollandaise à Nieuw Amsterdam.

1630 Fondation de la première Église congrégationaliste de Boston.

1634 Première église catholique au Maryland.

1636 Fondation à Boston d'une école secondaire : *Boston Latin School,* et d'un établissement d'enseignement supérieur, *Harvard College* □ Providence est la première colonie respectant la liberté religieuse.

1638 Anne Hutchinson est bannie du Massachusetts □ Première presse à imprimer au Massachusetts (Cambridge).

1647 Loi du Massachusetts obligeant chaque communauté de 50 familles à organiser une école publique.

1649 Loi de tolérance envers les chrétiens de toutes confessions au Maryland.

1656-1659 Violente persécution contre les quakers au Massachusetts.

1663 La première Bible imprimée en Amérique est la traduction, en langage algonquin, du pasteur John Eliot.

1664 Au Massachusetts, synode assouplissant les conditions d'appartenance à l'Église congrégationaliste *(Halfway Covenant)*.

1665 Loi de tolérance religieuse à New York.

1682 Plan d'urbanisme pour la cité de Philadelphie.

1683 Construction de la maison du pasteur Capen à Topsfield (Mass.).

1685 Arrivée en Amérique de huguenots chassés de France par la révocation de l'édit de Nantes.

Biographies

Hutchinson, Anne (1591-1643), sage-femme et chef religieux. Arrivée à Boston en 1634, elle remet en question l'enseignement de l'Église congrégationaliste en insistant sur l'importance de la grâce plutôt que des œuvres. Ses réunions sont très populaires. Après avoir perdu l'appui de certaines personnalités de Boston (dont John Cotton), elle est condamnée au bannissement par l'Assemblée générale de la colonie, dirigée par John Winthrop. En 1638, elle émigre avec sa famille dans la colonie de Rhode Island. À la mort de son mari, en 1642, elle s'installe à Eastchester (Long Island), où elle est assassinée par des Indiens en 1643.

Penn, William (1644-1718). Fils de l'amiral Penn, conquérant de la Jamaïque, le jeune William est un étudiant brillant, mais peu conformiste, à l'université d'Oxford, dont il est renvoyé à cause de ses convictions religieuses. En 1667, il devient membre de la Société des Amis, les quakers, et se met à écrire sermons et brochures exposant sa foi, ce qui lui vaut un séjour à la Tour de Londres. Mais l'amitié de sa famille avec les souverains Jacques II et Charles II lui permet de réaliser son rêve : fonder une colonie où la liberté religieuse et politique serait complète. Charles II lui offre ainsi, en 1681, un vaste territoire américain, en paiement d'une dette contractée envers son père, l'amiral. Penn arrive donc en « Pennsylvanie » en 1682, donne à la colonie un gouvernement très libéral, signe un traité de paix avec les Indiens Delaware, dont il apprend la langue, attitude extraordinairement novatrice à l'époque. Rentré en Angleterre, il traverse ensuite des années difficiles. De retour en Amérique en 1699, il propose le premier plan d'unification des colonies britanniques. Il est l'un des hommes les plus brillants et les plus profondément religieux de son époque.

Bibliographie

J. Béranger, *l'Amérique coloniale (1607-1774).* Histoire documentaire des États-Unis (Presses univ. de Nancy, 1986).

J.-E. Pomfret, *Founding the American Colonies (1585-1660)* [New York, Harper, 1971].

Les Actes de navigation

Série de lois votées par le Parlement britannique, en 1651, 1660, 1663 et 1673, afin de mettre en œuvre une politique mercantiliste destinée à tirer des colonies le maximum de profit. Il en résulte les mesures suivantes :

– le commerce des colonies est confié exclusivement à des marchands anglais. Il se fait sur des navires anglais, ou, en tout cas, d'origine interne à l'Empire ;

– certains produits américains ne peuvent être vendus qu'à la métropole (laine, sucre, tabac, indigo, gingembre, plantes tinctoriales, et, plus tard, riz et fournitures de marine). Poisson et farine ne sont pas inclus dans cette liste ;

– toutes les marchandises étrangères vendues dans les colonies doivent transiter par un port anglais et acquitter des droits de douane.

D'autres conditions et restrictions seront ajoutées à celles-ci à la fin du XVIIe siècle et au XVIIIe.

Chapitre III 1685 - 1763

Émergence d'une Amérique britannique

> *Proclame la liberté à travers tout le pays, et à tous ses habitants !*
>
> Gravé sur la cloche (fondue en Angleterre, 1752) installée à Philadelphie dans *Independence Hall.*

La fin du XVIIe siècle et les deux premiers tiers du XVIIIe sont dominés par les luttes coloniales, échos des nombreuses guerres entre puissances européennes. La rivalité franco-anglaise s'envenime progressivement et culmine dans la terrible guerre de Sept Ans. Les Indiens sont entraînés dans les conflits entre colonisateurs : les Anglais trouvent un appui auprès des Iroquois, éternels ennemis des Français. À l'issue des combats, la France est éliminée du continent nord-américain, où les Anglais règnent en maîtres à partir de 1763.
Les guerres et la croissance des colonies obligent le gouvernement britannique à accentuer la centralisation politique de l'Empire : en 1760, 8 des 13 colonies sont passées sous le contrôle direct de la Couronne, mais les colons jouissent en réalité d'une large autonomie et poursuivent leur apprentissage du *self-government.*
En dépit des troubles, de l'insécurité et de la politique mercantiliste, l'économie coloniale est sous le signe de la croissance. Les colonies de la Chesapeake, les Carolines et la Géorgie sont presque entièrement tournées vers la production commerciale de denrées exportées vers l'Angleterre – tabac, riz, indigo. Les colonies centrales (Pennsylvanie, New Jersey, New York) fournissent céréales, viande, peaux, tandis que la Nouvelle-Angleterre prospère par la pêche, les constructions navales et le commerce avec les Antilles, pourtant illégal. Toutefois, les lois impériales obligeant les colonies à importer d'Angleterre la quasi-totalité des produits manufacturés, la balance commerciale est constamment déficitaire.
La société se transforme : aux immigrants anglais s'ajoutent des huguenots français et, surtout, des Écossais d'Irlande et des Allemands de la vallée du Rhin. La croissance naturelle est impressionnante, même parmi les immigrés involontaires, les Africains. Les esclaves noirs remplacent, en effet, dans les plantations les serviteurs sous contrat d'origine européenne, engagés pour quelques années par un maître qui a payé leur voyage. Par ailleurs,

de vives tensions, d'origine religieuse, économique ou politique, se manifestent parmi les colons blancs.
Les colonies ont élaboré une culture que l'on peut déjà qualifier d'« américaine », mais elles demeurent encore très attachées à la métropole.

Guerres coloniales et indiennes

1689-1697
Guerre du roi Guillaume (ligue d'Augsbourg).

1690
☐ **Févr.** Incendie de Schenectady (N.Y.) par les Français et leurs alliés indiens.
☐ **Mai** Prise de Port-Royal (Acadie) par les Anglais.
☐ **Oct.** Les Anglais sont repoussés devant Québec par le gouverneur Frontenac.

1691
Les Français reprennent Port-Royal.

1697
Le traité de Ryswick rétablit le statu quo des colonies.

1702-1713
Guerre de la reine Anne (succession d'Espagne).

1702
Les Anglais prennent aux Espagnols Saint-Augustine et plusieurs autres missions de Floride.

1704
L'Acadie française est attaquée par les colons de Nouvelle-Angleterre.
Les Français détruisent Deersfield au Massachusetts.

1710
Prise de Port-Royal par les Anglais.

1711
Échec des Anglais devant Québec.

1711-1713
Guerre des Tuscarora (Caroline du Nord).
Abandon de la colonie de New Bern. Vaincus, les Tuscarora refluent vers le nord et entrent dans la Confédération iroquoise.

1713
Traité d'Utrecht : la France cède le Territoire de la baie d'Hudson, Terre-Neuve et l'Acadie (Nouvelle-Écosse).

1715-1716
Guerre des Yamassees (Caroline du Sud).
Encouragés par les Espagnols, les Yamassees sont néanmoins vaincus.

1718
Les Français fondent La Nouvelle-Orléans.

v. 1720
Construction de forts français dans les vallées du Mississippi et de l'Ohio.

1721-1725
Guerre de Dammer et Lovewell.
Escarmouches entre colons français et anglais dans le Maine et le Vermont.

1722
Traité de la ligue des Iroquois avec la Virginie.

1739-1742
Guerre de l'Oreille de Jenkins, en Géorgie.

Contre les Espagnols, accusés de maltraiter des marins anglais. Les Espagnols sont repoussés en Floride.

1739-1748
Guerre du roi George (guerre de succession d'Autriche).

1744
Échec des Français devant Port-Royal (Nouvelle-Écosse).
Traité entre les Anglais et les Iroquois, qui cèdent des territoires dans la vallée de l'Ohio.

1745
Raids franco-indiens dans le Maine.
Prise de la forteresse de Louisbourg, sur l'île de Cap-Breton, par des Anglais de Nouvelle-Angleterre.

1748
Traité d'Aix la Chapelle. Louisbourg est rendu aux Français. Statu quo pour les autres territoires coloniaux. La Grande-Bretagne conserve le privilège du transport des esclaves à destination des colonies espagnoles.

1748-1755
Lutte pour la domination de l'Ohio.

1753
George Washington, 21 ans, délégué par la Virginie pour exiger le retrait des Français de la vallée de l'Ohio.

1754
Les Français construisent Fort-Duquesne, sur l'Ohio. Défaite de Washington à Fort-Necessity.

1756-1763
« Guerre française et indienne » (guerre de Sept Ans). En Amérique, les combats opposant Français et Anglais ont commencé depuis 2 ans (1754).

1757
Montcalm s'empare de Fort-Oswego et Fort-William-Henry, dans le New York.

1758
Défaite des Anglais à Ticonderoga (N.Y.).

□ **Juill.** Revirement de situation en faveur des Anglais : reddition de Fort-Louisbourg.

□ **Nov.** Reddition de Fort-Duquesne, qui devient Pittsburgh.

1759

□ **Sept.** Défaite des Français à Québec. Mort des deux généraux, Montcalm et Wolfe.

1760
Capitulation de Montréal, puis de Detroit.

1763
Traité de Paris entre Grande-Bretagne, France et Espagne. La France cède à la Grande-Bretagne le Canada et les territoires situés à l'est du Mississippi ; à l'Espagne, la Louisiane, vaste région comprise entre le Mississippi et les Rocheuses. Elle ne garde plus en Amérique que les îles de Saint-Pierre-et-Miquelon. L'Espagne cède la Floride à la Grande-Bretagne.
Soulèvement général des Indiens sous la direction du chef Ottawa Pontiac. Attaque de plusieurs forts : Detroit, Michilimackinak, et massacres d'Anglais. Défaite de Pontiac à Bushy Run, près de Pittsburgh.

Vie politique dans l'Empire britannique

1685
Avènement de Jacques II Stuart, roi catholique, qui veut mettre de l'ordre dans l'administration des colonies.

1686-1689
Création d'un « Dominion » de Nou-

velle-Angleterre qui inclut les colonies de New York et New Jersey.

1687
Le gouverneur du dominion, sir Edmund Andros, supprime les chartes et dissout les assemblées coloniales.

1688
Jacques II, détrôné par la Glorieuse Révolution, est remplacé par sa fille Marie et son gendre Guillaume d'Orange.

1689
Insurrection de Jacob Leisler à New York : le gouverneur Nicholson est chassé ; Leisler, s'étant proclamé lieutenant-gouverneur, reconnaît Guillaume et Marie. L'impopulaire Andros, chassé de Boston, sera jugé en Angleterre. Au Maryland, révolte des protestants contre les catholiques.

1691
Guillaume reprend la situation en main : Leisler exécuté pour trahison. Le Massachusetts et la colonie de Plymouth deviennent une colonie royale dotée d'une nouvelle charte. Le Maryland devient colonie royale. Création de la Caroline du Nord (Albemarle), qui conserve le même gouverneur royal que la Caroline du Sud.

1696
Création du *Board of Trade for the Plantations*, organe de gouvernement dont les décisions sont rapportées au Conseil privé du roi.

1702
Le New Jersey devient colonie royale.

1712
Les Carolines auront désormais chacune leur gouverneur.

1719
Révolte des colons de Caroline du Sud contre le gouverneur, qui ne les protège pas contre les Indiens.

1729
Les deux Carolines deviennent provinces royales.

1732
Charte royale accordée au philanthrope James Edward Oglethorpe pour fonder dans le Sud une colonie qui servira de refuge aux condamnés pour dettes, et de protection contre les Espagnols de Floride.

1733
Fondation de Savannah, en « Géorgie », la nouvelle colonie.

1739
Oglethorpe signe un traité de paix avec les Creek.

1749
Charte accordée par George II à la Compagnie de l'Ohio.

1752
La Géorgie devient colonie royale.

1754
Au congrès d'Albany, Benjamin Franklin propose un plan d'union des colonies, qui est rejeté par les colons et par la Couronne.

1760
George III succède à George II : il a 22 ans.

1763
Lord Grenville Premier ministre.
Proclamation royale limitant la colonisation aux sources des fleuves descendant des Appalaches vers l'Atlantique, afin de prévenir les conflits avec les Indiens.

Économie et société

1689
Soulèvements populaires au New York et au Massachusetts.

1690
Début de la chasse à la baleine à Nantucket.
Premières émissions de papier-monnaie (billets de crédit) au Massachusetts.

1695
Premières mesures d'assistance aux pauvres à New York.

1696
Nouvel Acte de navigation créant dans les colonies les cours d'amirauté, chargées de juger, sans jury, les affaires maritimes et commerciales.
Début de la culture du riz dans les Carolines.

1698
La *Royal African Company* perd le monopole du commerce des esclaves au profit des commerçants de Nouvelle-Angleterre.

1699
Loi sur les lainages *(Woolen Act)* interdisant l'exportation vers l'Europe et vers les autres colonies des tissus de laine de Nouvelle-Angleterre.

1700
Population des colonies britanniques : 250 888 h., dont 27 817 Africains.

1703
La Caroline du Nord autorise le papier-monnaie.

1705
Loi allongeant la liste des produits exportables vers la seule Grande-Bretagne : riz, mélasses et fournitures pour la marine.
Au Massachusetts : loi interdisant les mariages interraciaux.

1709-1710
Forte immigration suisse et allemande en Caroline du Nord : fondation de New Bern.

1712
Révolte d'esclaves à New York.

1713
Gloucester (Mass.) : construction de la première goélette américaine (*Schooner*). Début d'une florissante industrie de constructions navales en Nouvelle-Angleterre.

1717
Les marchands des colonies sont autorisés à commercer avec les Indes occidentales françaises (mélasses).

1721
Boston : premières vaccinations contre la variole.

1729
Franklin : *Enquête sur la nature et la nécessité du papier-monnaie.*

1731-1732
La variole à New York : décès de 6 % de la population.

1732
Loi sur les chapeaux : dans les colonies, pas plus de deux apprentis par fabricant ; les peaux de castors d'Amérique seront travaillées en Angleterre.

1733
Loi sur les mélasses : tarif prohibitif sur les sucres importés, pour protéger les planteurs des Antilles britanniques.

1739
Dans la vallée de Stono (Caroline du Sud), révolte des esclaves qui veulent

marcher sur la Floride. Panique des maîtres.

v. 1740
Caroline du Sud : début de la culture de l'indigo.

1741
New York : « conspiration noire » ; panique aboutissant à l'exécution de 31 Noirs et de 4 Blancs.

1746
New Jersey : révolte de petits propriétaires.

1750
Loi sur le fer, encourageant la production de fer brut, mais interdisant la fabrication d'objets manufacturés.
Au Massachusetts, 50 distilleries de rhum.

v. 1750
Multiplication des cafés *(coffee houses)*, où les Américains se retrouvent pour débattre de questions d'actualité.

1751
Loi sur la monnaie *(Currency Act)* proscrivant l'usage de billets dans les colonies.

1752
Philadelphie : premier hôpital public.

1753
New Jersey : importation de la première machine à vapeur dans une mine de cuivre.

1756
Service de diligence entre New York et Philadelphie.

1760
Population des colonies : 1 600 000 h., dont 326 000 Noirs.

1763
Marche des Paxton Boys sur Philadelphie, pour avoir de l'aide en cas d'attaque des Indiens. La milice les repousse.

Population noire dans les colonies britanniques

	1680	1700	1720	1740	1760
Total	6 971	27 857	68 839	150 024	325 806
Massachusetts	170	800	2 150	3 035	4 566
New York	1 200	2 256	5 740	8 996	16 340
Virginie	3 000	16 390	26 559	60 000	140 570
Caroline du Nord	210	415	3 000	11 000	33 554

Principales villes des colonies britanniques en 1760

Boston	New York	Philadelphie	Charleston
16 000 h.	18 000 h.	23 000 h.	8 000 h.

Religion, éducation et culture

1685 Première presse d'imprimerie à Philadelphie.

1686 Andros impose le culte anglican en Nouvelle-Angleterre.

1688 Première dénonciation de l'esclavage, par les quakers de Germantown.

1692 Procès en sorcellerie au village de Salem (Mass.) : 20 personnes exécutées.

1693 Williamsburg (Virg.) : fondation du collège (anglican) de William and Mary □ Protestation écrite du quaker G. Keith contre l'esclavage.

1695 New York : la première synagogue.

1697 Journée officielle de Repentance au Massachusetts, en souvenir des procès de Salem.

1701 Fondation du collège (congrégationaliste) de Yale, au Connecticut. Fondation de la Société pour la Propagation de la Foi, organe anglican d'évangélisation des colonies.

1702 Établissement de l'Église anglicane au Maryland.

1704 La *Boston Newsletter,* premier journal publié dans les colonies.

1706 Établissement de l'Église anglicane en Caroline.

1711 30 librairies à Boston.

1719 Deux nouveaux journaux : la *Boston Gazette* et l'*American Mercury* (Philadelphie).

1721 Le plus ancien portrait peint dans les colonies : celui, anonyme, d'Ann Pollard.

1727 Chaire d'enseignement des mathématiques au collège Harvard.

1729 Benjamin Franklin achète la *Pennsylvania Gazette.*

1731 Franklin crée à Philadelphie la première bibliothèque publique de prêt.

1734 Northampton (Mass.) : prédication de Jonathan Edwards. Nombreuses conversions.

1735-1745 Le Grand Réveil religieux se répand dans toute la Nouvelle-Angleterre. Les partisans de la tradition (Lumières anciennes) s'opposent aux adeptes des Nouvelles Lumières.

1735 Construction de la résidence de Westover, en Virginie □ Arrivée en Géorgie de piétistes allemands, les Frères moraves : ils évangélisent les Indiens □ New York : procès du journaliste John Zenger. Reconnaissance de la liberté de presse.

1736 Le prédicateur John Wesley en Géorgie : début du méthodisme.

1738 Au Massachusetts : création de la première loge maçonnique.

1739-1740 Suite du Grand Réveil : tournée du prédicateur anglais George Whitefield dans les colonies.

1741 En Pennsylvanie : les Frères moraves fondent Bethléem.

1742 Début de l'unitarianisme en Nouvelle-Angleterre, en réaction contre le sentimentalisme du Grand Réveil.

1743 L'*American Philosophical Society,* fondée à Philadelphie.

1746 Fondation du collège (presbytérien) du New Jersey, à Princeton.

1750-1760 Grand Réveil en Virginie. Conflit entre les baptistes et l'aristocratie anglicane.

v. 1750 Œuvres de l'architecte Peter Harrison, en Nouvelle-Angleterre (Newport, Boston).

1751 Création de l'Académie Franklin, sans dénomination religieuse, future Université de Pennsylvanie.

1752 Expériences de Franklin sur l'électricité.

1754 À New York : fondation de King's College (anglican), qui deviendra l'université Columbia en 1784.

1755 Les quakers importateurs d'esclaves sont exclus de la Société des Amis.

1758 Philadelphie : première école pour enfants noirs.

Biographies

Franklin, Benjamin (1706-1790), le plus célèbre Américain de son temps : homme universel, incarnant à la fois l'esprit des Lumières et le pragmatisme américain, il a été imprimeur, éditeur, auteur, inventeur, savant, homme politique et diplomate. Né à Boston d'une famille d'artisans, il commence par être apprenti imprimeur chez son frère aîné. À 17 ans, il quitte Boston et s'installe à Philadelphie. Dès 1730, propriétaire de son imprimerie, il commence à publier son célèbre *Almanach du pauvre Richard.* En 1743, il est assez riche pour se retirer des affaires et se consacrer à des travaux scientifiques. Il met au point plusieurs inventions, dont le paratonnerre et le calorifère. Il anime la vie intellectuelle de Philadelphie, avant de se consacrer à la politique et à la diplomatie, notamment en négociant l'aide de la France aux révolutionnaires américains. Les longues années passées en Angleterre et en France font de lui un personnage de dimension internationale.

Cotton, Mather (1663-1728). Intellectuel puritain., fils d'Increase Mather, pasteur de l'église Nord de Boston et Président du Collège Harvard. Enfant précoce et très doué, il entre lui-même à Harvard à 12 ans, étudie d'abord la médecine, puis, ayant vaincu son bégaiement, devient prédicateur comme son père. Il participe à la fondation du Collège de Yale, prend part à toutes les grandes controverses de son temps (procès de Salem, vaccination contre la variole) et possède l'une des plus riches bibliothèques des colonies (4000 volumes). Il publie plusieurs centaines d'articles, brochures et livres, sur des sujets philosophiques ou des expériences scientifiques. Sa réputation lui vaut d'être nommé membre de la *Royal Society* de Londres.

Bibliographie

E. J. Perkins, *the Economy of Colonial America* (1980).

P. Brodin, *les Quakers en Amérique du Nord* (Paris, 1983).

Chapitre IV 1764 - Juillet 1776

Les origines de la révolution

> *Nous tenons ces vérités pour évidentes par elles-mêmes que tous les hommes naissent égaux, que leur Créateur les a dotés de certains droits inaliénables, parmi lesquels la vie, la liberté et la recherche du bonheur ; que pour garantir ces droits, les hommes instituent parmi eux des gouvernements dont le juste pouvoir émane du consentement des gouvernés ; que si un gouvernement, quelle qu'en soit la forme, vient à méconnaître ces fins, le peuple a le droit de le modifier ou de l'abolir et d'instituer un nouveau gouvernement...*
>
> Déclaration unanime des treize États-Unis d'Amérique, adoptée au Congrès, le 4 juillet 1776.

Avec la fin de la « guerre française et indienne » s'ouvre pour les colonies britanniques une nouvelle période riche d'événements qui conduisent rapidement à l'indépendance.

Au moment où les colons voudraient s'installer dans les territoires cédés par la France, entre Appalaches et Mississippi, le gouvernement britannique prétend leur en interdire l'accès, par peur des conflits avec les Indiens.

Les dépenses militaires engagées pour la défense des colonies ayant vidé le Trésor britannique, le roi et ses ministres décident de faire payer par l'Amérique environ un tiers de ces dépenses. On trouvera l'argent en appliquant avec plus de rigueur les règlements douaniers, et en créant de nouvelles taxes pour les colonies. Les colons se rebellent, voyant là un complot du Parlement et de la Couronne pour ruiner l'Amérique. En effet, les mesures prises par Londres à partir de 1764 affectent une économie déjà déprimée par la fin de la guerre.

À chaque nouvelle loi britannique répond une vague de protestation dans les colonies : pétitions, refus d'obéissance, boycottage des produits taxés, violences contre les officiers de la Couronne se succèdent en 1764, 1765, 1767 et 1773.

À partir de 1770, des accrochages se produisent entre colons et soldats britanniques. Journaux, brochures et pamphlets dénoncent l'absolutisme royal, affirment que des citoyens non représentés au Parlement ne peuvent être imposés par cette assemblée. Pour faire front, les colons réunissent un Congrès continental à Philadelphie dès 1774, puis à nouveau en 1775. Des affrontements entre milices locales et soldats britanniques ont déjà concrétisé la rupture.

Toutefois, il semble que nul n'ait osé parler d'indépendance avant le début de 1776, lorsque paraît à Philadelphie *le Sens commun,* pamphlet de Thomas Paine qui préconise, en des termes violents, l'indépendance et la création d'une république. Ce texte agit comme un catalyseur : quelques mois plus tard, le Congrès adopte la fameuse Déclaration d'indépendance, rédigée par Thomas Jefferson, et modèle de toutes les futures déclarations de droits.

Politique impériale et résistance des colons

1764

☐ **Avr.** Lord Grenville, chancelier de l'Échiquier, présente au Parlement un ensemble de mesures visant à rapporter au moins 45 000 £. : le *Sugar Act* (loi sur le sucre) relève les droits sur les sucres étrangers et en crée sur d'autres produits non britanniques ; le *Currency Act* (loi sur la monnaie) interdit aux colons d'émettre de la monnaie de papier. Les infractions seront jugées par une cour d'amirauté siégeant à Halifax (Nouvelle-Écosse).

☐ **Mai** Boston : James Otis dénonce la « taxation sans représentation ».

☐ **Juin** Protestation contre le *Sugar Act* dans toutes les colonies, qui demandent en vain son abrogation.

☐ **Août** Premiers accords de boycottage de produits britanniques entre marchands de Boston et de New York.

1765

☐ **Mars** *Stamp Act* (loi sur le timbre), établissant le paiement d'un droit sur tous les contrats, publications, documents officiels, cartes à jouer, etc. C'est le premier impôt que lève la Couronne dans les colonies.
Quartering Act (loi sur le logement des troupes) : les colonies devront entretenir les troupes britanniques stationnées en Amérique pendant une période de deux ans.

☐ **Mai** Protestation de Patrick Henry contre la politique royale, à la Chambre des bourgeois de Virginie.

☐ **Été** Formation, dans plusieurs villes, d'associations secrètes, les « Fils de la liberté », qui organisent la résistance au *Stamp Act.*

☐ **Oct.** New York : Congrès sur le droit de timbre, formé de représentants de 9 colonies sur 13. Vote d'une pétition contre l'application de la loi ; décision de boycotter les produits britanniques ; refus d'utiliser les timbres.

☐ **Nov.** Émeute populaire contre le *Stamp Act* à New York.

1766

☐ **Mars** À la suite de l'intervention des marchands de Londres, atteints par la dégradation des relations commerciales avec l'Amérique, le Parlement abroge le *Stamp Act,* mais vote au même moment l'Acte déclaratoire, qui affirme le droit du Parlement à légiférer pour les colonies.

☐ **Nov.** Réduction du droit sur les mélasses étrangères.

1767

☐ **Juin** Le chancelier de l'Échiquier, Charles Townshend, fait voter de nouvelles mesures destinées à faire payer les colonies : droits à l'importation sur de nombreux produits : verre, plomb, peintures, papier et thé.

□ **Oct.** Nouvel accord de non-importation de produits britanniques dans les principaux ports américains.
Suspension de l'Assemblée de New York, qui a refusé de loger des troupes.

□ **Nov.** Dans ses *Lettres d'un fermier de Pennsylvanie,* John Dickinson déclare inconstitutionnels les Droits Townshend.

1768

□ **Févr.** Lettre circulaire dénonçant les Droits Townshend envoyée par Samuel Adams, du Massachusetts, aux autres colonies.

□ **Juin** Arraisonnement du navire du Bostonien John Hancock, qui a refusé de payer des droits sur l'importation de vins de Madère. La foule attaque les officiers de douane britanniques. Arrivée de renforts militaires pour rétablir l'ordre à Boston.

1769

□ **Mai** Protestation présentée au roi par l'Assemblée de Virginie. Dissolution de l'assemblée par le gouverneur.

1770

□ **Janv.** New York : accrochage entre les soldats et la foule (Golden Hill) ; nombreux blessés.

□ **5 Mars** Massacres de Boston : les soldats britanniques tuent 5 manifestants.

□ **Avr.** Le Premier ministre, lord North, propose l'abrogation des Droits Townshend, à l'exception de ceux sur le thé. Retour au calme dans les colonies ; fin du boycottage.

1772

□ **Juin** Providence (Rhode Island) : incendie d'un navire des douanes, le *Gaspee.* Nouvelles tensions.

□ **Nov.** Premiers « Comités de correspondance », créés à l'instigation de Samuel Adams, de Boston, pour établir des liens permanents avec les assemblées des autres colonies.

1773

□ **Mai** *Tea Act* (loi sur le thé) : pour aider la Compagnie des Indes orientales, le Parlement dispense celle-ci des droits d'importation sur le thé d'Orient et l'autorise à le vendre en Amérique. Les importateurs américains protestent contre cette concurrence à bas prix.

□ **Déc.** *Boston Tea Party* : déguisés en Indiens, des Bostoniens jettent à la mer la cargaison de thé de trois navires de la Compagnie des Indes orientales.

La rupture

1774

□ **Mars-Mai** Londres : *Coercive Acts* (lois coercitives) contre Boston : fermeture du port, jugement des coupables en Angleterre, annulation de la charte du Massachusetts.

□ **Mai** *Loi sur le Québec,* établissant un gouvernement centralisé dans la province canadienne et étendant ses limites sur la région de l'Ohio.

□ **Juin** Nouvelle loi sur le logement des troupes chez l'habitant.

□ **Sept.** Philadelphie : premier Congrès continental, réunissant des délégués de toutes les colonies sauf la Géorgie. Les *Coercive Acts* sont déclarés illégaux et les colons invités à former des milices. Le Congrès se réunira à nouveau en mai 1775.

1775

☐ **Févr.** Lord North propose un plan de conciliation sur le problème de la taxation ; mais une loi interdit à la Nouvelle-Angleterre de commercer avec d'autres pays que la Grande-Bretagne et les Antilles britanniques.

☐ **19 avr.** Lexington et Concord, près de Boston : premier affrontement entre l'armée britannique et les milices du Massachusetts, les *Minute Men,* lors d'une tentative des Anglais pour détruire un dépôt d'armes destiné aux milices. Des dizaines de victimes des deux côtés. Les Anglais se replient dans Boston, assiégée par les Américains.

☐ **Mai** Arrivée de renforts britanniques à Boston. Prise du Fort Ticonderoga, sur le lac Champlain, par les Américains.
Réunion du second Congrès continental à Philadelphie.

☐ **15 juin** Le Congrès nomme George Washington chef de l'armée continentale. Levée de troupes dans les colonies.

☐ **17 juin** Bataille de Bunker Hill, près Boston. Défaite des Américains.

☐ **6 juill.** Le Congrès vote la « Déclaration sur les causes et la nécessité du recours aux armes » (mais n'envisage pas encore l'indépendance).

☐ **8 juill.** Pétition du Rameau d'olivier, rédigée par John Dickinson, suppliant le roi d'arrêter les hostilités.

☐ **23 août** George III refuse la pétition du Rameau d'olivier et déclare les colonies en état de rébellion.

☐ **Août-déc.** Expéditions américaines au Canada. Échec devant Québec.

☐ **Oct.-déc.** Le Congrès organise une marine de guerre en équipant de canons certains bateaux de pêche.

☐ **29 nov.** Le Congrès nomme un comité chargé de prendre des contacts à l'étranger.

1776

☐ **Janv.** Publication à Philadelphie de *Common Sense,* de Thomas Paine, qui qualifie George III de « brute royale » et préconise l'indépendance et l'instauration d'une république.

☐ **Févr.-juin** Échec des Anglais à Charleston.

☐ **17 mars** Le général Howe, commandant les forces britanniques, évacue Boston et se replie à Halifax.

☐ **Mai** Le Congrès recommande aux colonies d'adopter des gouvernements représentatifs.

Population des treize colonies en 1770

Colonies	population totale	population noire
New Hampshire	62 396	654
Massachusetts	235 308	4 754
Rhode Island	58 196	3 761
Connecticut	183 881	5 698
New York	162 920	19 112
New Jersey	117 431	8 220
Pennsylvanie	240 057	5 761
Delaware	35 496	1 836
Maryland	202 599	63 818
Virginie	447 016	187 605
Caroline du Nord	197 200	69 600
Caroline du Sud	124 244	75 178
Géorgie	23 375	10 625
(Maine)	31 257	458
(Vermont)	10 000	—
(Kentucky-Tennessee)	16 700	2 725
Total	2 148 076	459 822

D'après Historical Statistics of the United States.

☐ **7 juin** Richard Lee rédige une « Résolution » proclamant l'indépendance. Le Congrès nomme un comité de cinq membres, (dont Thomas Jefferson, Benjamin Franklin et John Adams), chargés de rédiger un texte justifiant cette déclaration.

☐ **12 juin** La Virginie rédige son *Bill of Rights,* Déclaration des droits qui servira de modèle à toutes les autres.

☐ **2 juill.** Le Congrès vote la Résolution de Lee.

☐ **4 juill.** Le Congrès adopte, après l'avoir amendé, le texte rédigé par Jefferson et en envoie des copies aux différents « États » qui se sont substitués aux « colonies ».

Société et peuplement de l'Ouest

1764
Création de compagnies à charte pour la colonisation de l'Ouest. George Washington à la tête de la Compagnie du Mississippi.

1766
Le chef indien Pontiac signe la paix avec les Anglais.

1768
Traité avec les Iroquois : ils cèdent des territoires dans l'ouest de la colonie de New York et entre Ohio et Tennessee. Traité de Hard Labor avec les Cherokee. Reflux vers l'ouest des tribus indiennes. La Compagnie de l'Illinois, créée en 1766, achète 1,8 million d'acres (720 000 ha.) aux Iroquois, au sud-est de l'Ohio.

1768-1769
Exploration du Kentucky par Daniel Boone.

1769
Création de la Grande Compagnie de l'Ohio, qui fait l'acquisition de 8 millions d'hectares de terres.

1769-1771
Agitation des pionniers de la Frontière dans les Carolines. En Caroline du Nord, le mouvement des Régulateurs proteste contre l'insuffisance de leur représentation à l'Assemblée de la colonie et contre le pouvoir excessif des colons de l'Est. Exécution de plusieurs chefs de ce mouvement.

1773
Le Président de Yale College lance l'idée de renvoyer les Noirs libres en Afrique occidentale.

1775
Philadelphie : création, par Benjamin Franklin, de la première Société abolitionniste.
Le Congrès crée un système postal pour remplacer le service impérial. Franklin est nommé *Post Master General.*
Daniel Boone crée le fort de Boonesborough, sur le Kentucky.

Religion, culture, technique

1764 Fondation du collège de Rhode Island, ancêtre de l'université Brown, à Providence.
Publication des *Rights of The British Colonies Asserted,* de James Otis.

1765 John Singleton Copley, de Boston, peint le portrait du marchand John Hancock ☐ Au collège de Philadelphie, création de la première école de médecine en Amérique.
John Dickinson : *Consideration upon the Rights of The Colonies to The Privileges of British Subjects.*

1766 Construction de la chapelle Saint Paul à New York.
New Jersey : Fondation de *Queen's College* (future université Rutgers) □ Premier théâtre permanent dans les colonies, créé à Philadelphie par l'*American Company of Comedians.*

1767 Création du premier planétarium américain par un horloger de Philadelphie, David Rittenhouse.

1768 Paul Revere, joaillier patriote de Boston, grave un bol d'argent en souvenir de la résistance au *Stamp Act* □ *The Liberty Song,* premier chant patriotique, publié dans la *Boston Gazette* □ Consécration de la première église méthodiste à New York.

1769 Fondation de Dartmouth College, congrégationaliste, pour l'éducation de jeunes Indiens.

v. 1770 Éclairage public en ville.

1770 En Virginie : Jefferson commence la construction de sa villa, Monticello.

1771 Benjamin Franklin commence son *Autobiographie.*

1772 Benjamin West, de Philadelphie, devient à Londres le peintre d'histoire de George III. Ch. W. Peale : premier portrait en pied de George Washington.

1773 Premières expériences d'Oliver Evans sur la propulsion à vapeur.

1774 Jefferson : *A Summary View of The Rights of British America.* Immense succès du *Werther* de Goethe dans les colonies □ Arrivée en Amérique de Mother Ann Lee, qui fonde la secte des shakers.

1775 Le peintre Copley émigre en Angleterre □ Le poète Philip Freneau crée une satire du général anglais Gage □ David Bushnell met au point le premier sous-marin américain, le *Turtle.*

□ **Déc.** Apparition, sur un navire de la Delaware, du tout premier drapeau américain.

1776 *Common Sense,* de Paine, se vend à 120 000 exemplaires en quelques mois.

□ **6 juill.** Parution de la Déclaration d'indépendance en pages 1 et 2 du *Pennsylvania Evening Post.*

Biographies

Paine, Thomas (1737-1809), l'un des personnages les plus célèbres de l'époque révolutionnaire, des deux côtés de l'Atlantique. Né en Angleterre dans un milieu d'artisans modestes (son père fabriquait des corsets), il exerce divers métiers et demeure inconnu jusqu'à sa trente-huitième année. Au cours d'un voyage à Londres, il rencontre Benjamin Franklin qui lui conseille d'aller en Amérique et lui donne des recommandations auprès de ses amis. En 1774, il est à Philadelphie et se met à écrire pour le *Pennsylvania Magazine.* En janvier 1776, la publication anonyme de son virulent pamphlet, *le Sens commun,* lui apporte d'un coup la notoriété. Dans les mois qui suivent, tout le monde en Amérique lit ce texte qui ose enfin parler d'indépendance. Il continue alors à écrire des articles que George Washington fait lire à ses troupes pour ranimer leur ardeur patriotique *(la Crise américaine).* En effet, son style, beaucoup plus direct que celui des pamphlétaires de l'époque, est très nouveau. Paine devient ensuite membre du Comité des Affaires étrangères du Congrès, puis se consacre à des travaux d'invention, et repart pour l'Europe en 1787. La Révolution française l'enthousiasme et, en

1791, en réponse à la violente critique d'Edmund Burke *(Réflexions sur la Révolution française)*, il publie *Les Droits de l'homme,* une défense du gouvernement républicain qui lui vaut d'être expulsé d'Angleterre. En revanche, il reçoit la citoyenneté française et se fait élire à la Convention, où malgré ses convictions républicaines, il ne vote pas la mort de Louis XVI. Ses amitiés girondines lui valent d'être emprisonné en 1793, et c'est de justesse qu'il échappe à la guillotine. Il rédige alors *l'Âge de raison,* ouvrage sévère pour le christianisme, mal reçu en France comme en Amérique. Rentré aux États-Unis en 1802, il termine ses jours dans la solitude et meurt à New Rochelle en 1809.

Henry, Patrick (1736-1799). Le plus grand orateur de la révolution américaine fut d'abord boutiquier, puis agriculteur en Virginie, avant de devenir avocat et défenseur des pionniers de la Frontière. En 1765, il prononce à la Chambre de Virginie un discours enflammé contre le *Stamp Act,* et accuse George III de trahison. Dix ans plus tard, devant cette même assemblée, il déclare à nouveau son opposition à la politique britannique et réclame « la liberté ou la mort ». Élu au Congrès continental, il est le premier à se proclamer « Américain ». Il reste cependant très attaché à sa Virginie natale, participe à la rédaction de la Constitution de l'État en 1776, puis se fait élire gouverneur. Il s'oppose même à la ratification de la Constitution fédérale de 1787, craignant qu'elle n'empiète sur les droits des États. On comprend mal que ce révolutionnaire « radical » ait changé de camp à la fin de sa vie pour devenir fédéraliste (voir chap. V et VI.).

Le chef **Pontiac** (v. 1720-1769). Né, dans le nord-ouest de l'actuel État d'Ohio, d'un père Ottawa et d'une mère Ojibwa, il devient chef des Ottawa en 1755. Il autorise, en 1760, le major anglais Rogers à traverser le territoire de sa tribu pour aller occuper des forts abandonnés par les Français. Mais, voyant que les Anglais ne traitent pas les Indiens avec autant d'égards que les Français, il forme une ligue de tribus qui, outre les Ottawa, inclut les Hurons, les Ojibwa, les Pottawatomi et les Delaware, et s'étend géographiquement du lac Supérieur au Mississippi. Leur but est de chasser les Anglais. S'appuyant sur de vagues promesses d'aide des Français, Pontiac lance, en mai 1763, une série d'attaques simultanées contre plusieurs forts britanniques et remporte des succès. Le fort de Détroit lui résiste pendant près de huit mois. La Confédération indienne est très affaiblie après la défaite de Bushy Run, en Pennsylvanie, mais Pontiac continue la lutte et ne signe la paix avec les Anglais qu'en 1766. Rentré dans son village, il est assassiné par un Indien Illinois, à l'instigation d'un marchand anglais. Pontiac, l'un des plus remarquables chefs indiens, sut faire preuve d'une énergie et d'un sens de l'organisation hors du commun.

Boone, Daniel (1734-1820), homme de la Frontière, personnage considérablement enjolivé par la légende et la littérature. Né en Pennsylvanie dans une famille quaker, il émigre très tôt sur la Frontière de la Caroline du Nord, où il exerce toutes sortes de métiers. En 1766, franchissant les Appalaches au Cumberland Gap, il pénètre dans le Kentucky. Il y retourne en 1775, comme agent de la Compagnie de Transylvanie, emmenant un groupe de colons. Fait prisonnier par les Shawnee, il s'échappe, devient shérif et député à l'assemblée de Virginie occidentale et en 1798, obtient une concession territoriale au Missouri. Il incarne parfaitement le pionnier de la Frontière, chasseur, trappeur, vainqueur des Indiens. Mais il n'est ni le seul ni le premier à avoir découvert le Kentucky.

Bibliographie

A. Kaspi, *l'Indépendance américaine, 1763-1789* (Gallimard, 1976, collection Archives).

E. S. Morgan, *The Birth of the Republic, 1763-1789* (Chicago, University of Chicago Press, 1976).

C. Becker, *la Déclaration d'Indépendance* (Paris, Vent d'Ouest, 1965).

Chapitre V 1776 - 1789

De l'indépendance à la Constitution

> *J'approuve la Constitution avec tous ses défauts... Je doute qu'aucune autre convention puisse élaborer une meilleure Constitution...*
>
> Benjamin Franklin, 17 septembre 1787.

En une douzaine d'années, un combat difficile a conduit d'anciennes colonies à faire reconnaître leur indépendance et à édifier un système politique entièrement original : événements sans précédent dans l'histoire mondiale.
A priori, les Américains n'avaient aucune chance de gagner la guerre : comparée aux troupes britanniques (renforcées de mercenaires allemands), l'armée continentale est peu nombreuse et mal organisée. Le général Washington a beaucoup de mal à retenir ses soldats et à les équiper. Sur mer, la supériorité britannique est écrasante, et ce n'est qu'avec l'aide française que la victoire finale sera possible à Yorktown. Les Anglais s'appuient sur les Indiens et sur une partie des esclaves noirs, auxquels ils ont promis la liberté. Les colons loyalistes ne forment sans doute pas plus du cinquième de la population et beaucoup d'entre eux, ayant vu leurs biens confisqués, se sont enfuis au Canada ou ailleurs. Sûrs de leurs forces, les Anglais ont cependant perdu la guerre et ont sous-estimé l'ardeur du sentiment national américain.
Les Américains n'ont pas attendu l'issue du conflit pour mettre sur pied un nouvel édifice politique, fondé sur le principe de la souveraineté populaire. Dès 1776, les États ont rédigé des constitutions républicaines. Le Congrès élabore des « Articles de Confédération » qui laissent une très grande autonomie aux États, car les patriotes redoutent par-dessus tout un pouvoir central fort.
Malgré sa faiblesse, le Congrès gagne la guerre et résout la délicate question des territoires de l'Ouest, entre Appalaches et Mississippi : appropriation des terres, découpage en États, rattachement à la Confédération. Mais la jeune République doit affronter des difficultés considérables dans des domaines où le Congrès n'a aucun pouvoir : désordres monétaires, désorganisation du commerce extérieur, troubles sociaux causés par la guerre. Une fraction grandissante de l'opinion commence à penser qu'un gouvernement national plus fort est indispensable à la survie de la nouvelle nation.

La Convention de Philadelphie élabore alors une Constitution entièrement nouvelle, fondée sur le fédéralisme d'une part, l'équilibre des pouvoirs de l'autre. La Constitution est, après de longs débats, définitivement adoptée en 1789, et George Washington est élu président. S'ils n'ont pas résolu tous les problèmes de l'heure (ni l'esclavage ni la coexistence avec les Indiens ne sont évoqués), les pères fondateurs ont fait œuvre remarquable : un texte élaboré il y a deux cents ans pour gouverner une petite république de 4 millions d'habitants est, aujourd'hui encore, la Loi suprême de la plus grande démocratie occidentale.

La guerre d'Indépendance

1776

☐ **Juin** Arrivée à New York de la flotte britannique commandée par l'amiral Howe.

☐ **27 août** Défaite des Américains à Long Island.

☐ **15 sept.** L'armée continentale évacue la ville de New York.

☐ **16 nov.** Ayant perdu ses positions au nord de Manhattan, l'armée de Washington se replie dans le New Jersey, puis sur la rive occidentale de la Delaware, en Pennsylvanie.

☐ **26 déc.** Bataille de Trenton : les Américains attaquent par surprise et font un millier de prisonniers parmi les mercenaires hessiens.

1777

☐ **3 janv.** Nouvelle victoire de Washington à Princeton (N.J.).

☐ **Juin** Invasion britannique en provenance du Canada.

☐ **6 juill.** Le général anglais Burgoyne reprend le Fort Ticonderoga, dans le nord du New York.

☐ **27 juill.** Arrivée de La Fayette, volontaire au service de l'armée continentale.

☐ **11 sept.** Défaite de Washington à Brandywine, Pennsylvanie.

☐ **26 sept.** Les Anglais occupent Philadelphie. Fuite du Congrès.

☐ **4 oct.** Défaite de Washington à Germantown, Pennsylvanie.

☐ **17 oct.** Capitulation de Burgoyne à Saratoga (N.Y.).

☐ **17 déc.** Washington se retire à Valley Forge, au nord-est de Philadelphie. La maladie et le froid font de nombreuses victimes dans l'armée continentale.

1778

☐ **6 févr.** Traité d'alliance avec la France.

☐ **17 févr.** Lord North propose un plan de conciliation.

☐ **6 juin** Rejet de la proposition de North par le Congrès.

☐ **18 juin** Les Anglais, craignant un blocus naval français, évacuent Philadelphie.

☐ **28 juin** Victoire de Washington à Monmouth (N.J.).

☐ **10 juill.** La France déclare la guerre à l'Angleterre ; la flotte de l'amiral d'Estaing arrive à l'embouchure de la Delaware.

☐ **30 août** Échec des Américains et de

la flotte française à Newport, Rhode Island.

☐ **29 déc.** Les Anglais occupent Savannah, Géorgie ; ils veulent porter le théâtre des opérations dans le Sud.

1779

☐ **19 juin** L'Espagne déclare la guerre à l'Angleterre.

☐ **23 sept.** Bataille navale au large des côtes anglaises : victoire de l'Américain John Paul Jones.

☐ **27 sept.** Le Congrès charge John Adams de négocier la paix.

☐ **9 oct.** Échec de la flotte française devant Savannah.

☐ **17 oct.** Washington prend ses quartiers d'hiver à Morristown (N.J.). Hiver très dur. Nombreuses désertions.

1780

☐ **12 mai** Charleston (Caroline du Nord) tombe aux mains des Anglais.

☐ **11 juill.** Arrivée à Newport (R.I.) de l'armée française commandée par le comte de Rochambeau.

☐ **16 août** Défaite des Américains à Camden (Caroline du Sud).

☐ **25 sept.** Benedict Arnold, officier américain, passe au service des Anglais.

☐ **7 oct.** Défaite des Anglais à King's Mountain (Caroline du Sud).

1781

☐ **Janv.** Mutineries dans l'armée américaine en Pennsylvanie.

☐ **17 janv.** Victoire américaine à Cowpens (Caroline du Sud).

☐ **1er août** Le général anglais Cornwallis occupe Yorktown (Virg.) ; il y attend des renforts venant de New York.

☐ **5 sept.** Bataille navale dans la baie de Chesapeake : la flotte française de l'amiral de Grasse contre la flotte britannique, empêchée de rejoindre Yorktown.

☐ **9 oct.** Siège de Yorktown par les forces françaises et américaines.

☐ **19 oct.** Capitulation des Anglais à Yorktown.

1782

☐ **27 févr.** La Chambre des communes refuse de poursuivre la guerre. Mais la guérilla continue dans le Sud.

☐ **20 mars** Le Premier ministre, lord North, démissionne.

☐ **12 avr.** Début des négociations de paix à Paris.

☐ **11 juill.** Les Anglais évacuent Savannah.

☐ **30 nov.** Préliminaires de paix signés à Paris par John Adams, Benjamin Franklin et John Jay.

☐ **14 déc.** Les Anglais évacuent Charleston.

1783

☐ **Avr.** Le Congrès proclame la fin des hostilités et ratifie les préliminaires de paix.

☐ **3 sept.** Le Traité de Paris reconnaît l'indépendance des États-Unis et définit leurs frontières (Grands Lacs, Floride, Mississippi).

☐ **25 nov.** Les Anglais évacuent New York.

☐ **23 déc.** Washington renonce à ses fonctions de commandant en chef.

Création d'une nouvelle nation

1776

☐ **Juin-déc.** Des Constitutions républicaines sont adoptées par le New Hampshire, le New Jersey, la Pennsylvanie, le Delaware, le Maryland et les deux Carolines.

☐ **2 août** Signature du texte de la Déclaration d'indépendance par les 55 délégués au Congrès continental.

☐ **26 sept.** Le Congrès charge Silas Deane et Benjamin Franklin de négocier avec la France l'octroi d'une aide financière et militaire.

☐ **3 oct.** Le Congrès lance un emprunt de 5 millions de dollars, à 4 %, pour financer la guerre.

1777

Les États de New York, Vermont et Géorgie se donnent une constitution.

☐ **14 juin** Adoption du drapeau américain à 13 étoiles et 13 bandes rouges et blanches.

☐ **15 nov.** Après de longs débats, le Congrès adopte les articles de Confédération.

1778

☐ **Juill.** Retour du Congrès à Philadelphie. Conrad Alexandre Gerard, ambassadeur de France, nommé par Louis XVI, est le premier diplomate étranger aux États-Unis.

1779

Le Congrès émet 10 millions de dollars-papier.

1780

☐ **1er févr.** L'État de New York cède au Congrès ses droits sur les terres de l'Ouest.

☐ **Juin** Le Massachusetts se donne une constitution.

1781

Nouvelle émission de dollars-papier : 191 millions, qui perdent bientôt toute valeur.

☐ **2 janv.** La Virginie cède ses droits sur les terres de l'Ouest.

☐ **1er mars** Enfin ratifiés, les articles de Confédération entrent en application.

1784

☐ **23 avr.** Ordonnance de Jefferson sur le gouvernement des Territoires de l'Ouest (base du texte qui sera adopté en 1787).

1785

☐ **24 févr.** John Adams nommé ministre des États-Unis auprès du gouvernement britannique.

☐ **10 mars** Jefferson nommé ministre des États-Unis en France.

☐ **20 mai** Ordonnance sur la vente des Territoires de l'Ouest *(Land Ordinance)* : division des territoires en *Townships* de 6 miles carrés. Vente des lots à 1 dollar l'acre.

1786

☐ **Janv.** En Virginie, loi sur la liberté religieuse *(Virginia Statute for Religious Freedom),* rédigée par Jefferson.

☐ **août** Débats au Congrès à propos de la révision des articles de Confédération.

☐ **11-14 sept.** Convention d'Annapolis pour amender les Articles. Cinq États seulement envoient des délégués, qui décident de se retrouver à Philadelphie en 1787.

1787

☐ **25 mai-17 sept.** Convention de Philadelphie, qui élabore une nouvelle constitution, signée par 39 délégués sur 42. Influence considérable des idées de James Madison.

☐ **13 juill.** Le Congrès adopte l'ordonnance du Nord-Ouest, créant un gouvernement territorial et prévoyant la formation de 5 États.

☐ **28 sept.** La Constitution est transmise aux États pour ratification.

☐ **Déc.** Ratification par le Delaware, la Pennsylvanie et le New Jersey.

1788

☐ **Janv.-mai** Ratification par la Géorgie, le Connecticut, le Massachusetts, le Maryland et la Caroline du Sud.

□ **21 juin** Le New Hampshire est le 9e État qui ratifie la Constitution : celle-ci est donc adoptée.

□ **Juin-juill.** La Virginie et le New York ratifient la Constitution.

1789
Formation du parti fédéraliste.

□ **Janv.-févr.** Première réunion des électeurs présidentiels.

□ **4 mars** Réunion du premier Congrès élu selon la nouvelle Constitution.

□ **6 avr.** Élection (à l'unanimité du collège électoral) de George Washington, premier président des États-Unis.

□ **30 avr.** George Washington prête serment et entre en fonction à New York.

□ **Juill.** Création du Département d'État (Affaires étrangères). Thomas Jefferson nommé secrétaire d'État.

□ **Sept.** Création du Département du Trésor : Alexander Hamilton nommé secrétaire au Trésor.

□ **Sept.-déc.** Rédaction par le Congrès d'une Déclaration des droits *(Bill of Rights)*, destinée à être ajoutée au texte de la Constitution pour satisfaire les antifédéralistes.

□ **21 nov.** La Caroline du Nord ratifie la Constitution.

Économie et société

1776
□ **21 sept.** Incendie à New York : toutes les constructions d'époque hollandaise disparaissent.

1779
□ **19 nov.** Le Congrès recommande aux États d'adopter une politique de contrôle des prix et des salaires.

1780
Pennsylvanie : abolition de l'esclavage.
La Constitution du Massachusetts déclare que « tous les hommes sont nés libres et égaux ».

1781
□ **31 déc.** Création par le Congrès d'une banque nationale, la Banque d'Amérique du Nord, au capital de 400 000 dollars. Banque d'escompte et de dépôt, elle prête de l'argent à la Confédération et rétablit la monnaie métallique.

1783
□ **Avril** 7 000 loyalistes quittent New York pour le Canada.

□ **Juill.** La Cour suprême du Massachusetts déclare l'esclavage illégal, selon la Constitution de l'État.

1784 1788
Grave dépression économique.

1784
Connecticut et Rhode Island abolissent l'esclavage.

1785
Abolition du droit de primogéniture en Virginie.
Abolition de l'esclavage dans l'État de New York.
À Philadelphie, création du premier dispensaire, par Benjamin Rush.

1786
Abolition de l'esclavage dans le New Jersey.
Grève d'ouvriers imprimeurs à Philadelphie.

1786-févr. 1787
Dans le Massachusetts occidental, révolte, sous la conduite de Daniel Shays, des fermiers, mécontents de la politique déflationniste du gouvernement de l'État. Ces troubles inquiètent les partisans d'un gouvernement national fort.

1787
Ordonnance du Nord-Ouest interdisant l'esclavage dans les territoires situés entre Ohio et Mississippi.
Au Massachusetts : première usine de filature de coton.
Commande de machines à carder et à filer anglaises par la *Pennsylvania Society for The Encouragement of Manufactures.*

1789
□ **12 mai** À New York : fondation de la Société de Tammany (nom d'un chef indien), club politique de tendance antifédéraliste.
□ **4 juill.** Première loi protectionniste votée par le Congrès.
□ **26 nov.** Première célébration officielle de la fête nationale de *Thanksgiving.*

Religion, éducation et culture

1776
□ **Déc.** Publication de *The Crisis* par Thomas Paine.

1779 Jefferson propose un ambitieux programme d'instruction publique en Virginie.

1782 Boston : fondation de l'Académie américaine des arts et des sciences. Le peintre Gilbert Stuart, installé à Londres, obtient un grand succès avec *le Patineur* □ Ouverture de l'école de médecine à Harvard □ Publication, à Londres, des *Lettres d'un cultivateur américain,* d'Hector St-John de Crèvecœur.

1783 Organisation de la Société des Cincinnati, groupant d'anciens officiers de la guerre d'Indépendance sous la présidence de George Washington □ Premier quotidien américain : le *Pennsylvania Evening Post.*

1784 Organisation de l'Église méthodiste aux États-Unis.

1785 Débuts de l'Église unitarienne.

1787 Fondation de l'université d'État de Géorgie □ Benjamin Rush : *Thoughts on Female Education,* essai sur l'éducation des femmes □ Publication à New York des *Federalist Papers,* articles signés Publius, défendant la nouvelle Constitution. Ils sont en réalité rédigés par Hamilton, Madison et John Jay.

1788 Publication des œuvres poétiques de Philip Freneau.

1789 Construction du Capitole de l'État de Virginie, à Richmond, sur le modèle de la maison Carrée de Nîmes, envoyé par Jefferson □ Fondation de l'université de Caroline du Nord, à Chapel Hill □ Noah Webster : *Dissertations on The English Language,* définissant la langue « américaine républicaine ».

Biographies

Washington, George (1732-1799). Plus qu'aucune autre, la vie de ce grand Américain s'identifie à la naissance des États-Unis et, autour de lui, le mythe se mêle sans cesse à la réalité. Né en Virginie dans une famille de planteurs d'origine anglaise, il perd son père à 11 ans, fréquente peu l'école et pas du tout le collège : face à Jefferson ou Madison, il apparaît comme un esprit peu cultivé. Mais il mène la vie agréable de la noblesse provinciale, ne manque ni d'élégance, ni de courage, devient arpenteur et s'illustre bientôt dans l'armée britannique en combattant les

Français et les Indiens (1753-1758). À 26 ans, il se retire dans sa propriété des bords du Potomac, Mount Vernon, épouse une riche veuve, s'occupe avec intérêt de sa plantation. Élu à la Chambre des bourgeois de Virginie, il se fait, dès 1775, l'ardent défenseur du mouvement pour l'indépendance, siège au Congrès continental, puis est nommé commandant en chef de l'armée révolutionnaire. Des huit années de guerre il sort avec le prestige de la victoire. Rentré à Mount Vernon, il continue à suivre de près la vie politique, et devient partisan de la révision des articles de Confédération, de sorte qu'il préside tout naturellement la Convention de Philadelphie. Ce sont les années de présidence, de 1789 à 1796, qui forgent son image d'homme digne mais un peu guindé. Son discours d'adieu, prononcé en septembre 1796, contient de précieux conseils à l'adresse de ses concitoyens, notamment en politique étrangère. Fédéraliste et partisan de l'ordre, il sut imposer son autorité et rester au-dessus de la mêlée dans une période difficile.

Adams, Abigail (1744-1818). Épouse et mère de présidents, cette femme remarquable est l'auteur de lettres (publiées seulement en 1876) qui sont une mine d'informations sur la période révolutionnaire. Née dans le Massachusetts, dans une famille de pasteur congrégationaliste, de santé délicate, elle reçoit une instruction assez élémentaire. En 1764, elle épouse un jeune et brillant avocat bostonien, John Adams, qui lui donnera 4 enfants (dont John Quincy, futur président). Sa vie avec John, l'un des chefs du mouvement pour l'indépendance, diplomate puis deuxième président des États-Unis, lui donne l'occasion de rencontrer beaucoup de monde et de développer sa propre pensée. Ainsi elle écrit à son mari, membre du Congrès continental à Philadelphie en 1776, en lui recommandant de « ne pas oublier les dames » lorsqu'il participera à l'élaboration des lois de la nouvelle République, car, ajoute-t-elle, « tous les hommes seraient des tyrans, s'ils le pouvaient ». Sans aller jusqu'à lui attribuer l'origine du mouvement féministe américain, on doit cependant reconnaître dans ses écrits la profonde influence de l'idéologie révolutionnaire.

Bibliographie

B. Vincent, *la Révolution américaine,* 1775-1783 (Histoire documentaire des États-Unis, Presses univ. de Nancy, 1985).

É. Marienstras, *les Mythes fondateurs de la nation américaine* (Paris, Maspéro, 1976).

L'ÉQUILIBRE DES POUVOIRS SELON LA CONSTITUTION

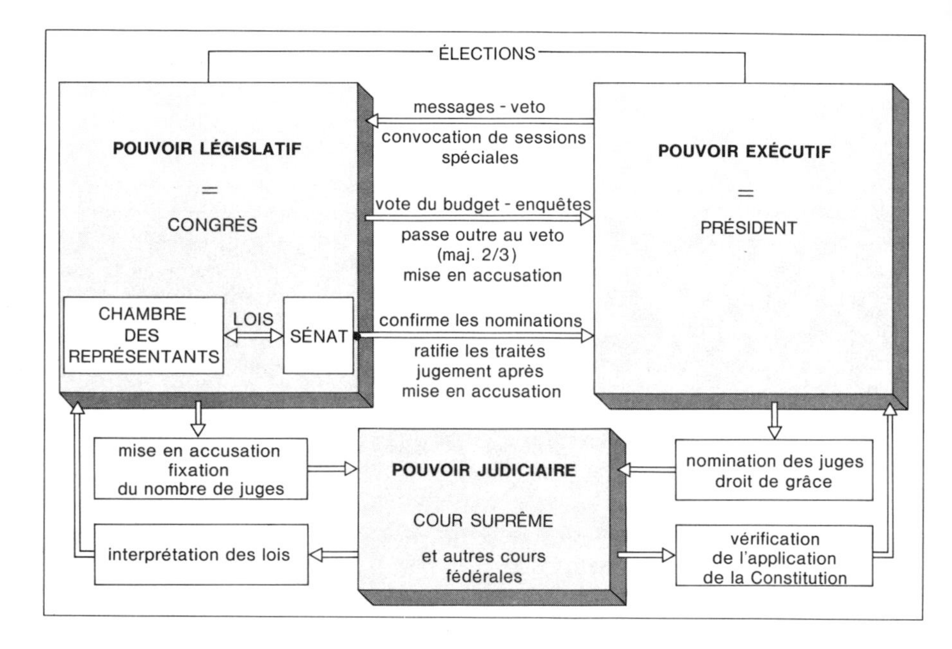

Chapitre VI 1790 - 1815

La jeune république

Respectez la bonne foi et la justice avec toutes les nations. Cultivez la paix et l'harmonie avec tous...

George Washington, Discours d'adieu, septembre 1796.

Cette période est consacrée à la mise en place de nouvelles structures et à la consolidation de l'unité nationale. Pour la première fois dans l'histoire, une République créée de toutes pièces affronte des problèmes intérieurs et extérieurs difficiles.

Désormais, les élections rythment la vie politique : tous les deux ans le Congrès est renouvelé ; tous les quatre ans le président est élu. Nés pendant le débat de ratification de la Constitution, les deux grands partis – Fédéraliste et Antifédéraliste ou Républicain – s'opposent sur le rôle du gouvernement fédéral, la politique économique, les problèmes monétaires, et même sur la politique extérieure. Sous la présidence de George Washington, les conflits sont un peu étouffés, et un esprit national se fait jour. À la fin de son second mandat, il se retire, donnant ainsi l'exemple à ses successeurs (jusqu'à Franklin Roosevelt en 1940, aucun président ne briguera un troisième mandat).

L'élection de Jefferson en 1800 marque l'arrivée au pouvoir de l'opposition républicaine. En dépit des craintes de certains, la transition se fait en douceur : par contraste avec la Révolution française, qui, de secousses en violences, aboutit au rétablissement d'un régime autoritaire, la Révolution américaine consolide ses acquis.

Les relations extérieures sont d'abord dominées par l'impossible neutralité des États-Unis dans les conflits de l'Europe napoléonienne, puis par une nouvelle guerre contre la Grande-Bretagne, bien inutile puisqu'elle n'aboutit qu'au maintien du statu quo territorial.

L'événement le plus important de cette époque est l'achat de la Louisiane à la France : cet énorme territoire, qui s'étend du Mississippi aux Rocheuses, double la superficie de la République américaine et lui ouvre les portes du continent.

L'économie, encore tout à fait agricole, se dégage définitivement de l'emprise britannique, et de nouveaux circuits commerciaux se créent, notamment vers l'Orient. L'industrie fait de timides débuts en Nouvelle-Angleterre, et les Américains entrevoient l'importance d'un réseau de communications.

Vie politique et institutionnelle

1790

☐ **26 mars** Loi sur la naturalisation (après 2 ans de résidence).

☐ **29 mai** Le Rhode Island est le 13e État à ratifier la Constitution.

☐ **Juin** Philadelphie devient capitale fédérale en attendant l'achèvement de la nouvelle capitale, au bord du Potomac.

1791

☐ **4 mars** Le Vermont se joint à l'Union (14e État).

☐ **15 déc.** Le *Bill of Rights* (Déclaration des droits) officiellement ajouté à la Constitution (amendements 1 à 10).

1792

Formation du parti républicain, dirigé par Jefferson.

☐ **Avril** Loi sur la monnaie. Adoption du bimétallisme or-argent. La monnaie est frappée à Philadelphie.

☐ **1er juin** Le Kentucky se sépare de la Virginie : 15e État de l'Union.

☐ **5 déc.** George Washington réélu président.

1795

☐ **29 janv.** Loi sur la naturalisation (après 5 ans de résidence).

1796

☐ **Juin** Le Tennessee entre dans l'Union (16e État).

☐ **17 sept.** Discours d'adieu de Washington.

☐ **7 déc.** Le fédéraliste John Adams élu président.

1797

☐ **4 mars** Entrée en fonction de John Adams.

1798

☐ **Janv.** Le 11e amendement à la Constitution déclare que les tribunaux fédéraux ne peuvent juger les litiges entre un État de l'Union et un citoyen d'un autre État.

☐ **Juin-juill.** Le Congrès vote les lois sur les étrangers et les séditieux *(Alien and Sedition Acts),* qui modifient les règles de naturalisation, et donnent au président le droit d'arrêter ou d'expulser toute personne « dangereuse pour la sécurité du pays ». Fureur des républicains.

1799

☐ **14 déc.** Mort de George Washington.

1800

☐ **Nov.** Le Congrès et le président Adams s'installent dans la nouvelle capitale fédérale, Washington, située dans un territoire spécial, le *District of Columbia.*

☐ **Déc.** Après une campagne électorale mouvementée, l'élection présidentielle, indécise, devra être reportée devant la Chambre des représentants.

1801

☐ **20 janv.** Le président Adams nomme le fédéraliste George Marshall à la tête de la Cour suprême.

☐ **4 mars** Élu par la Chambre des représentants, Jefferson, premier président républicain, entre en fonction ; Aaron Burr vice-président.

1802

☐ **Mars** Création par le Congrès de l'académie militaire de West Point.

1803

☐ **Févr.** Arrêt de la Cour suprême *Marbury contre Madison,* déclarant inconstitutionnelle une loi votée au Congrès, et créant un précédent : désormais, la Cour peut interpréter la Constitution *(judicial review)*.

☐ **Mars** L'Ohio entre dans l'Union (17e État). Premier État pris sur le Territoire du Nord-Ouest, où l'esclavage est interdit.

1804

☐ **11 juill.** Duel entre Aaron Burr et Alexander Hamilton. Burr tue Hamilton.

☐ **25 sept.** Ratification du 12e amendement, qui institue un vote distinct pour le président et pour le vice-président.

☐ **5 déc.** Jefferson réélu président.

1806

☐ **Nov.** Révélation par le général Wilkinson d'un complot de Burr, visant à créer dans le Sud-Ouest un État indépendant, dont il serait le roi, et à envahir le Mexique.

1807

☐ **Févr.** Burr arrêté et accusé de trahison.

☐ **Sept.** Acquittement de Burr, qui part pour l'Europe.

1808

☐ **7 déc.** James Madison élu président.

1809

☐ **4 mars** Entrée en fonction de Madison.

1812

☐ **Avr.** Entrée de la Louisiane dans l'Union (18e État).

☐ **Déc.** Madison réélu malgré l'impopularité de la guerre contre l'Angleterre.

Politique extérieure et expansion territoriale

1790

☐ **Mars** Jefferson rentre de France pour prendre ses fonctions de secrétaire d'État dans le cabinet de Washington.

☐ **Oct.** Territoire du Nord-Ouest : début d'une guerre contre les Indiens.

1793

☐ **Avr.** Washington proclame la neutralité américaine dans la guerre franco-anglaise.

☐ **Déc.** Jefferson démissionne du poste de secrétaire d'État.

1794

☐ **20 août** Défaite des Indiens sur la rivière Miami, face au général Wayne.

☐ **19 nov.** Traité de Jay entre la Grande-Bretagne et les États-Unis : la Grande-Bretagne abandonne ses forts de la région des Grands Lacs, mais garde le droit de fouiller les navires américains pour y démasquer des marins anglais déserteurs.

1795

☐ **Oct.** Traité avec l'Espagne, définissant les frontières des États-Unis vers l'Ouest et le Sud.

1796

☐ **Juill.** La France déclare qu'elle saisira tous les navires neutres se rendant en Angleterre.

☐ **Nov.** Traité avec Tripoli : les États-Unis s'engagent à payer un tribut en échange de la protection contre les actes de piraterie en Méditerranée.

☐ **Déc.** Le nouvel ambassadeur américain à Paris, Charles Pinckney, très mal reçu par le gouvernement français.

1797

☐ **Oct.** Affaire XYZ : 3 agents du gouvernement français réclament, comme condition d'un traité de paix, un prêt américain à la France et un pot-de-vin pour Talleyrand.

1798

☐ **Avr.** Adams révèle l'affaire au Congrès. Les sentiments antifrançais se développent dans le public américain.

☐ **Juill.** Le Congrès abroge les traités de 1778 avec la France. Une guerre navale (non déclarée) s'ensuit.

1799

☐ **Déc.** Adams envoie en France une nouvelle délégation pour négocier un traité.

1800

☐ **Mars** Bonaparte, Premier consul, reçoit la délégation américaine.

☐ **Sept.** Traité de Morfontaine (ou Convention de 1800) : fin de la guerre avec la France.

1801

☐ **Mai** Début de la guerre de Tripoli, les Américains refusant d'augmenter leur tribut.

1802

☐ **Avr.** Jefferson, inquiet de l'accord secret franco-espagnol cédant la Louisiane à Bonaparte, donne l'ordre à l'ambassadeur américain, Robert Livingston, de négocier la cession du port de La Nouvelle-Orléans aux États-Unis.

1803

☐ **Mai** Signature à Paris du traité de cession : Bonaparte vend *tout* le territoire de la Louisiane pour 15 millions de dollars, ce qui double la superficie des États-Unis.

1804-1806

À l'instigation de Jefferson, expédition de Lewis et Clark dans le nord-ouest du pays, du Mississippi à l'océan Pacifique.

1805

☐ **27 avril** Victoire des Américains à Derna, en Tripolitaine.

☐ **4 juin** Traité de paix avec Tripoli, qui renonce à percevoir un tribut. Les actes de piraterie continuent.

1806

Le Blocus continental et les décrets de Berlin affectent le commerce et la diplomatie des États-Unis, qui ne parviennent pas à faire reconnaître leur neutralité par les États belligérants, France et Angleterre.

Déc. 1807-mars 1808

Lois sur l'embargo, interdisant aux navires américains de commercer avec des ports étrangers et inversement. La France et l'Angleterre, qui font de la contrebande par le Canada, n'en souffrent pas. En revanche, le commerce de la Nouvelle-Angleterre est très affecté, et l'embargo y est très impopulaire.

1809

☐ **1er mars** Remplacement des lois sur l'Embargo par le *Non Intercourse Act,* loi interdisant le commerce avec la France et l'Angleterre seulement.

☐ **2 juill.** Tecumseh, chef des Shawnee, forme la Confédération de tribus indiennes du Nord-Ouest et du Sud.

1810

Révolte des colons de Floride occidentale contre le gouvernement espagnol. Proclamation de la république.

1811

☐ **Avril** Fondation du premier comptoir américain sur la côte pacifique, en

Oregon, par le trappeur John Astor (Astoria).

☐ **Mai** Incidents entre navires britanniques et américains dans l'Atlantique.

☐ **Nov.** Victoire du général américain Harrison sur la Confédération de Tecumseh, à Tippecanoe (Indiana).

1812

☐ **Mai** Annexion de la Floride occidentale par le Congrès.

☐ **Juin** Le Congrès déclare la guerre à l'Angleterre. Les opposants l'appelleront « la guerre de M. Madison ».

☐ **16 août** Capitulation sans combat de la ville de Detroit.

☐ **13 oct.** Défaite américaine à la frontière canadienne.

1813

☐ **Août** Attaque des Indiens Creek, alliés des Anglais, en Alabama (Red Eagle).

☐ **10 sept.** Bataille navale sur le lac Érié : victoire américaine.

☐ **5 oct.** Victoire américaine sur la Thames, au Canada. Tecumseh, allié des Anglais, est tué.

1814

☐ **9 mars** Victoire du général américain Jackson sur les Creek à Horseshoe Bend (Alabama).

☐ **24-25 août** Les Anglais prennent Washington D.C. et incendient le Capitole et la Maison-Blanche.

☐ **11 sept.** Victoire américaine sur le lac Champlain.

☐ **24 déc.** Traité de Gand entre Grande-Bretagne et États-Unis. Statu quo territorial.

1815

☐ **8 janv.** Victoire de Jackson à La Nouvelle-Orléans .

☐ **3 mars** Déclaration de guerre à l'Algérie, qui exige un tribut.

☐ **17 juin** Victoire de l'amiral Decatur sur une frégate algérienne.

☐ **30 juin** Fin de la guerre ; traités avec l'Algérie, la Tunisie et Tripoli.

Économie et société

1790

☐ **Mars-août.** Premier recensement fédéral : 3,9 millions d'habitants, dont 697 000 esclaves.

☐ **Avr.** Premier tour du monde par un navire américain, de Boston à Canton et retour.

☐ **Déc.** Rhode Island : Samuel Slater fonde la première filature de coton (machines importées d'Angleterre).

1791

☐ **Févr.** Sur les conseils du secrétaire au Trésor, Hamilton, loi créant une banque fédérale, la Banque des États-Unis. Débat avec Jefferson et Madison sur la constitutionnalité de cette loi.

☐ **Mars** Loi créant une taxe sur les alcools *(Whisky Act).*

☐ **Déc.** Rapport sur les manufactures de Hamilton, recommandant le protectionnisme en faveur de la jeune industrie américaine. Jefferson émet des réserves.

1792

New York : ouverture de la Bourse *(Stock Exchange).*

1794-1798

Pennsylvanie occidentale : révolte du Whisky, par les fermiers opposés à la taxe fédérale.

1800

Virginie : complot de l'esclave Gabriel.

1805

Fondation de la communauté utopique

Harmony, par George Rapp et des piétistes allemands.

1806
New York : grève dans l'industrie de la chaussure.

1808
☐ **1er janv.** L'importation d'esclaves devient illégale sur tout le territoire des États-Unis.
Le commerce américain touché par la loi sur l'Embargo.

1810
New York : procès du syndicat des cordiers, condamné pour « conspiration » (= grève).

1811
☐ **Janv.** Louisiane : révolte d'esclaves. Panique.
☐ **Mars** Dissolution de la Banque des États-Unis, dont la charte arrive à expiration.

1812
Doublement des droits de douanes à l'importation, pour financer la guerre.

1812-1815
Création de 120 nouvelles banques privées.

1814
Francis Cabot Lowell crée la première usine de tissage, en Nouvelle-Angleterre.

1815
Essor de la pêche à la baleine.

Progrès technique

1790 Première loi sur les brevets, créant le bureau fédéral des brevets : *U.S. Patent Office.*

1792-1800 Creusement des premiers canaux du Massachusetts.

1794 Eli Whitney obtient un brevet pour sa machine à égrener le coton, le *cotton gin.*

1796-1797 Philadelphie : premiers essais d'éclairage au gaz ; système central d'adduction d'eau.

1798 Eli Whitney invente le principe des pièces interchangeables et l'applique à la fabrication d'armes.
David Wilkinson obtient un brevet pour sa machine à fileter les vis.

1807 Premier voyage du *Clermont,* bateau à vapeur dessiné par Robert Fulton, sur l'Hudson (New York-Albany).

1809 Premier voyage maritime d'un navire à vapeur dessiné par John Stevens (New York-Philadelphie).

1811 Début de construction de la Cumberland Road, la plus grande route vers l'Ouest.
Premier ferry-boat à vapeur, construit par John Stevens, et reliant Hoboken (N.J.) à Manhattan.

1812 Premier vapeur sur le Mississippi.

1814 Fulton construit le premier bateau de guerre à vapeur.

Religion, éducation et culture

1790 Arrivée à Baltimore du premier évêque catholique.

1791 Plan de Washington D.C. dessiné par le Français Pierre Charles L'Enfant.

1792 Pose de la première pierre du Capitole (architecte William Thornton).
Début des travaux de la Maison-Blanche (James Hoban).

1793 Première édition américaine des

Lettres d'un cultivateur américain, de Crèvecœur.

1794 Philadelphie : le peintre Charles Wilson Peale crée un « Museum » ouvert au public.

1795 Boston : construction du Massachusetts State House, par Charles Bulfinch.

1796 Portrait de Washington par Gilbert Stuart *(Athenaeum).*

1797-1801 Réveil religieux dans l'Ouest (Kentucky).

1799 Premier édifice américain de style néo-grec : la Banque de Pennsylvanie, à Philadelphie, par Benjamin Latrobe.

1800 Création de la bibliothèque du Congrès.

1803 Latrobe prend en main les travaux de Washington, D.C.

1804 Création de la *New York Historical Society.*

1807 Fondation du *Boston Athenaeum.*

1809 Washington Irving publie, sous le pseudonyme de Knickerbocker, une histoire humoristique de New York.

1813 Apparition du personnage d'Uncle Sam (d'après les initiales inscrites sur le matériel militaire).

1814 Publication du rapport de l'expédition de Lewis et Clark, préfacé par Jefferson : informations précieuses sur l'Ouest □ Composition du *Star Spangled Banner,* chant patriotique qui deviendra hymne national en 1931.

1815 Fondation de la *Northamerican Review.*

Biographies

Jefferson, Thomas (1743-1826). Homme d'État, philosophe, architecte, agronome, inventeur, écrivain, amateur d'art et de musique... On n'en finit pas d'énumérer les talents de cet homme qui fut aussi le 3e président des États-Unis. Né en Virginie, d'une famille de planteurs, il étudie le droit au collège de William et Mary. C'est un étudiant avide de tout comprendre et qui lit beaucoup. Il devient avocat, puis entre dans la politique en se faisant élire à la Chambre des bourgeois de Virginie. En 1774, il publie un pamphlet qui le rend célèbre : *A Summary View of the Rights of British America.* Délégué de Virginie au Congrès continental, il est chargé de rédiger la Déclaration d'indépendance, où il défend la théorie des droits naturels. Gouverneur de Virginie de 1779 à 1781, membre du Congrès de 1783 à 1784, il passe ensuite 4 ans en France, comme ambassadeur des États-Unis. Il fréquente avec délices les salons parisiens où se prépare la Révolution. Il publie à Paris ses *Notes sur la Virginie,* puis rentre en Amérique pour devenir secrétaire d'État de Washington. Il démissionne en 1793, afin de protester contre la politique centralisatrice de Hamilton, et prend la tête du parti d'opposition. En 1797, arrivé en seconde position aux élections présidentielles, il devient vice-président du fédéraliste John Adams. Irrité par les lois sur les étrangers et les séditieux, il prépare avec Madison un texte justifiant le droit d'un État à refuser d'appliquer une loi fédérale. Il est élu président en 1800, puis réélu en 1804. Son premier mandat est couronné par l'achat de la Louisiane. Il connaît ensuite des difficultés, notamment à cause de l'impopularité des lois sur l'embargo. En 1809, il se retire dans sa villa de Monticello, qu'il a lui-même dessinée, aménagée et remaniée au fil des ans. Il a, en effet, fortement contribué à l'adoption du style architectural néoclassique. Sa dernière et sa plus chère création est l'université de Virginie, dont il dessine les plans, et pour laquelle il élabore un programme d'études. Son idéal politique, une république d'agriculteurs indépendants vivant dans un État décentralisé, a fortement marqué la pensée américaine.

Hamilton, Alexander (1755-1804). Ennemi politique de Jefferson, le fédéraliste Hamilton s'est battu sa vie durant pour l'instauration et le maintien d'un pouvoir central fort. Né dans les Antilles britanniques, il étudie le droit à King's College (future université Columbia), et, patriote, devient l'aide de camp de Washington pendant la guerre d'Indépendance. La paix revenue, il ouvre un cabinet d'avocat à New York. Convaincu de la nécessité d'un gouvernement centralisé, il s'emploie à faire ratifier la Constitution par le New York, en écrivant plus de la moitié des articles du *Fédéraliste.* De 1789 à 1795, il met sur pied le « Système hamiltonien », ensemble de mesures fiscales et économiques destinées à donner une assise financière solide à la nouvelle nation. Cela lui vaut l'hostilité de Jefferson et des républicains et le pousse à démissionner en 1795. Peu rancunier, il favorise l'élection de Jefferson en 1800, aux dépens d'Aaron Burr, autre avocat newyorkais, qu'il juge sévèrement. Cette intransigeance le conduit au duel fatal où Burr le provoque et le tue, en 1804.

Latrobe, Benjamin (1764-1820). De père anglais et de mère américaine, cet architecte formé en Europe décide, en 1796, de tenter sa chance en Amérique. Il y devient l'un des plus remarquables architectes de l'époque fédérale et contribue à faire reconnaître la profession d'ingénieur de travaux publics et d'architecte. De 1799 à 1802, il construit à Philadelphie plusieurs édifices dans un style néoclassique très pur. En 1803, Jefferson le nomme surintendant des bâtiments publics de Washington. À ce titre, il modifie les plans du Capitole, et en supervise la reconstruction, après l'incendie de 1814. La dernière partie de sa vie est consacrée à des travaux d'ingénieur : il crée un système d'adduction d'eau pour La Nouvelle-Orléans.
Sa vie durant, Latrobe a pris des notes et fait des esquisses. Ses papiers, en cours de publication, constituent un merveilleux témoignage.

Fulton, Robert (1765-1815). Surtout connu comme pionnier de la navigation à vapeur, Fulton fut aussi dessinateur, ingénieur et inventeur en d'autres domaines. Né en Pennsylvanie, il travaille d'abord à Philadelphie comme dessinateur puis part pour l'Europe en 1786. Il y reste vingt ans, se consacrant à des inventions qu'il soumet aux gouvernements de France ou d'Angleterre (pelle mécanique pour creuser des canaux, aqueducs et ponts en fonte, sous-marin et torpilles). En 1803, il expérimente, sur la Seine et la Loire, un bateau mû par la vapeur. Le véritable succès ne survient qu'en 1807 lorsque, rentré aux États-Unis, il construit un navire à vapeur muni de deux roues à aubes, le *Clermont*, et lui fait remonter l'Hudson de New York à Albany. La fin de sa vie est consacrée à la création de lignes de navires à vapeur. En 1814, il construit le premier navire de guerre à vapeur.

Bibliographie

É. Marienstras, *Naissance de la République fédérale (1783-1828)* [Nancy, 1987].

J. Henretta, *The Evolution of American Society (1700-1815)* [New York, 1973].

Chapitre VII 1816 - 1840

Nationalisme et démocratisation

> *L'état social des Américains est éminemment démocratique. Il a eu ce caractère dès la naissance des colonies ; il l'a plus encore de nos jours.*
>
> Alexis de Tocqueville, *De la démocratie en Amérique,* 1831

L'Amérique de Tocqueville n'est plus celle des héros de l'âge révolutionnaire. De profondes transformations affectent la société : la population double, et dépasse les 17 millions en 1840 ; les villes grandissent et se multiplient, l'industrie se développe et, déjà, modifie les rapports sociaux. Ces changements, encouragés par les tenants de la modernisation de la nation, alarment les adeptes de l'idéologie démocratique et agrarienne : d'où l'âpreté des conflits politiques et idéologiques.

Dans la majorité des États, le suffrage universel masculin se substitue aux régimes électoraux plus restrictifs des débuts de la république. En conséquence, la vie politique s'anime. Sous la présidence du démocrate Monroe, l'affaiblissement des fédéralistes se traduit par une sorte de consensus national, qu'un journaliste baptise par dérision la « période des bons sentiments ». Mais, dès 1824, un nouveau système de partis s'instaure : les républicains-démocrates (futurs démocrates), fidèles à l'idéal jeffersonien, s'opposent au centralisme et à l'industrialisation, tandis que les républicains-nationaux (futurs « whigs ») veulent renforcer les pouvoirs politiques et économiques du gouvernement fédéral.

Un vent de réforme souffle : au second « réveil » religieux s'ajoutent les mouvements en faveur de la tempérance, de l'abolition de l'esclavage, du droit de vote féminin, d'une réforme de l'enseignement. Mais d'autres groupes s'opposent aux nouveaux immigrants (catholiques allemands ou irlandais), ou à ce qu'ils dénoncent comme une « clique » nuisible à la démocratie : les francs-maçons.

À l'égard de l'Europe, les États-Unis affirment leur indépendance en se posant comme les garants de la démocratie dans l'« hémisphère occidental », selon les principes de la fameuse « doctrine de Monroe ».

L'expansionnisme se poursuit, avec l'annexion de la Floride, les visées sur le Texas et, surtout, le refoulement brutal des Indiens. Enfin, même si beaucoup refusent encore de l'admettre, le problème de l'esclavage est déjà présent à l'arrière-plan de tous les débats politiques, idéologiques et moraux.

Vie politique et institutionnelle

1816

☐ **14 mars** Création de la seconde Banque des États-Unis, pour vingt ans, par le Congrès.

☐ **Déc.** L'Indiana, sans esclaves, devient le 19e État de l'Union.

☐ **4 déc.** James Monroe est élu président. Les fédéralistes perdent beaucoup de sièges au Congrès.

1817

☐ **3 mars** Madison s'oppose aux grands travaux votés au Congrès, la Constitution ne donnant pas explicitement ce pouvoir au gouvernement fédéral.

☐ **4 mars** Entrée en fonction de Monroe, avec un programme inspiré des principes « nationalistes » des fédéralistes.

☐ **Déc.** Le Mississippi, esclavagiste, devient le 20e État de l'Union.

1818

☐ **Avr.** Adoption définitive du drapeau des États-Unis : 13 bandes et une étoile de plus pour chaque nouvel État.

☐ **Déc.** L'Illinois, sans esclaves, devient le 21e État de l'Union.

1819

☐ **Mars** La Cour suprême déclare qu'un État ne peut pas taxer une agence fédérale, ce qui établit la suprématie du pouvoir fédéral *(Mc Cullough contre le Maryland)*.

☐ **Déc.** L'Alabama, esclavagiste, devient le 22e État de l'Union.

1820

☐ **3 mars** Compromis du Missouri maintenant l'équilibre entre États esclavagistes et États non esclavagistes : le Missouri (esclavagiste) et le Maine (non esclavagiste) entrent ensemble dans l'Union. Mais l'esclavage est désormais interdit sur le Territoire de Louisiane, au nord de 36°30'.

☐ **6 déc.** Monroe réélu président.

1824

Aucun des 4 candidats à l'élection présidentielle n'obtient la majorité absolue du collège électoral ; l'élection est reportée devant la Chambre des représentants, conformément à la Constitution.

1825

☐ **Févr.** La Chambre élit John Quincy Adams. Fureur des partisans d'Andrew Jackson, qui se regroupent en un parti démocrate, opposé aux républicains nationaux.

1826

Les francs-maçons accusés de l'enlèvement et du meurtre d'un ancien membre d'une loge du New York, William Morgan. L'affaire provoque la création d'un parti anti-maçonnique.

1828

Jackson élu président après une campagne mouvementée ; John Calhoun, de Caroline du Nord, vice-président.

☐ **Déc.** Protestation de Calhoun, au nom du droit des États, contre l'augmentation des droits de douane décidée en mai 1828 *(Exposition and Protest)*.

1829

☐ **Mars** Entrée en fonction de Jackson ; programme de réforme de l'administration.

1830

☐ **Janv.** Débat au Sénat entre Robert Hayne et Daniel Webster sur les droits des États et la nature de l'Union.

1831

Divergence grandissante entre Jackson et Calhoun.

1832

☐ **10 juill.** Jackson met son veto au renouvellement de la Charte de la seconde Banque.

☐ **24 nov.** La Caroline du Sud déclare nulles les lois sur les tarifs douaniers de 1828 et 1832 *(Nullification).*

☐ **10 déc.** Triomphalement réélu, Jackson déclare à la Caroline du Sud qu'elle n'a pas le droit de faire sécession.

☐ **28 déc.** Calhoun démissionne de la vice-présidence.

1833

☐ **Janv.** La Caroline du Sud lève des troupes.

☐ **Févr.** Le Congrès vote le *Force Bill* pour faire appliquer les tarifs douaniers, mais ceux-ci sont abaissés : fin de la crise dite de la « Nullification ». Jackson annonce que le gouvernement fédéral retire ses fonds de la Banque des États-Unis pour les transférer dans 23 banques d'États de son choix.

1834

Les républicains nationaux prennent le nom britannique de « whigs ». À la tête du parti : Henry Clay et Daniel Webster.

1835

☐ **Déc.** Après la mort de John Marshall, Jackson nomme Roger Taney à la tête de la Cour suprême.

1836

☐ **Mai** Afflux de pétitions antiesclavagistes ; le Congrès vote la règle du bâillon *(Gag Rule),* et refuse de les examiner.

☐ **Juin** L'Arkansas, esclavagiste, devient le 25e État de l'Union.

☐ **Déc.** Le démocrate Martin Van Buren élu président contre 3 candidats whigs.

1837

Le Michigan, sans esclaves, devient le 26e État de l'Union.

1839

Formation du parti de la Liberté : les abolitionnistes entrent officiellement dans la bataille politique.

1840

☐ **Juill.** Création d'un Trésor fédéral indépendant.

☐ **Déc.** Le candidat whig William H. Harrison élu président.

Politique extérieure et expansion territoriale

1816-1818

Expédition militaire dirigée par le général Andrew Jackson contre la Floride espagnole, refuge d'esclaves fugitifs et d'Indiens Séminoles. Prise du Fort de Pensacola.

1817

Traité Rush-Bagot entre les États-Unis et la Grande-Bretagne (démilitarisation des Grands Lacs).

1818

Convention confirmant le tracé de la frontière canadienne le long de 49°N, jusqu'aux Rocheuses, l'Oregon étant ouvert à la colonisation anglaise et américaine.

1819

Traité Adams-Onis : l'Espagne cède la Floride aux États-Unis, qui renoncent à leurs prétentions sur le Texas.

1821

☐ **Janv.** Moses Austin reçoit du gouvernement de Nouvelle-Espagne une concession territoriale au Texas pour y installer 300 familles américaines.

☐ **Févr.** Déclaration d'indépendance du Mexique.

☐ **Sept.** Le tsar revendique toute la côte pacifique au nord de 51° (ce qui inclut une partie de l'Oregon).

1822
Monroe demande au Congrès de reconnaître les nouvelles républiques latino-américaines.

1823
☐ **Févr.** Le gouvernement mexicain confirme à Stephen Austin, fils de Moses, la concession territoriale au Texas.

☐ **Déc.** Monroe expose sa « doctrine » au Congrès : non à la colonisation européenne en Amérique ; non à l'intervention des puissances européennes dans les affaires américaines ; neutralité des Américains dans les conflits européens. L'auteur de ce texte, passé presque inaperçu à l'époque, est John Quincy Adams, secrétaire d'État.

1826
Jerediah S. Smith : première expédition jusqu'en Californie par l'intérieur du continent.

1829
Expédition de Jerediah Strong Smith, qui franchit les Rocheuses à South Pass et atteint l'Oregon. Découverte du Grand Lac Salé par un trappeur, Jim Bridger. Le Mexique refuse de vendre le Texas aux États-Unis.

1835
Début de la révolte des Texans contre le gouvernement mexicain de Santa Anna, qui veut abolir l'esclavage.

1836
☐ **Févr.-mars** Siège du Fort Alamo, à San Antonio, par Santa Anna. Défaite des Texans, malgré leur résistance héroïque. Mort de Davy Crockett.

☐ **Avril** Victoire des Texans à San Jacinto et déclaration d'indépendance. Leur Constitution admet l'esclavage.

1837
Le Congrès reconnaît la république indépendante du Texas, mais refuse de l'annexer malgré le souhait de ses habitants.

1837-1839
Vives tensions sur la frontière canadienne, certains Américains essayant de soutenir une révolte antibritannique. Le président Van Buren réaffirme la neutralité des États-Unis.

Affaires indiennes

1816-1818
Première guerre contre les Séminole de Floride.

1817
Les Indiens de l'Ohio cèdent, par traité, 4 millions d'acres.

1818
Par traité, les Chickasaw cèdent les territoires compris entre les fleuves Mississippi et Tennessee.

1824
Création du Bureau des affaires indiennes, au ministère de la Guerre, à Washington.

1825-1827
Par traité, les Creek abandonnent aux Américains toutes leurs terres situées dans l'État de Géorgie.

1828
Les Cherokee se donnent une Constitution. Ils adoptent un alphabet de 86 signes, inventé par Sequoiah, et publient un journal dans leur langue.

1829
Chippewas, Ottawas et Potawatomis

ion de l'*American Colo-*
y, pour renvoyer les
e.

ue financière causée par
du crédit.

ur l'immigration, obli-
nes de bateaux à établir
ssagers.

irs libres pour la Sierra
n du Liberia en 1821.

clave Vesey découvert à
esclaves sont pendus.

le cas « *Gibbons contre*
suprême établit que seul
it fédéral a le droit de
commerce entre États.

lle augmentation des
e pour protéger l'indus-

merican Society for the
emperance.

protectionniste : « Tarif
ns ».

à la construction d'une
u Kentucky, mais appro-
Cumberland Road, qui
urs États.

Économie et société

1816

☐ **Avr.** Augmentation des droits de douane sur le coton, les textiles, le fer, le cuir, etc.

...on : l'abolitionniste extrémiste William Lloyd Garrison lance le journal *le Libérateur.*

1832

Nouveau tarif protectionniste ; le Sud de plus en plus mécontent.

1834

☐ **Juin** Crise financière : dévalorisation de l'argent par rapport à l'or.

☐ **Juill.** New York : bagarres entre pro- et antiesclavagistes.

1835

Charleston : la foule brûle des brochures abolitionnistes.
Boston : création de la Société pour la prévention du paupérisme.

1836

Loi sur le paiement des terres fédérales en espèces métalliques, pour freiner la spéculation *(Specie Act).*

1837

☐ **Mars** Panique financière.

☐ **Mai-nov.** Dépression économique : nombreuses faillites bancaires.

☐ **7 nov.** Illinois : meurtre d'Elijah Lovejoy, éditeur abolitionniste.

1838

Organisation du Chemin de fer souterrain *(Underground Railroad),* réseau d'évasion des esclaves vers les États du Nord.

1839

Nouvelle dépression économique, qui durera jusqu'en 1843.

1840

Congrès mondial antiesclavagiste de Londres : les Américaines ne sont pas autorisées à siéger. William Lloyd Garrison, solidaire, se retire avec elles.
Fondation de la *Washington Temperance Society.* Extension du Mouvement pour la tempérance.

Progrès technique et transports

1816 Baltimore : éclairage au gaz des rues.

1817 Première ligne de navigation à vapeur de Louisville, sur l'Ohio, à La Nouvelle-Orléans.

1819 Première traversée d'un navire à vapeur : Savannah-Liverpool.

1820 New York : première conserverie de poisson.

1825

☐ **Juill.** Prolongation vers l'ouest de la route nationale *(Cumberland Road).*

L'activité bancaire de 1829 à 1837

Année	Nombre de banques	Capital	Espèces en circulation	Prêts
1829	329	$ 110 M.	$ 48 M.	$ 137 M.
1834	506	$ 200 M.	$ 95 M.	$ 324 M.
1837	788	$ 290 M.	$ 149 M.	$ 525 M.

Noter l'augmentation rapide des activités bancaires, due à la prospérité et à la spéculation. À partir de 1834, la remise en question de la Banque nationale a pour effet une multiplication des banques dans les États.

D'après Albert Shannon, *America's Economic Growth,* 1951.

☐ **Oct.** Ouverture du canal de l'Érié, reliant le port de New York aux Grands Lacs.

1826 John Stevens essaie la première locomotive à vapeur dans sa propriété de Hoboken (New Jersey).

1828 Ouverture du canal du Delaware à l'Hudson.

1829 Ouverture du canal du Delaware au Chesapeake.

1830 Ouverture du chemin de fer à vapeur Baltimore-Ohio. Robert Stevens invente le rail en T.

1832 New York : premier omnibus à chevaux.

1834 Cyrus McCormick obtient un brevet pour sa moissonneuse hippomobile, inventée dès 1831.

1835 Samuel Morse met au point son télégraphe et obtient un brevet en 1840.

1836 Samuel Colt obtient un brevet pour son « revolver ».

1837 John Deere crée une usine de machines agricoles dans le Vermont.

1839 Charles Goodyear invente la vulcanisation du caoutchouc.

Éducation, religion et culture

1816 Philadelphie : première Église noire.

1817 Le poète William C. Bryant publie *Thanatopsis.*

1818 John Trumbull peint *la Déclaration d'indépendance.*

1819 Fondation de l'université de Virginie à Charlottesville, selon le projet élaboré par Thomas Jefferson ☐ William E. Channing crée l'Église unitarienne.

1821 Emma Willard fonde le premier collège pour jeunes filles.

1824 Fondation de l'Institut Rensselaer, à Troy (N.Y.) : pour l'enseignement des sciences et des techniques ☐ Voyage triomphal de La Fayette à travers les États-Unis.

1825 Le socialiste écossais Robert Owen rachète les terres de George Rapp et fonde New Harmony dans l'Indiana ☐ Débuts du romantisme en peinture : école dite « de l'Hudson ».

1826 Daniel Webster prononce l'oraison funèbre de Jefferson et celle de John Adams, tous deux morts le 4 juillet. (Cinquantième anniversaire de la Déclaration d'indépendance) ☐ James Fenimore Cooper : *le Dernier des Mohicans.*

1828 Après vingt ans de recherches, Noah Webster publie son *Dictionnaire,* qui contient beaucoup de mots nouveaux « américains » ☐ Fondation de l'université de l'Indiana ☐ Premier volume des *Oiseaux d'Amérique* de John James Audubon.

1830 Joseph Smith publie le *Livre de Mormon* et fonde l'Église des saints des derniers jours.

1831 Les mormons s'installent d'abord dans l'Ohio, puis à Independence (Missouri).

1832 Horatio Greenough est chargé d'exécuter une statue de George Washington pour la rotonde du Capitole, à Washington.

1833 Parution du *Sun,* premier quotidien populaire à New York ☐ Ouverture du College d'Oberlin, dans l'Ohio, où femmes et Noirs sont admis.

1834 Fondation du *New York Herald* □ George Bancroft : premier volume de *l'Histoire des États-Unis* (le 10e et dernier paraîtra en 1874).

1836 Ralph Waldo Emerson publie *Nature* et fonde en Nouvelle-Angleterre le groupe des transcendantalistes.

1837 Horace Mann, secrétaire du Comité d'éducation de l'État de Massachusetts, lance une réforme de l'enseignement.

1839 Les mormons s'installent à Nauvoo, Illinois □ Fondation de l'*American Art Union,* à New York, qui diffuse dans le public des reproductions d'œuvres d'art classiques.

1840 Edgar Allan Poe publie une série d'histoires : *Tales of the Grotesque and the Arabesque.*

Biographies

Marshall, John (1755-1835). C'est l'homme qui consolide le pouvoir fédéral durant le premier tiers du XIXe siècle. Né en Virginie, il fait quelques études de droit et, après avoir combattu dans l'armée continentale, ouvre un cabinet d'avocat à Richmond, en 1780. Il entre dans la vie politique nationale en se faisant élire au Congrès. Le président Adams le nomme à la Cour suprême en 1801 : il y reste 35 ans et marque cette institution de sa forte personnalité. C'est lui qui donne à la Cour son prestige, rédige les principales décisions et renforce le pouvoir fédéral aux dépens des États. Le cas le plus célèbre de Marshall est *Marbury contre Madison,* par lequel est définitivement établi le pouvoir d'interprétation de la Constitution par la Cour *(Judicial review).* Fédéraliste convaincu, Marshall prolongea l'influence des fédéralistes au-delà de leur défaite électorale en mettant leur idéologie en pratique à la Cour suprême.

Jackson, Andrew (1767-1845). Le personnage est tellement représentatif qu'il désigne une époque et un phénomène politique, la démocratie « jacksonienne ». Autodidacte, militaire dans l'âme, d'une énergie frisant parfois la brutalité, il est convaincu de représenter la nouvelle génération d'Américains, ceux de la Frontière, qui rejettent les influences européennes. Né en Caroline du Sud, il se bat à treize ans dans l'armée continentale et y acquiert une solide haine des Anglais. Quelques études de droit font de lui un avocat, puis un juge installé à Nashville (Tennessee). Pendant la guerre contre les Anglais, en 1813, il s'engage et devient officier : ses succès à La Nouvelle-Orléans, puis en Floride (dont il prépare l'annexion) lui valent son surnom de « Vieux Noyer » *(Old Hickory)* et le servent dans son ambition présidentielle. Écarté de la présidence par l'élection de John Quincy Adams en 1824, il organise alors l'opposition « anti-aristocratique » au sein du parti démocrate, et se fait élire en 1828. Il peuple l'administration fédérale de ses amis politiques, inaugurant ainsi le fameux « système des dépouilles ». C'est un président fort autoritaire, qui, d'une part, défend fermement l'Union lors de la crise de la Nullification, mais, de l'autre, s'oppose au « pouvoir de l'argent » en annulant la charte de la Banque des États-Unis. Contrairement à tant d'autres, il quitte la Maison-Blanche plus populaire qu'à son arrivée.

Bibliographie

A. de Tocqueville, *De la démocratie en Amérique* (Garnier-Flammarion, 1981).

J. Heffer, *l'Union en péril (1825-1865)* [Histoire documentaire des États-Unis, Nancy, 1987].

Chapitre VIII 1841-1860

Esclavage, expansionnisme et conflits internes

> *Une maison divisée contre elle-même ne peut pas survivre.*
>
> Abraham Lincoln, 16 juin 1858.

Le système esclavagiste ne cesse de s'étendre et de se durcir : les esclaves ne sont plus seulement cantonnés dans les anciennes colonies du Sud, on les trouve désormais partout où « le coton est roi », dans la région dite « du Nouveau Sud », du Mississippi au Texas. La légalisation de l'esclavage dans les Territoires de l'Ouest qui accèdent au statut d'État pose donc problème. Aussi l'esclavage domine-t-il tous les aspects de la vie américaine : formation et programmes des partis politiques, interprétation de la Constitution, développement économique, débats religieux et idéologiques. De l'avis de certains, le conflit entre le Nord et le Sud, entre abolitionnistes et esclavagistes, est inévitable. En décembre 1860, l'éclatement des partis favorise l'élection du républicain antiesclavagiste Abraham Lincoln et provoque la sécession de la Caroline du Sud.

Parallèlement au grand débat sur l'esclavage et l'Union, les États-Unis poursuivent leur expansion vers l'ouest. En 1846, un journaliste trouve la formule qui justifie cette fièvre expansionniste : la « destinée manifeste » du peuple américain, écrit-il, est d'étendre sa domination sur tout « le continent que la Providence lui a accordé ». Ainsi, au terme d'une guerre fort critiquée par certains, les États-Unis s'emparent des territoires mexicains, tant convoités, du Texas à la Californie.

Ce pays, en apparence uniquement préoccupé par sa crise interne, étonne cependant par son dynamisme économique, social et culturel. L'industrie se développe à un rythme impressionnant : de véritables cités cotonnières, comme Lowell (Mass.), attirent les jeunes filles de la campagne, remplacées vers 1850 par les immigrants irlandais. L'urbanisation, accélérée à partir de 1840, s'accompagne de maux sociaux que les réformateurs essaient de supprimer. Les femmes jouent un rôle grandissant dans les mouvements abolitionnistes, les sociétés de tempérance et les œuvres sociales, et se sentent bientôt assez fortes pour réclamer à voix haute l'égalité civique avec les hommes. Autre aspect original, le nombre et la diversité des communautés utopiques, en ce milieu du XIXe siècle où, pour beaucoup d'Européens insatisfaits, l'Amérique incarne l'Utopie.

Vie politique et institutionnelle

1841

☐ **4 avril** À peine entré en fonction, le président William Harrison meurt de pneumonie. Le vice-président, John Tyler, lui succède et termine son mandat.

☐ **Sept.** Conflit entre Tyler et les whigs sur la politique bancaire : démission des membres du cabinet.

1842

La Cour suprême déclare inconstitutionnelle une loi de l'État de Pennsylvanie interdisant la capture des esclaves fugitifs.

Fondation d'un parti xénophobe, le *Native American Party.*

En Rhode Island : rébellion de Thomas Dorr, réclamant l'élargissement du droit de vote.

1844

☐ **Déc.** Élection à la présidence du démocrate James Polk, aux visées expansionnistes. Défaite des whigs.

1845

☐ **Janv.** Par décision du Congrès, les élections présidentielles auront lieu partout le même jour (le mardi suivant le 1er lundi de novembre).

☐ **Févr.** Le Congrès vote l'annexion du Texas.

☐ **Mars** La Floride, esclavagiste, devient le 27e État de l'Union.

☐ **Déc.** Le Texas, esclavagiste, devient le 28e État de l'Union.

1846

☐ **Août** La Chambre adopte l'amendement présenté par David Wilmott, interdisant l'esclavage dans les territoires qui seront acquis sur le Mexique.

☐ **Déc.** L'Iowa, sans esclaves, devient le 29e État de l'Union.

1848

☐ **Mai** Le Wisconsin, sans esclaves, devient le 30e État de l'Union.

☐ **Août.** Formation du *Free Soil Party,* antiesclavagiste.

☐ **7 nov.** Le général Zachary Taylor élu président.

1849

Création du département de l'Intérieur, auquel est rattaché le Bureau des affaires indiennes.

1850

☐ **Juill.** Taylor meurt du choléra. Le vice-président, Millard Fillmore, lui succède.

☐ **Sept.** Compromis de 1850, sur la question de l'esclavage dans les nouveaux territoires : la Californie admise dans l'Union, sans esclaves ; au Nouveau-Mexique et dans l'Utah, pas d'interdiction de l'esclavage ; le commerce des esclaves interdit dans le *District of Columbia,* mais législation renforcée sur les esclaves fugitifs, malgré les protestations des abolitionnistes.

☐ **Nov.** Convention de Nashville : plusieurs États du Sud réclament la sécession.

1852

☐ **Nov.** Le démocrate Franklin Pierce élu président ; whigs et *Free Soilers* sont affaiblis. Progression du parti nativiste, anticatholique et xénophobe, surnommé parti des *Know Nothing* à cause des activités secrètes de ses membres, qui prétendent « ne rien savoir ».

1854

☐ **Mai** Loi sur le Kansas et le Nebraska, où le peuple décidera s'il autorise ou non l'esclavage : cette loi annule le compromis du Missouri, qui avait fixé la limite nord de l'esclavage à 36°30' (Kansas et Nebraska sont au nord de cette ligne).

☐ **Juill.** Les opposants à cette loi (anciens whigs, *Free Soilers* et démocrates antiesclavagistes), regroupés, forment le parti républicain.

1855

Au Kansas, partisans et adversaires de l'esclavage s'affrontent et élaborent deux constitutions distinctes.

1856

☐ **Mai** Au Congrès, un député sudiste frappe Charles Summer, représentant du Massachusetts, qui a prononcé un discours contre l'esclavage.

☐ **Mai-juin** Nouvelles violences au Kansas.

☐ **Nov.** Le démocrate James Buchanan, élu président, ne veut pas intervenir contre l'esclavage.

1857

☐ **Mars** Cas *Dred Scott contre Sanford :* la Cour suprême déclare que les esclaves n'ont pas le droit d'intenter de procès devant une cour fédérale, et que le Compromis du Missouri est inconstitutionnel. Vives protestations des Républicains et des États du Nord.

Kansas : adoption de la Constitution de Lecompton, favorisant l'esclavage. Fureur des abolitionnistes.

1858

☐ **Mars** Rejet de la Constitution de Lecompton.

☐ **Mai** Le Minnesota, sans esclaves, devient le 32e État de l'Union.

☐ **Août-oct.** Campagne pour l'élection d'un sénateur de l'Illinois : le candidat républicain Lincoln déclare que l'esclavage est un mal en soi ; le démocrate Stephen Douglas maintient que dans chaque État, c'est le peuple qui doit choisir s'il souhaite ou non légaliser l'esclavage. Douglas gagne le siège de sénateur et Lincoln la célébrité.

1859

☐ **Févr.** L'Oregon, sans esclaves, devient le 33e État de l'Union.

☐ **Oct.** Virginie-Occidentale : l'abolitionniste extrémiste John Brown attaque l'arsenal fédéral de Harper's Ferry, pour créer dans les Appalaches un refuge pour esclaves fugitifs.

☐ **Déc.** John Brown, jugé et pendu, devient un martyr du mouvement abolitionniste.

1860

☐ **Mai** Éclatement du parti démocrate sur la question de l'esclavage.

☐ **Nov.** Après une campagne consacrée au problème de l'esclavage et du maintien de l'Union, élection du candidat républicain, Abraham Lincoln.

Évolution de l'esclavage

Année	1800	1820	1840	1860
Nombre d'esclaves	893 602	1 538 022	2 487 355	3 953 760

D'après Richard B. Morris, *Encyclopedia of American History,* 1976.

□ **20 déc.** La Caroline du Sud, ne pouvant accepter le programme républicain, vote la sécession. Échec de la médiation de Crittenden.

Politique extérieure, expansion territoriale

1842
Première expédition de John Frémont dans les Rocheuses.
Traité Webster-Ashburton avec la Grande-Bretagne, fixant la frontière nord-est avec le Canada.

1843
Début de la grande migration sur la piste de l'Oregon.
Deuxième voyage de Frémont dans les Rocheuses.
Fin de la 2e guerre contre les Séminoles en Floride.

1844
Traité avec la Chine, ouvrant 5 ports au commerce américain.

1845
□ **Mars** Refusant l'annexion du Texas par le Congrès, le Mexique rompt les relations diplomatiques avec les États-Unis.

□ **Mai** Un détachement militaire à la frontière du Texas et du Mexique, pour « protéger » le nouvel État.

□ **Juill.** Article de John O'Sullivan dans *The U.S. Magazine & Democratic Review,* parlant de la « destinée manifeste » du peuple américain.

□ **Déc.** Le président Polk réaffirme les principes de la doctrine de Monroe.

1846
□ **Févr.** Échec de la mission Slidell, chargée de négocier avec le Mexique l'achat du Texas, du Nouveau-Mexique et de la Californie.

□ **25 avr.** Début des hostilités.

□ **13 mai** Le Congrès déclare la guerre au Mexique, autorise le recrutement de 50 000 soldats et un crédit de 10 millions de dollars. Le Nord n'est pas favorable à la guerre.

□ **Juin** Traité avec la Grande-Bretagne : cession de l'Oregon aux États-Unis.
En Californie, les colons américains se déclarent indépendants du gouvernement mexicain.

□ **Août** Les Américains occupent le Nouveau-Mexique et revendiquent la Californie.

1847
□ **Mars** Les Américains, débarqués à Veracruz, avancent vers Mexico.

□ **14 sept.** Prise de Mexico.

1848
□ **Févr.** Traité de Guadalupe Hidalgo : le Mexique cède tous ses territoires au nord du Rio Grande en échange de 15 millions de dollars.

1849
Traité d'amitié et de commerce avec les îles Hawaii.

1850
Traité Clayton-Bulwer : États-Unis et Grande-Bretagne s'engagent à respecter la neutralité d'un éventuel canal à travers l'isthme de Panamà.

1853
Négociation de Gasden avec le Mexique : acquisition d'une bande de terres au sud du Nouveau-Mexique, en vue d'établir une voie ferrée transcontinentale.

1853-1854
Expédition du commodore Perry au Japon, pour négocier des accords de commerce.

1856-1858
Annexion d'îles à guano (Pacifique et mer des Caraïbes).

1858
Traités de commerce avec la Chine et le Japon.
Buchanan envisage d'acheter Cuba à l'Espagne (des Américains y ont soutenu une tentative de soulèvement).

Économie et société

1841
Fondation de Brook Farm, communauté utopique fréquentée par les intellectuels bostoniens.

1842
Vote d'un tarif protectionniste.
Au Massachusetts, reconnaissance de la légalité d'un syndicat.

1843
Fondation de la Phalange d'Amérique du Nord, communauté socialiste inspirée du modèle français de Fourier.

1844
□ **Mai** Émeutes anticatholiques à Philadelphie ; début du mouvement « nativiste » (xénophobe).

1845
Début de l'immigration massive d'Irlandais, chassés de chez eux par la maladie de la pomme de terre.
Fondation de Lawrence (Mass.), centre de tissage de la laine.

1847
Chicago : Cyrus McCormick ouvre une usine de machines agricoles.

1848
□ **Janv.** Californie : découverte d'or près de Sacramento.
□ **Juill.** Premier Congrès féministe à Seneca Falls (N.Y.).
Arrivée massive d'Allemands après l'échec de la révolution en Allemagne.
New York : ouverture du premier grand magasin, sur Broadway.

1849
San Francisco : arrivée par bateau des premiers chercheurs d'or ; ils seront 100 000 à la fin de l'année.

1850-1851
Dans les États du Nord, beaucoup refusent d'appliquer la loi sur les esclaves fugitifs.

1851
Le Maine, le premier, vote une loi interdisant la consommation d'alcool.

1854
Plus de 400 000 immigrants débarquent à New York.

1857
Panique financière.

1858
Découverte d'or dans le Colorado : nouveau *« gold rush »*.

1859
Découverte de mines d'argent dans le Nevada (Virginia City) et de pétrole en Pennsylvanie (Titusville).

1860
□ **Févr.** Grève des ouvriers de la chaussure à Lynn (Mass.).
□ **Mars** Élisabeth Stanton demande à l'assemblée du New York le droit de vote pour les femmes.

Progrès technique et transports

1844 Première ligne télégraphique entre Washington et Baltimore (système S. Morse).

1846 Brevet à Elias Howe pour sa machine à coudre.

1847 Brevet à S. Page pour sa herse à disques rotatifs.

1850 La *Collins Line* met en service 4 vapeurs qui rivalisent avec ceux de la *Cunard Line* pour la traversée de l'Atlantique.

1851 Brevet à Isaac Singer pour sa machine à coudre.
Grande exposition du *Crystal Palace* (Londres), où les Européens découvrent l'ingéniosité des Américains.

1852 Chicago est reliée par chemin de fer à la côte est.

1853 À New York, construction d'un *Crystal Palace,* pour une Exposition internationale (sans grand succès).

1855 Pont suspendu sur le Niagara, œuvre de John Roebling, d'origine allemande.

1856 Création de la *Western Union Telegraph Company.*

1857 Elisha Otis installe à New York le premier ascenseur « pour passagers ».

1858 Premier câble télégraphique transatlantique : le président Buchanan salue la reine Victoria.
Brevet de John Appleby pour une moissonneuse-lieuse.
Chicago : fabrication de wagons-lits par George Pullman.

1860 Création du *Poney Express Mail Service*, qui met 8 jours de Saint Joseph (Missouri) à Sacramento (Californie).

Religion, éducation et culture

1841 Horace Greeley commence à publier le *New York Tribune* □ Le philosophe Ralph Waldo Emerson publie ses *Essais.*

1842 P.T. Barnum ouvre son « Musée américain » à New York.

1843 Rapport de Dorothea Dix sur les asiles d'aliénés □ Hiram Powers sculpte une *Esclave grecque,* qui obtiendra un grand succès à Londres en 1851.

1844 Joseph Smith assassiné à Nauvoo (Illinois) ; Brigham Young lui succède comme chef des mormons.

1844-1845 Les Églises baptiste et méthodiste divisées sur la question de l'esclavage.

1845 Rapports de John Frémont sur ses explorations dans les Rocheuses □ Margaret Fuller : essais sur *la Femme au XIXe siècle* □ Edgar A. Poe : *le Corbeau et autres poèmes.*

1846 Dans le *Boston Courrier,* articles de James Russell Lowell critiquant la guerre contre le Mexique □ Fondation de l'Institut Smithsonien (musée et centre de recherche) à Washington.

1847 Les mormons atteignent le Grand Lac Salé et fondent l'État de « Deseret », futur Utah □ Longfellow : *Evangeline.*

1848 New York : James Bogardus construit le premier bâtiment à façade de fonte.

1849 Henry D. Thoreau : *De la*

désobéissance civile □ Émeute au Théâtre Astor à New York. Nombreuses victimes.

1850 Nathaniel Hawthorne : *la Lettre écarlate* □ Parution de la revue *Harper's Monthly.*

1851 Parution du *New York Times* □ Voyage triomphal de Kossuth, héros de la révolution hongroise □ Incendie de la bibliothèque du Congrès : les deux tiers des livres sont détruits, dont ceux donnés par Jefferson en 1815 □ Herman Melville : *Moby Dick.*

1852 Harriet Beecher-Stowe : *la Case de l'oncle Tom,* publié à Boston. Succès immédiat : 1 million d'exemplaires vendus en 1 an □ Au Massachusetts, première loi rendant l'école obligatoire (de 8 à 14 ans).

1854 Ouverture de deux grandes bibliothèques publiques : la Boston Public Library et, à New York, l'Astor Library □ Thoreau : *Walden,* série d'essais sur la nature.

1855 Frederick Douglass, ancien esclave, publie son *Autobiographie.*

1856 Fondation à New York de *Cooper's Union,* centre d'éducation populaire offrant des cours du soir, une bibliothèque, etc

1857 Hinton Helper : *The Impending Crisis of the South,* démontrant que la société esclavagiste ne pourra survivre ; ouvrage interdit dans le Sud. G. Fitzhugh : *Cannibal All,* défense de l'esclavage. Parution de l'*Atlantic Monthly* et de *Harper's Weekly.*

1858 Frederick Law Olmsted : premiers travaux d'aménagement de Central Park à New York. D'autres villes l'imitent.

Biographies

Morse, Samuel (1791-1872). Inventeur du télégraphe électrique, il débuta par une carrière artistique. Né dans le Massachusetts dans une famille cultivée, il va compléter ses études en Angleterre et, à son retour, est considéré comme un bon portraitiste. C'est lui qui fonde et dirige l'Académie de dessin de New York. Mais, à partir de 1832, c'est aux recherches scientifiques qu'il se consacre. Il expérimente pendant plus de trois ans et parvient à présenter un appareil de télégraphie qui, dès 1835, fonctionne bien. Mais il continue à le perfectionner et à élaborer son propre code. Il retourne en Europe pour essayer d'obtenir des brevets. Enfin, en 1843, le Congrès lui accorde des crédits pour la construction d'une ligne de Washington à Baltimore. Il fonde sa propre société pour l'exploitation de la ligne, défend ses droits au cours de plusieurs procès, devient, enfin, riche et célèbre. En 1861, son système s'est répandu à travers tout le pays et il est adopté dans la plupart des pays européens.

Tubman, Harriet (v. 1820-1913). Née de deux esclaves du Maryland, mariée de force à un autre esclave, elle travaille dans les champs avant de fuir vers le Nord en 1849. Libre, elle décide d'aider ses anciens compagnons de servitude et prend une part active au « Chemin de fer souterrain », ce réseau de Noirs libres, et de Blancs abolitionnistes ou sympathisants, qui fait évader les esclaves vers les États du Nord. Au prix de nombreux et dangereux voyages dans le Sud, elle fait évader près de 300 personnes, dont ses parents. Analphabète mais remarquablement organisée, elle est connue de tous les milieux abolitionnistes. Pendant la guerre, elle est tour à tour infirmière, cuisinière ou lavandière pour l'armée de l'Union. À l'occasion, elle fait aussi un peu d'espionnage. Après la guerre, elle s'installe dans le New York, et utilise à des fins charitables l'argent que lui rapporte son *Autobiographie.*

Thoreau, Henry David (1817-1862). Naturaliste, philosophe, écrivain, apôtre de la « désobéissance civile », qui inspira Gandhi, Martin Luther King et la génération des opposants à la guerre du Viêt-nam, Thoreau illustre bien cette époque de réflexion, de doutes et d'aspirations morales de la société américaine. Né dans une famille d'artisans à Concord, près de Boston, il connaît intimement la Nouvelle-Angleterre et l'aime tant qu'en 1845 il s'installe au bord de l'étang de Walden, en pleins bois, pour faire la preuve que l'homme est capable de vivre dans la solitude et l'indépendance. Ce n'est qu'en 1854 qu'il publie ses réflexions, sous le titre *Walden.* Il affirme son opposition à la guerre mexicaine en refusant de payer ses impôts : c'est en prison qu'il rédige l'essai *De la désobéissance civile.* Il écrit également poèmes, récits et essais sur l'esclavage : il est, en effet, l'un des premiers à avoir soutenu John Brown. Sa rencontre avec le philosophe Emerson est pour lui l'occasion de se lier avec le groupe des transcendantalistes, dont il édite la revue, *The Dial.* Il meurt à 45 ans de tuberculose.

Bibliographie

R. Lacour-Gayet, *la Vie quotidienne aux États-Unis à la veille de la guerre de Sécession* (Paris, 1965).

E. Genovese, *l'Économie politique de l'esclavage* (Maspero, 1968).

Chapitre IX 1861 - Avril 1865

La guerre de Sécession

Mon but suprême est de sauver l'Union, ce n'est ni de préserver ni de détruire l'esclavage.

Lincoln, août 1862

Ce long et douloureux conflit, où s'affrontent les deux moitiés d'une même nation, les Américains en parlent comme de « La Guerre civile ». Le Sud, en effet, ne pouvait accepter l'arrivée à la Maison-Blanche d'un président républicain dont le programme visait clairement à interdire la propagation de l'esclavage dans les Territoires de l'Ouest. Se sentant menacés, six États suivent l'exemple de la Caroline du Sud et font sécession au début de l'année 1861 ; ils forment une Confédération, qui se donne ses propres institutions. Quatre autres États se joignent à eux après l'attaque de Fort Sumter, qui marque le début des hostilités. Seuls quatre États esclavagistes restent fidèles à l'Union : ce sont le Maryland et le Delaware, aux portes de Washington, le Kentucky et le Missouri, plus à l'ouest. Pendant toute la guerre, Lincoln, craignant leur défection, évitera de les heurter.

Car, pour Lincoln, jusqu'en 1862 du moins, le but de la guerre n'est pas l'abolition de l'esclavage : c'est la préservation de l'Union. Dès son entrée en fonction, il est pris en tenailles entre les démocrates « copperhead », opposés à la guerre et partisans d'une attitude conciliante à l'égard du Sud, et les républicains radicaux et abolitionnistes, pour qui la guerre est une croisade antiesclavagiste, et qui lui reprochent sa modération. À ces problèmes politiques s'ajoute la difficulté de trouver un commandement militaire valable pour l'armée de l'Union. En outre, Lincoln ne peut espérer aucun soutien de l'étranger, les puissances européennes ayant très vite déclaré leur neutralité.

La guerre, qui se déroule sur trois fronts (Virginie, vallée du Mississippi, côtes de la Confédération), traumatise le pays tout entier. Première guerre « moderne », utilisant le télégraphe, les chemins de fer, la reconnaissance aérienne, les navires cuirassés, la photographie, elle est particulièrement meurtrière et dévastatrice : plus de 600 000 morts, au moins autant de blessés, des régions entières ravagées.

Au lendemain de la capitulation du Sud, Lincoln veut appliquer un plan modéré de « reconstruction » politique, c'est-à-dire de réintégration des États rebelles dans l'Union. Il en est empêché par sa mort brutale, une catastrophe pour le Nord comme pour le Sud.

Vie politique et institutionnelle

1861

☐ **Janv.** Le Mississippi, la Floride, l'Alabama, la Géorgie et la Louisiane font sécession.

☐ **29 janv.** Le Kansas, sans esclaves, devient le 34e État de l'Union.

☐ **9 févr.** Convention des États sécessionnistes à Montgomery (Alab.) Formation de la Confédération, dont le président est Jefferson Davis, et la capitale Montgomery.

☐ **23 févr.** Le Texas fait sécession.

☐ **2 mars** Création des Territoires de Nevada, Colorado et Dakotas.

☐ **4 mars** Entrée en fonction de Lincoln.

☐ **17 avril-8 juin** Virginie, Arkansas, Caroline du Nord et Tennessee font sécession.

☐ **21 mai** Richmond (Virginie), capitale de la Confédération.

☐ **2 juill.** Lincoln suspend le privilège d'*habeas corpus* dans des cas exceptionnels.

1863

☐ **1er janv.** Entrée en vigueur de la Proclamation d'Émancipation : rédigée par Lincoln dès juillet 1862, publiée en septembre, elle n'est pas suivie d'effet car elle ne libère les esclaves que dans les États rebelles. Elle mécontente à la fois abolitionnistes et esclavagistes.

☐ **Juin** La Virginie-Occidentale, non esclavagiste, se détache de la Virginie et forme le 35e État de l'Union.

1864

Le parti républicain choisit à nouveau Lincoln comme candidat à la présidence et lui adjoint un démocrate du Tennessee comme vice-président : Andrew Johnson.

☐ **Juill.** Veto de Lincoln au projet Wade-Davis de Reconstruction.

☐ **31 oct.** Le Nevada, sans esclaves, entre dans l'Union.

☐ **8 nov.** Lincoln réélu avec une faible majorité de voix.

1865

☐ **1er févr.** Le Congrès propose le 13e amendement (abolition de l'esclavage).

☐ **3 févr.** Lincoln rencontre des délégués du Sud sur un bateau près de Hampton Roads : échec des pourparlers, car le Sud demande l'autonomie.

☐ **Mars** Création par le Congrès du *Freedmen's Bureau* (Bureau des affranchis) pour aider les esclaves libérés.

☐ **4 mars** Deuxième entrée en fonction de Lincoln : discours de réconciliation.

☐ **14 avril** Au lendemain de la capitulation du Sud, Lincoln est assassiné dans sa loge de théâtre à Washington par un acteur sudiste, John Wilkes Booth.

☐ **15 avril** Andrew Johnson prête serment et devient président.

☐ **26 avril** L'assassin de Lincoln est tué.

Faits militaires

1861

☐ **13 avr.** Fort Sumter, arsenal fédéral, attaqué par les troupes de Caroline du Sud, se rend.

☐ **15 avr.** Lincoln décrète l'état d'insurrection et appelle 75 000 volontaires pour 3 mois.

☐ **19 avr.** Lincoln décrète le blocus des ports du Sud.

☐ **20 avr.** Robert Lee démissionne de l'armée de l'Union et se met au service de la Confédération.

☐ **21 juill.** 1re bataille de Bull Run, près de Manassas (Virg.). Défaite des nordistes.

☐ **21 oct.** 2e défaite de l'Union, à Bull's Bluff (Virg.).

☐ **Nov.** Lincoln nomme George McClellan général en chef des troupes de l'Union.

1862

☐ **Janv.** Lancement d'un cuirassé construit par l'Union : le *Monitor.*

☐ **Févr.** Campagne du Mississippi : le général Ulysses Grant veut prendre la Confédération à revers.

☐ **9 mars** Bataille navale entre le *Monitor* et le *Merrimack,* cuirassé de la Confédération. Défaite des sudistes.

☐ **Avr.** Campagne de Virginie (péninsule entre les fleuves James et York).

☐ **7 avr.** Victoire de Grant à Shiloh (Tenn.).

☐ **25 avr.** Les nordistes occupent La Nouvelle-Orléans.

☐ **Juin-juill.** Bataille de Sept Jours entre Lee et McClellan, qui n'a pu prendre Richmond (Virg.).

☐ **Juill.** Lincoln remplace McClellan par Henry W. Halleck.

☐ **30 août** 2e bataille de Bull Run (Virg.) : victoire des généraux sudistes Lee et « Stonewall » Jackson.

☐ **17 sept.** Lee, ayant traversé le Potomac pour envahir le Maryland, est repoussé à la bataille d'Antietam, mais le général McClellan ne le poursuit pas.

☐ **24 nov.** Lincoln remplace McClellan par Burnside. C'est un désastre.

☐ **13 déc.** Défaite de Burnside à Fredericksburg (Virg.).

☐ **31 déc.** Naufrage du *Monitor.*

1863

☐ **Janv.** Lincoln remplace Burnside par Joseph Hooker à la tête de l'armée du Potomac.

☐ **Mars** Dans le Nord, conscription de tous les hommes de 20 à 45 ans (possibilité de remplacement).

☐ **2-4 mai** Lee bat l'armée du Potomac à Chancellorsville.

☐ **22 mai** Grant met le siège devant Vicksburg, sur le Mississippi.

☐ **Juin** Lee traverse le Potomac, prêt à envahir la Pennsylvanie.

☐ **1-3 juill.** Bataille de Gettysburg, l'une des plus décisives et des plus meurtrières : vaincus, les sudistes se retirent en Virginie.

☐ **4 juill.** Reddition de Vicksburg : la Confédération a perdu le contrôle du Mississippi.

☐ **20 sept.** Défaite des nordistes à Chickamauga (Géorg.).

☐ **19 nov.** Lincoln prononce son fameux discours de Gettysburg, lors de l'inauguration du cimetière militaire.

☐ **25 nov.** Grant chasse les confédérés de Chattanooga, important nœud ferroviaire dans le Tennessee. Le Sud coupé en deux.

1864

☐ **Mars** Lincoln nomme Grant commandant en chef des troupes de l'Union.

☐ **12 avr.** Bataille de Fort Pillow, sur le Mississippi : les confédérés massacrent des soldats noirs de l'armée nordiste.

☐ **4 mai** Le général nordiste Sherman quitte Chattanooga et se dirige vers Atlanta (Géorg.).

☐ **3 juin** Dernière victoire de Lee sur les nordistes, à Cold Harbor (Virg.).

☐ **15 juin** Début du siège de Petersburg (Virg.).

☐ **19 juin** L'*Alabama,* navire confédéré, est coulé par la flotte de l'Union au large de Cherbourg.

☐ **2 sept.** Sherman prend Atlanta, puis l'incendie.

☐ **16 nov.** Sherman entreprend sa marche vers la mer et détruit tout sur son passage en Géorgie.

☐ **22 déc.** Sherman entre à Savannah (Géorg.).

1865
L'armée de Sherman dévaste les deux Carolines.

☐ **18 févr.** Sherman occupe Charleston.

☐ **Mars** Le Sud, désespéré, promet la liberté aux esclaves qui s'enrôlent dans l'armée confédérée.

☐ **2-3 avr.** Chute de Petersburg (Virg.), assiégée par les nordistes depuis 9 mois, et prise de Richmond par Grant.

☐ **9 avr.** Reddition de Lee à Grant au palais de justice d'Appomatox (Virg.).

☐ **18 avr.** Reddition du général confédéré Johnston à Sherman en Caroline du Nord. Fin de la guerre.

Économie et société

1861
Le Congrès instaure un impôt sur le revenu pour financer la guerre.

1862
☐ **20 mai** Lincoln signe le *Homestead Act* (loi sur les terres cultivables), autorisant la cession gratuite de 160 acres

Le Nord et le Sud en 1861
(Compte tenu de ces disparités, la résistance du Sud fut inattendue et remarquable.)

	Nord	**Sud**
Nombre d'États	19 libres 4 esclavagistes + 6 territoires	11 esclavagistes + 2 territoires
Population	22 millions	9 millions (dont 3,5 M d'esclaves)
Hommes en âge de porter les armes	4 millions	1,14 million
Voies ferrées	35 200 km	14 500 km

(64 ha) de terres fédérales aux chefs de famille ou adultes de plus de 21 ans qui accepteront de s'y installer pour 5 ans.

☐ **Août-sept.** Révolte des Sioux du Minnesota (Little Crow).

1863

☐ **Févr.** *National Banking Act* réorganisant le système bancaire.

☐ **13-16 juill.** New York : émeute contre la conscription ; plus de 1 000 morts et blessés.

Formation d'un syndicat de conducteurs de locomotives.

1864

☐ **4 juill.** Loi sur l'Immigration autorisant la venue d'étrangers ayant un contrat de travail.

☐ **Nov.** Colorado : écrasement d'une révolte de Cheyennes.

Formation d'un syndicat d'ouvriers du cigare.

1865

Chicago : ouverture des Abattoirs de l'Union.

Religion, éducation et culture

1861 Développement de la peinture de paysage (George Inness et Alfred Bierstadt) ☐ À l'université de Yale, premier département d'études avancées *(Graduate Studies)*.

1862 Loi Morrill, accordant aux États de l'Union une dotation en terres fédérales pour bâtir des collèges d'agriculture : les *Land Grant Colleges,* qui seront à l'origine de nombreuses universités d'État.

1863 Fondation à Washington de la National Academy of Science ☐ Whistler expose *la Petite Fille en blanc* au Salon des refusés, à Paris ☐ Melville et Bryant publient des « Poèmes de guerre ». Walt Whitman écrit sur son expérience d'infirmier militaire.

1865 Winslow Homer, correspondant de guerre du *Harper's Weekly,* peint *les Prisonniers du front* ☐ Sortie de l'hebdomadaire libéral *The Nation* et des quotidiens de San Francisco, *The Examiner* et *The Chronicle.*

Progrès technique et transports

1861 Achèvement de la ligne télégraphique transcontinentale ☐ Voyage expérimental en ballon de Thaddeus Lowe, qui révèle l'importance militaire de ce nouveau moyen d'exploration.

1862 Création du département de l'Agriculture, pour diffuser l'information technique auprès des fermiers ☐ *Pacific Railway Act,* loi sur le Chemin de fer du Pacifique, accordant des fonds fédéraux pour la construction d'une voie transcontinentale.

Biographies

Lee, Robert (1807-1870). Lee est un héros mythique de la guerre de Sécession, incarnant l'idéal chevaleresque de l'armée sudiste. Fils d'un officier de cavalerie d'une grande famille de Virginie, il sort second de l'Académie militaire de West Point, en 1829. Il épouse une arrière-petite-fille de George Washington. Brillant officier du génie, il s'illustre pendant la guerre contre le Mexique. Peu engagé politiquement, il n'est ni farouchement esclavagiste, ni sécessionniste, et, pourtant, lorsque la

Virginie fait sécession, il démissionne de l'armée fédérale pour se mettre au service de « son » État. À la tête de l'armée de Virginie, il remporte une série de victoires sur l'Union (Bull Run, Fredericksburg, Chancellorsville), mais son plan d'invasion du Nord est stoppé à Gettysburg. Lorsque le président de la Confédération Jefferson Davis le nomme général en chef des armées confédérées, en février 1865, la situation est déjà désespérée. Lors de la reddition d'Appomatox, il fait preuve d'une telle dignité dans la défaite que Grant refuse de le dépouiller de son épée. Officiellement accusé de trahison, il ne sera en fait jamais jugé ; il termine son existence comme président d'une petite université.

Lincoln, Abraham (1809-1865). Symbole du triomphe de l'Union sur la Confédération, « Grand Émancipateur », incarnation de l'idéal républicain de réussite personnelle, Lincoln cache derrière sa longue silhouette et son visage osseux une personnalité complexe et fascinante. La légende a beaucoup brodé sur les événements de ses jeunes années : enfance rude dans le Kentucky, puis l'Indiana, une année à peine à l'école, mais de nombreuses lectures, et l'apprentissage de la vie de pionnier, la migration vers l'Illinois, la pratique de divers métiers, enfin l'admission au barreau après quelques années d'études solitaires. Avocat scrupuleusement honnête, il épouse Mary Todd, d'un milieu social beaucoup plus élevé que le sien, et s'initie à la politique locale. Élu au Congrès en 1847, il s'oppose à la guerre du Mexique et prend des positions qui ne plaisent ni au sudistes ni aux abolitionnistes ; il n'est donc pas réélu. C'est la question de l'esclavage, au moment des difficultés au Kansas, qui le ramène sur la scène politique : il s'oppose à l'extension de l'esclavage dans les Territoires de l'Ouest et s'engage dans le tout nouveau parti républicain. En 1858, un célèbre débat l'oppose à Stephen Douglas, lors de la campagne pour l'élection d'un sénateur. Son talent oratoire s'affirme, et il devient tout naturellement le candidat républicain à l'élection présidentielle de 1860. La division de ses rivaux démocrates fait son succès. À partir de ce moment, son histoire est celle de la guerre de Sécession et de l'affirmation progressive de son autorité de président. Critiqué de tous côtés, il semble avoir traversé de difficiles moments de doute et d'incertitude. Il ne laissera cependant pas son opinion personnelle (il condamne moralement l'esclavage) prendre le pas sur sa position politique, faite de prudence et de modération. Le « Grand Manitou » *(The Tycoon)* comme l'appelle affectueusement son secrétaire privé, est un surprenant mélange de mysticisme profond et de réalisme politique.

Bibliographie

J. Heffer, *les Origines de la guerre de Sécession* (P.U.F. 1971).

J. Nere, *la Guerre de Sécession* (Que sais-je, 1970).

S. Oates, *Lincoln* (Paris, Fayard, 1984).

Chapitre X 1865 - 1877

La Reconstruction

> *Il y a contre nous un préjugé qui ne sera pas surmonté avant des années...*
>
> Garrison Frazier, pasteur noir, au général Sherman, en 1865

La « Reconstruction » politique, morale et sociale du pays, menée par le successeur de Lincoln, Johnson, puis par les républicains radicaux du Congrès, se solde par une difficile réunification et par l'échec total de l'intégration raciale.
Johnson veut d'abord mettre en œuvre un programme conciliant : amnistie des rebelles, réintégration dans l'Union des États sécessionnistes sans obligation d'accorder aux Noirs l'égalité des droits. Ne pouvant accepter une « restauration » aussi modérée, le Congrès prend les choses en main et impose son propre programme : les États sécessionnistes passent sous le contrôle militaire de l'Union, jusqu'à ce qu'ils acceptent de ratifier les 14e et 15e amendements accordant aux Noirs les droits civiques. Ce conflit entre modérés et radicaux est aussi une lutte entre l'exécutif et le Congrès, qui culmine dans une procédure de destitution du président *(Impeachment),* évitée de justesse, et affaiblit le pouvoir de la Maison-Blanche.
Dans le Sud, la Reconstruction radicale rencontre la résistance farouche des anciens confédérés et des Blancs racistes regroupés en sociétés secrètes, dont le Ku Klux Klan, qui terrorisent les Noirs prétendant à l'égalité et ceux qui les soutiennent : nordistes de bonne volonté, venus instruire et assister les anciens esclaves, aventuriers en quête de bonnes affaires, confondus sous le nom méprisant de *carpetbaggers,* ou encore sudistes opposés à la sécession et cherchant une revanche *(scalawags).*
Les dernières troupes de l'Union ne quittent le Sud qu'en 1877, date officielle de la fin de la Reconstruction. Mais, dès le début des années 1870, la majorité des États sudistes ont retrouvé leur place au Congrès, tout en se hâtant de priver les Noirs de leurs droits constitutionnels et en instaurant la ségrégation dans tous les lieux publics.
Le pays, pris par des préoccupations d'ordre économique, se désintéresse alors de la condition des Noirs. En effet, l'essor du capitalisme industriel s'accompagne de graves problèmes monétaires liés à l'émission de billets verts (les *greenbacks*) pendant la

guerre. Une longue dépression économique, ponctuée de grèves violentes, inquiète les milieux d'affaires et accable les ouvriers à partir de 1873.

Vie politique et institutionnelle

1865

☐ **10 mai** Jefferson Davis, en fuite, est capturé et emprisonné.

☐ **29 mai** Début du programme de « restauration » de Johnson. Amnistie pour les rebelles qui le demandent.

☐ **24 nov.** Au Mississippi, Codes noirs limitant les droits des affranchis.

☐ **1er déc.** Johnson rétablit le privilège d'*habeas corpus.*

☐ **4 déc.** Première réunion du Congrès depuis la mort de Lincoln. Tous les anciens États confédérés ont accepté la réintégration dans l'Union (sauf le Mississippi). Mais la Chambre des représentants refuse de laisser siéger les délégués du Sud et nomme un Comité de la Reconstruction dirigé par le républicain radical Thaddeus Stevens.

☐ **18 déc.** Ratification du 13e amendement, abolissant l'esclavage.

1866

☐ **19 févr.** Malgré le veto du président Johnson, le Congrès prolonge et étend les pouvoirs du Bureau des affranchis.

☐ **9 avr.** Malgré le veto du président, le Congrès vote une loi sur les droits civiques *(Civil Rights Act),* donnant aux Noirs l'égalité des droits.

☐ **16 avr.** Le Congrès propose le 14e amendement, qui accorde aux Noirs les droits civiques, interdit tout rôle politique aux anciens rebelles et ne reconnaît pas les dettes de la Confédération.

☐ **19 juill.** Le Tennessee, seul État du Sud à ratifier le 14e amendement, est réadmis dans l'Union.

☐ **Nov.** Une majorité anti-Johnson élue au Congrès.

1867

☐ **Janv.** Malgré l'opposition de Johnson, droit de vote accordé aux Noirs dans le District of Columbia.

☐ **Mars-juill.** Le Congrès vote trois lois de Reconstruction malgré le veto présidentiel : division du Sud en 5 districts militaires sous contrôle fédéral, retrait du droit de vote aux Blancs qui ont participé à la rébellion, obligation, pour les États qui veulent être réintégrés dans l'Union, de ratifier le 14e amendement. Les gouverneurs militaires sont chargés d'organiser des élections et de veiller à ce que les Noirs puissent voter et être élus.

☐ **1er mars** Le Nebraska devient le 37e État de l'Union.

☐ **2 mars** Vote de deux lois restreignant les pouvoirs du président : *Tenure of Office Act,* enlevant au président le droit de révoquer un ministre dont la nomination a été approuvée par le Sénat ; loi sur le commandement militaire, obligeant le président à faire passer ses ordres par le général en chef des armées, pour éviter qu'il ne traite directement avec les gouverneurs militaires du Sud.

1868

☐ **Janv.** Le Sénat s'oppose au remplacement du secrétaire à la Guerre, Stanton. Johnson insiste.

☐ **22 févr.** La Chambre des représentants se prononce pour la révocation du président Johnson, parce qu'il a violé le *Tenure of Office Act.*

☐ **Mars-mai** Procès de Johnson devant le Sénat : n'ayant pas obtenu la majorité des 2/3 requise pour sa mise en accusation, il n'est pas révoqué et termine son mandat.

☐ **Juin** Arkansas, Alabama, Floride, Géorgie, Louisiane et Carolines sont réadmis dans l'Union.

☐ **Juill.** Création du territoire du Wyoming.

☐ **28 juill.** Le 14e amendement est ratifié.

☐ **3 nov.** Élection triomphale du président Ulysses Grant.

☐ **Déc.** Johnson proclame l'amnistie générale des rebelles, y compris de Jefferson Davis.

1869

☐ **Févr.** Inquiet des violences contre les Noirs dans le Sud, le Congrès vote le 15e amendement (aucun État ne pourra priver un citoyen de ses droits en raison de sa race).

☐ **Déc.** La Géorgie ayant empêché les Noirs de voter dès le retrait des troupes nordistes, on lui interdit à nouveau d'envoyer des représentants au Congrès.
Le Congrès exige que les États sudistes ratifient le 15e amendement.

1870

☐ **Janv.-févr.** Virginie et Mississippi sont réadmis dans l'Union. Violences au Mississippi.

☐ **23 févr.** Hiram Revels, premier Noir élu au Sénat, prend possession de son siège.

☐ **Mars** Le 15e amendement est ratifié. Le Texas rentre dans l'Union.

☐ **Mai** Le Congrès vote une loi contre le Ku Klux Klan.

☐ **Août-nov.** Les démocrates reprennent le contrôle de plusieurs États du Sud. Terreur contre les Noirs *(carpetbaggers* et *scalawags).*

1871

Le *New York Times* dénonce la corruption politique du *Boss* Tweed à New York.

1872

☐ **Mai** Loi d'amnistie votée au Congrès.

☐ **Juin** Fermeture du Bureau des affranchis : les Noirs ne peuvent plus compter que sur eux-mêmes.

☐ **Sept.** Révélation du scandale du Crédit mobilier : détournement de fonds par le président de la *Union Pacific Co.*

☐ **Nov.** À New York, le *Boss* Tweed condamné à 10 ans de prison.

☐ **5 nov.** Grant est réélu.

1873

Troubles en Louisiane : Grant envoie des troupes fédérales.

1874

Création du *Greenback Party,* regroupant surtout des fermiers de l'Ouest inflationnistes.

1875

☐ **Mars** Vote du *Civil Rights Act,* visant à empêcher la ségrégation dans les lieux publics.

☐ **Mai** Scandale des distilleurs *(Whisky Ring)* qui ont détourné le produit des taxes fédérales sur l'alcool ; l'entourage de Grant directement impliqué.

1876

☐ **Mars** Destitution du secrétaire à la Guerre, William Belknap, convaincu de corruption. La Cour suprême déclare *(États-Unis contre Cruikshank)* que le 14e amendement protège les Noirs contre la violation de leurs droits par les États et non par des particuliers, ce qui revient à fermer les yeux sur les activités du Ku Klux Klan.

☐ **1er août** Le Colorado devient le 38e État de l'Union.

☐ **7 nov.** Élection présidentielle : le démocrate Samuel Tilden obtient plus de voix que le républicain Hayes. Mais, par suite de fraudes dans le Sud, l'élection est reportée devant le Congrès.

1877

☐ **2 mars** La commission du Congrès chargée de trancher élit Rutherford Hayes.

☐ **Avr.** Les dernières troupes fédérales quittent le Sud (La Nouvelle-Orléans).

☐ **Déc.** Création du *Socialist Labor Party.*

Affaires indiennes

1866

Les Sioux se battent pour défendre leurs « terres sacrées » dans les Black Hills.

☐ **Déc.** Victoire de leur chef, Red Cloud, à Fort Kearney (Montana).

1868

☐ **Avr.** Traité de Fort Laramie : fin de la 1re guerre des Sioux. L'armée abandonne trois forts. Le gouvernement s'engage à fournir de la nourriture aux Indiens s'ils restent dans leurs réserves.

1871

Indian Appropriation Act, loi sur les Affaires indiennes : abandon de la politique des traités ; les Indiens sont dépendants de l'État fédéral.

1873

Guerre contre les Modoc de l'Oregon. Vaincus, leurs chefs sont pendus à Fort Klamath.

1874-1875

Découverte d'or dans les Black Hills : afflux de colons. Les Sioux refusent de vendre leurs terres : début de la 2e guerre des Sioux.

1876

☐ **Mars** Défaite du général Crook à Rosebud Creek, devant les Cheyenne et les Sioux commandés par Crazy Horse.

☐ **25 juin.** Le général Custer et ses 250 hommes massacrés par les Sioux sur la rivière Little Big Horn.

1877

La famine oblige Crazy Horse à se rendre. Il est tué. Les Sioux sont renvoyés dans leur réserve. Fin des guerres sioux. Le chef Sitting Bull s'enfuit au Canada. L'opinion publique américaine irritée par la défaite de Custer.

☐ **Juin** Les Nez-Percés attaquent l'armée dans l'Idaho. Le chef Joseph, battu alors qu'il tente de fuir au Canada, est envoyé dans une réserve de l'Oklahoma ; il y meurt de malaria.

Politique étrangère

1866

Ultimatum du secrétaire d'État William Seward à Napoléon III, lui ordonnant de retirer ses troupes du Mexique, où, profitant de la guerre civile, il a installé Maximilien d'Autriche comme empereur, en violation de la doctrine de Monroe.

1867

☐ **Févr.** Napoléon III retire ses troupes : Maximilien reste face à la révolution conduite par Benito Juarez. Il sera exécuté en juin.

☐ **Mars** Achat de l'Alaska à la Russie ($ 7 200 000), négocié par William Seward, et critiqué par l'opinion publique.

Seules richesses connues du territoire : les fourrures et le poisson.

☐ **Août** Annexion des îles Midway, dans le Pacifique.

1868
Traité avec la Chine : liberté de migration et avantages commerciaux.

1870
Le Sénat refuse l'annexion de la république Dominicaine proposée par Grant.

1871
Traité entre États-Unis et Grande-Bretagne au sujet des dommages infligés à la flotte de l'Union pendant la guerre civile par des navires anglais *(Alabama Claim)*.

1875
Traité de commerce avec Hawaii, qui ne pourra être annexée par aucune autre puissance.

Économie et société

1865
☐ **1er juill.** Réouverture de tous les ports du Sud.

☐ **24 déc.** Fondation du Ku Klux Klan à Pulaski (Tennessee).

1866
☐ **Juill.** Émeutes raciales à La Nouvelle-Orléans : 48 Noirs tués.

☐ **Août** Création d'un syndicat national, la *National Labor Union.*

1867
Première loi sur les logements à New York.
Fondation d'une société secrète d'agriculteurs, qui donnera naissance au mouvement des Granges.

1868
Journée de 8 heures pour les employés du gouvernement fédéral.

1869
☐ **Janv.** Les Noirs s'organisent : fondation de la *National Convention of Colored Men* (Frederick Douglass, président).
Formation de l'*American Equal Rights Association,* présidée par Susan B. Anthony.

☐ **Févr.** Vote du Tarif Morrill, pour protéger l'industrie.

☐ **Mars.** *Public Credit Act,* loi autorisant le remboursement des bons du Trésor en or ; mais la monnaie de papier *(Greenbacks)* continue à avoir cours.

☐ **Mai** Formation de la *National Woman Suffrage Association,* présidée par Élisabeth Stanton, pour le droit de vote féminin.
Création du syndicat des Chevaliers du travail *(Noble Order of the Knights of Labor),* sorte de société secrète.

☐ **Juill.** Émeute contre les travailleurs chinois à San Francisco.

☐ **24 sept.** *Black Friday,* vendredi noir à Wall Street : panique boursière, et nombreuses faillites, à la suite des manipulations du financier Jay Gould.

☐ **Déc.** Territoire du Wyoming : 1re loi accordant le droit de vote aux femmes.

1870
☐ **Janv.** Grève nationale des télégraphistes.
Création de la *Standard Oil Company,* par John D. Rockefeller.

☐ **Févr.** Territoire de l'Utah : droit de vote aux femmes.

1871
☐ **Juill.** Bagarres entre Irlandais catholiques et protestants à New York : 52 morts.

☐ **8-11 oct.** Gigantesque incendie à Chicago.

☐ **24 oct.** Émeutes antichinoises à Los Angeles : 15 lynchages.

1872
Création de la première réserve naturelle, le Parc national de Yellowstone.

1873
☐ **12 févr.** Loi sur la monnaie : l'argent est démonétisé, seul l'or est valable (*Coinage Act,* plus tard appelée « Crime de 1873 »).

☐ **Août** Sécheresse dramatique ; beaucoup de fermiers endettés vendent leurs terres. Début des Alliances de fermiers, préconisant une politique monétaire inflationniste.

☐ **18 sept.** Panique boursière à New York, après la faillite du courtier Jay Cooke : fermeture de la Bourse pour 10 jours et dépression économique causée par des années de spéculation excessive et de politique financière laxiste.

1874
☐ **Mars** Le mouvement des Granges obtient une législation sur les tarifs des chemins de fer dans le Wisconsin et l'Iowa.

☐ **Juin** *Legal Tender Act,* autorisant, malgré le veto de Grant, l'augmentation de la circulation des *greenbacks.*

1875
Les Molly Maguires, groupe terroriste d'origine irlandaise, cherchent à obtenir par la violence une amélioration des conditions de travail dans les mines de Pennsylvanie.

1877
☐ **Avr.** Accord entre les quatre grandes compagnies de chemin de fer de l'Est : fin de la guerre des tarifs et réduction des salaires des employés.

☐ **Juin** 10 Molly Maguires accusés de meurtre et pendus.

☐ **Juill.** Début d'une grande grève des chemins de fer : violences à Baltimore et à Chicago. Grèves de solidarité dans les mines et dans certaines industries.

☐ **Sept.** Migration vers le Kansas de milliers de Noirs du Sud (*Exodusters*) : ils espèrent fonder une colonie, où ils seront acceptés sans discrimination.

Progrès technique et transports

1866 Premier câble télégraphique transatlantique en fonctionnement.

1867 Premier métro aérien *(Elevated Railroad)* à New York.

1868 George Westinghouse met au point le frein à air comprimé.
William Davis invente le wagon frigorifique *(Ice Box on Wheels).*
James Oliver obtient un brevet pour une charrue à lame d'acier trempé, appréciée pour les sols vierges de l'Ouest.

1869
☐ **10 mai** Achèvement de la première voie ferrée transcontinentale, lors de la rencontre de deux locomotives venant en sens inverse, à Promontory Point, Utah.
Invention de l'aspirateur.

1870 Invention du Celluloïd.

1873 Premiers tramways à câble à San Francisco.

1874 J. Glidden, fermier de l'Illinois, invente le fil de fer barbelé, pour empêcher les troupeaux d'empiéter sur les cultures. Le paysage de grandes plaines sera transformé.

1876
☐ **Mars** Alexander Graham Bell obtient un brevet pour son téléphone.
☐ **Mai** Ouverture à Philadelphie de l'Exposition du centenaire de l'Indépendance. Le clou : la machine à vapeur de Corliss. 10 millions de visiteurs.

1877 Thomas Edison invente le phonographe.

Religion, éducation et culture

1866 Premier cours d'architecture dans une université américaine, au *Massachusetts Institute of Technology.*

1867 Premiers romans d'Horatio Alger, dont les héros sont représentatifs de l'idéologie de réussite personnelle ☐ Création à Washington de l'université Howard, pour étudiants noirs. Fondation de l'université Johns Hopkins, à Baltimore.

1868 Fondation de l'université de Californie à Berkeley.

1869 Mark Twain devient célèbre avec la publication d'un récit intitulé *Innocents Abroad.*

1870 Fondation de la galerie d'art Corcoran, à Washington.

1871 Whistler expose à Philadelphie le portrait de sa mère, *Arrangement en gris et blanc.*

1872 Fondation de la secte des témoins de Jéhovah.

1874 Mark Twain : *The Gilded Age,* décrivant la corruption dans l'Amérique de l'après guerre civile.

1875 Thomas Eakins : *la Clinique du Dr. Gross,* peinture dont le réalisme choque le public ☐ L'archevêque McCloskey, premier cardinal américain sacré à la cathédrale St Patrick, de New York. Renouveau religieux conduit par Dwight L. Moody.

1876 Mark Twain : *les Aventures de Tom Sawyer* ☐ Frederick L. Olmsted achève Central Park à New York ☐ Célébration du centenaire de l'Indépendance à Philadelphie.

1877 Henry James : *The American.*

Biographies

Anthony, Susan B. (1820-1906). La longue existence de cet apôtre des réformes sociales englobe presque toute l'histoire du féminisme américain. Née dans une famille quaker de Nouvelle-Angleterre, Susan reçoit une bonne instruction et devient institutrice. Puis elle décide d'abandonner l'enseignement, de renoncer au mariage et de se consacrer à de grandes causes : la tempérance d'abord, l'abolition de l'esclavage ensuite, les droits de la femme enfin. Devenue présidente de la *National Woman Suffrage Association,* elle veut faire admettre aux milieux politiques que le 14e amendement accorde les droits civiques aux femmes aussi bien qu'aux Noirs. Pour tester la loi, elle vote dans l'État de New York en 1872, ce qui la conduit en prison. Ayant perdu son procès, elle ne se décourage pas ; au contraire, elle consacre sa vie à militer en faveur du droit de vote féminin. Ce n'est pourtant qu'en 1920 que sera ratifié le 19e amendement, accordant aux femmes le droit de voter dans les élections fédérales.

Douglass, Frederick (1817-1895). Cet ancien esclave est l'un des Noirs les plus célèbres de son temps. Né d'une esclave et d'un Blanc inconnu, il passe sa jeunesse dans une plantation du Maryland. Sa maîtresse lui apprend à lire, en dépit des interdictions. Il s'échappe, devient simple manœuvre dans le Massachusetts. En 1841, il fait un discours très remarqué devant la Société anti-esclavagiste du Massachusetts, qui l'engage comme conférencier. Il devient alors célèbre dans tous les milieux abolitionnistes et publie son autobiographie en 1845 *(Narrative of the Life of Frederick Douglass).* Il part en Angleterre pour gagner l'argent de son rachat, rentre aux États-Unis en 1847, et fonde un journal abolitionniste. Brouillé avec William Lloyd Garrison, il est cependant un proche de John Brown. Pendant la guerre, c'est lui qui conseille à Lincoln d'accepter des soldats noirs. Après la guerre, il occupe plusieurs fonctions officielles, dont celle d'ambassadeur à Haïti. Prônant la résistance passive plutôt que la violence, on peut dire qu'il agit en précurseur du mouvement pour les droits civiques du XXe siècle.

Clemens, Samuel Longhorne, alias Mark **Twain** (1835-1910). Élevé dans le Missouri, jeune apprenti chez un imprimeur, Sam Clemens mène une vie quelque peu vagabonde jusque vers 1870. Il est pilote de bateau à vapeur sur le Mississippi, journaliste à Virginia City (Nevada), reporter pour un quotidien de San Francisco et conférencier. En 1861, il adopte le nom de plume de Mark Twain, d'après le signal, emprunté à la navigation fluviale, indiquant une profondeur de 2 brasses. Le premier récit qui le rend célèbre est celui de son voyage en Méditerranée, *Innocent Abroad.* Viennent ensuite ses ouvrages les plus connus, dans lesquels on trouve un tableau vivant, humoristique et souvent incisif de la vie sur le Mississippi et dans l'Ouest : *Roughing it* (1872), *les Aventures de Tom Sawyer* (1876), *les Aventures de Huckleberry Finn* (1884). Qu'il s'amuse ou qu'il soit sérieux, Twain est un irremplaçable témoin de cette époque qu'il surnomma « l'Âge du toc » *(The Gilded Age).*

Bibliographie

C. Fohlen, *la Société américaine 1865-1970* (Paris, 1973).

J.H. Franklin, *De l'esclavage à la liberté* (Paris, 1984).

Chapitre XI **1878 - 1890**

L'« Âge du toc » ou le capitalisme triomphant

> *La grande énigme de notre temps est que la pauvreté soit associée au progrès.*
>
> Henry George, *Progress and Poverty,* 1879.

Le pays retrouve l'optimisme et la croissance rapide du début du siècle. Mais le cadre a bien changé : les chemins de fer donnent maintenant une dimension continentale à l'économie nationale, la grande industrie (métallurgie en tête) supplante partout les petits ateliers, la population, de plus en plus mélangée par l'afflux incessant d'immigrants (plus de 5 millions entre 1881 et 1890), se concentre dans de grandes villes. New York, avec ses 3 millions et demi d'habitants en 1890, est toujours la plus grande métropole, mais elle est talonnée par Chicago, qui n'existait même pas un siècle plus tôt.

Le capitalisme industriel trouve en Amérique un terrain favorable. L'idéologie du philosophe anglais Spencer, inspirée par les recherches de Darwin sur le monde animal, est reçue avec enthousiasme : ce « darwinisme social » affirme que, dans la société comme dans la nature, la vie est un combat qui se termine par le triomphe des plus forts et l'élimination des faibles au profit de la société tout entière. Ainsi se justifie la réussite individuelle du pauvre immigrant courageux, mais aussi la concentration des entreprises qui, regroupées en « trusts », l'emportent sur les petites affaires familiales. Les rares protestations contre ce système injuste et peu démocratique restent sans effet. Les tensions sont vives entre patrons et ouvriers : mal logés dans les taudis urbains, mal rétribués et contraints à de longues journées de travail, sans sécurité d'emploi ni secours en cas d'accident ou de maladie, les ouvriers commencent à s'organiser. Mais l'hétérogénéité ethnique de la classe ouvrière et l'idéologie dominante favorisent un syndicalisme modéré.

Un fort mouvement de contestation agite les campagnes. L'agriculture souffre de prix bas ; les fermiers endettés réclament l'intervention du gouvernement fédéral pour augmenter la masse monétaire, et pour mettre fin aux abus de compagnies ferroviaires qui fixent leurs tarifs en secret, à leur avantage. Des Alliances de

fermiers prennent la relève du mouvement des Granges et du *Greenback Party.*
La vie politique locale et nationale est empoisonnée par l'irresponsabilité et la corruption.
Cet « Âge du toc » (Mark Twain), où les fortunes rapides cachent mal la misère, s'achève en 1890 par trois faits significatifs : la première tentative pour limiter la toute-puissance des trusts, la fin de la résistance indienne, et la constatation par le Bureau du recensement que la zone de peuplement mouvante de la Frontière n'existe plus.

Vie politique et institutionnelle

1878
Le *Greenback Labor Party* réclame la frappe libre de l'argent, la prolongation du cours des billets verts (les *greenbacks*), la restriction de l'immigration chinoise, la diminution de l'horaire de travail. Il obtient 14 élus au Congrès.

1880
☐ **Avr.** Organisation de l'Alliance nationale des fermiers.
☐ **Nov.** Élection à la présidence du républicain James Garfield.

1881
☐ **2 juill.** Attentat contre le président Garfield.
☐ **19 sept.** Mort de Garfield. Chester Arthur devient président.

1883
☐ **Janv.** Vote du *Pendleton Civil Service Act,* loi qui organise le recrutement des fonctionnaires selon leur qualification et non plus à partir de leurs amitiés politiques.

1884
☐ **Juin** Scission au parti républicain : les libéraux soutiennent le candidat démocrate Grover Cleveland contre le républicain James Blaine, soupçonné de corruption.
☐ **4 nov.** Cleveland est élu ; c'est le premier président démocrate depuis Buchanan, élu en 1856.

1886
☐ **Avr.** Cleveland propose sa médiation dans la grève des chemins de fer.

1888
☐ **6 nov.** Le républicain Benjamin Harrison élu président.

1889
Le Montana, le Washington et les deux Dakotas sont admis dans l'Union.

1890
Idaho et Wyoming entrent dans l'Union.

Affaires indiennes

1878
Révolte des Cheyenne, qui veulent quitter leur réserve de l'Oklahoma.

1879
Révolte des Ute, dans le Colorado.

1885
Malgré l'interdiction du président Cleveland, des colons s'installent sur les terres indiennes de l'Oklahoma.

1886
Reddition du chef apache Géronimo au général Nelson Miles.

1887
Dawes Severalty Act, loi décrétant le lotissement des réserves, et l'attribution à chaque famille indienne d'un lot de 160 acres (64 ha), pour transformer les Indiens en agriculteurs. Or cette loi facilite le rachat à bas prix, par des colons blancs, de terres dont les Indiens ne voient pas l'intérêt.

1889
L'Oklahoma officiellement ouvert à la colonisation.

1890
Mouvement de réveil chez les Sioux, à la suite de la prédication du *medicine man* Wowoka.
La *Ghost Dance* se répand dans toutes les tribus des plaines, inquiétant les autorités fédérales.
□ **Déc.** Meurtre du vieux chef sioux Sitting Bull, à Standing Rock, Dakota du Sud.
Massacre de 300 Indiens à Wounded Knee.
Fin des guerres indiennes.

Politique étrangère

1880
Le président Hayes déclare que tout canal creusé dans l'isthme de Panama sera sous contrôle des États-Unis.

1887
Renouvellement du traité de 1875 avec Hawaii : les États-Unis ont le droit de construire une base navale à Pearl Harbor.

1889
Accord tripartite (États-Unis, Allemagne, Grande-Bretagne) sur les îles Samoa : les États-Unis reçoivent confirmation de leur droit sur la base de Pago Pago.
1re Conférence internationale des États américains à Washington, sous la présidence du secrétaire d'État James Blaine.

Économie et société

1878
□ **Janv.** Organisation officielle des Chevaliers du travail, qui cessent d'être une société secrète.
□ **Févr.** Loi Bland-Allison : le gouvernement fédéral reprend l'achat et la frappe de l'argent.
□ **Déc.** Fin de la dépression.

1879
□ **Janv.** Les billets verts sont à nouveau remboursables en or.
□ **Mai** Mouvement antichinois en Californie.

1880
Première découverte d'or en Alaska.
Création de la branche américaine de l'Armée du salut.
Création de la Croix-Rouge américaine.
La *Western Union Telegraph Company* obtient un quasi-monopole sur le télégraphe.

1882
□ **Janv.** John D. Rockefeller crée le *Standard Oil Trust,* qui servira de modèle à la concentration de nombreuses entreprises.
À New York, la loi interdisant la fabrication des cigares à domicile (dans les *tenements*) est déclarée inconstitutionnelle par la Cour suprême.

☐ **Mai** *Chinese Exclusion Act,* interdisant, pour 10 ans, l'immigration chinoise.

☐ **Juin-sept.** Grève dans les aciéries.

☐ **Août** Loi interdisant l'immigration des indigents, des fous et des condamnés de droit commun.

1883
La Cour suprême déclare inconstitutionnelle la loi sur les droits civiques de 1875.

1884-1885
Dépression économique.

1885
Contract Labor Law, loi interdisant le recrutement de travailleurs étrangers sous contrat (votée sous la pression des Chevaliers du travail).

1885-1886
Formation des trusts du plomb, de l'acier, du sucre, du whisky, etc.

1886

☐ **Févr.** Émeute antichinoise à Seattle, Washington. Envoi de troupes fédérales pour rétablir l'ordre.

☐ **Mars-mai** Grève organisée par les Chevaliers du travail dans les chemins de fer.

☐ **1er mai** Chicago : manifestation des Chevaliers du travail pour la journée de 8 heures. Grève chez McCormick.

☐ **4 mai** Chicago : meeting de protestation contre les violences policières à Haymarket Square. Des anarchistes manifestent avec les Chevaliers du travail ; une bombe tue 7 policiers.

☐ **Juin-août** Condamnation de plusieurs responsables de la manifestation de Haymarket. Les Chevaliers du travail sont déconsidérés ; les vrais coupables ne sont pas identifiés.

☐ **Déc.** Formation d'un nouveau syndicat, plus modéré : l'*American Federation of Labor,* présidée par Samuel Gompers.

1887
Loi sur le commerce inter-États, instituant une Commission fédérale de contrôle.

1888
Le Congrès crée un ministère du Travail : *Department of Labor.*

1889
Chicago : fondation, par Jane Addams, de *Hull House,* l'une des plus célèbres *settlement houses* (centres d'action sociale créés par des réformateurs dans les quartiers pauvres des grandes villes).
Le Kansas vote la première loi antitrusts. D'autres États suivent son exemple.
Rush de colons blancs sur les terres indiennes de l'Oklahoma.

1890
Recensement national révélant une population de 63 millions d'habitants. La Frontière ne forme plus une zone distincte, signe que la conquête du continent s'achève.

☐ **Janv.** Création du syndicat de mineurs *United Mine Workers.*

☐ **Juill.** Loi Sherman antitrust, rendant illégale la concentration des entreprises.
Loi Sherman sur les achats d'argent par le gouvernement fédéral (remplaçant la loi de 1878).

☐ **Sept.** Création de deux parcs nationaux en Californie : Sequoia et Yosemite.

☐ **Oct.** Tarif McKinley, créant des droits de douane très élevés.

Progrès technique et transports

1878 George Eastman fabrique des plaques photographiques.

1879 Edison met au point un filament durable pour sa lampe à incandescence.

1880 Eastman crée le rouleau de film photographique.

1881 Achèvement de toutes les lignes de chemin de fer aérien à New York (« El »).
Edison fonde la *Edison Electric Illuminating Company,* qui distribue de la lumière à tout un quartier de Manhattan.

1882-1883 Achèvement de deux nouvelles voies ferrées transcontinentales : la *Santa Fe* et la *Southern Pacific.*

1883 1re liaison téléphonique entre New York et Chicago.
Inauguration du pont de Brooklyn, commencé en 1869 et construit par John et Washington Roebling, le plus grand pont suspendu du monde (portée de 500 m).
Achèvement d'un nouveau transcontinental : le *Northern Pacific.*
Création de 4 fuseaux horaires aux États-Unis et au Canada, pour faciliter la circulation des trains.

1884 Ottmar Morgenthaler obtient un brevet pour sa Linotype.

1887 Premiers tramways électriques à Richmond (Virg.).

1888 Nikola Tesla invente le moteur à courant alternatif.
Eastman invente l'appareil de photo Kodak, utilisant ses rouleaux de film.

1889 Fabrication des premières poutres d'acier Bessemer à section en I.
Thomas Edison produit le premier film cinématographique ainsi qu'un appareil pour le visionner.
Singer produit la première machine à coudre électrique.

Civilisation et culture

1878 Joseph Pulitzer commence sa carrière de journaliste.

1879 Henry George : *Progress and Poverty.*

1880 Ouverture à New York du *Metropolitan Museum of Art* □ Henry Adams : *Democracy.*

1881 Mary Cassat expose à Paris avec les impressionnistes □ Helen Hunt Jackson : *A Century of Dishonor,* critique courageuse de la politique indienne □ Fondation du *Tuskegee Normal and Industrial Institute* par Booker T. Washington, pour la formation des jeunes Noirs.

1883 Succès du premier théâtre de vaudeville à Boston □ Création du *Ladies Home Journal* □ Début du *Wild West Show* de Buffalo Bill □ Le sociologue William G. Sumner défend le darwinisme social.

1884 Mark Twain : *Huckleberry Finn.*

1884-1885 Construction à Chicago du *Home Life Insurance Building,* par William LeBaron Jenney : l'un des premiers gratte-ciel sur ossature métallique.

1885 Chicago : construction, par Henry Richardson, de l'entrepôt Marshall Field, magnifique exemple d'architecture commerciale □ Création de l'*American Economic Association,* qui souhaite que le gouvernement freine le capitalisme sauvage □ Début du genre musical *ragtime* à Saint Louis.

1886 Inauguration de la statue de la Liberté, sculpture de Bartholdi offerte par la France □ Fondation du magazine *Cosmopolitan.*

1888 Edward Bellamy : *Looking Backward, 2000-1887* □ Construction de la bibliothèque publique de Boston dans un style Renaissance, par McKim Mead & White.

1889 Début de la publication du *Wall Street Journal* par la société Dow Jones & Co □ Début du mouvement du christianisme social *(Social Gospel)* □ Participation américaine à l'Exposition universelle de Paris : succès du phonographe et de la lampe d'Edison.

1890 L'amiral Mahan publie un ouvrage célèbre sur le rôle de la marine □ L'architecte Louis Sullivan construit l'un de ses plus beaux immeubles de bureaux à Saint Louis, le Wainwright Building □ Jacob Riis : *How the Other Half Lives,* étude sur les taudis de New York.

Biographie

Edison, Thomas Alva (1847-1931). Le plus populaire des inventeurs incarne l'idéal américain de travail acharné, de réussite matérielle et d'ingéniosité. Né dans une modeste famille du Midwest, il passe sa jeunesse dans l'Ohio et le Michigan. C'est un enfant curieux d'esprit et entreprenant. C'est sa mère qui se charge de l'instruire, car l'école a refusé de le garder. À 12 ans, il est vendeur de journaux pour une compagnie de chemin de fer locale ; puis, télégraphiste, il mène une vie itinérante, tout en continuant recherches et expériences. En 1869, il reçoit une somme d'argent importante, pour son indicateur des cours boursiers *(stock ticker).* Cela lui permet de s'installer comme inventeur indépendant. Il s'entoure de collaborateurs dévoués et crée, en 1876, le premier laboratoire de recherche, à Menlo Park, dans le New Jersey. De là sortiront ses plus célèbres inventions : le phonographe et la lampe à incandescence en particulier. Organisateur de talent, bourreau de travail, il obtint plus de mille brevets. En 1887, il agrandit ses laboratoires et les transfère à West Orange (New Jersey). C'est là qu'il travaille jusqu'à sa mort, en 1931, mettant au point d'innombrables inventions, parmi lesquelles une caméra de cinéma et un studio d'enregistrement. Chercheur, il est aussi entrepreneur, et crée des sociétés pour commercialiser ses inventions. À la fin de sa vie, le « magicien de Menlo Park » est devenu si célèbre qu'on le cite en exemple aux jeunes Américains.

Bibliographie

E. Marienstras, *la Résistance indienne aux États-Unis* (Gallimard, collection « Archives », 1980).

Y.-H. Nouailhat, *l'Évolution économique des États-Unis, du milieu du XIXe siècle à 1914* (Paris, SEDES, 1982).

J. Portes, *l'Âge doré (1865-1896)* [Presses universitaires de Nancy, 1988].

Chapitre XII **1891-1901**

Du populisme à l'impérialisme

> *... Une superbe petite guerre...*
>
> John Hay, 1898, à propos de la guerre avec l'Espagne.

La dernière décennie du XIXe siècle est marquée par de grands débats politiques et idéologiques, par une longue dépression économique, accompagnée de violents troubles sociaux, et par la naissance d'une politique étrangère résolument impérialiste.

Le capitalisme industriel et le darwinisme social, jugés incompatibles avec les valeurs démocratiques américaines, soulèvent de véritables vagues de protestation, orchestrées par des mouvements politiques, comme l'anarchisme, le socialisme et, surtout, le populisme, né dans l'Ouest du mécontentement des fermiers. Cependant, l'absence de coordination entre ces différents mouvements et l'opposition entre villes et campagnes conduisent, en 1896, à l'échec électoral de cette Amérique contestataire. Échec partiel, car une majorité d'Américains a pris conscience de la nécessité des réformes ; les progressistes, au début du XXe siècle, reprendront à leur compte certaines revendications populistes.

On a voulu voir dans l'impérialisme des années 1890 une conséquence des problèmes intérieurs, les Américains ayant cherché ailleurs ce qu'ils ne pouvaient plus trouver chez eux : des terres disponibles, des marchés inexploités, des aventures nouvelles et exaltantes. Quelle qu'en soit l'interprétation, la montée du courant impérialiste, qui conduit en 1898 à la guerre avec l'Espagne et à l'acquisition de colonies (Porto Rico et les Philippines), indique un changement radical dans le rôle international des États-Unis. L'opinion publique réagit très vite contre l'impérialisme et le colonialisme, contraires aux valeurs fondamentales de liberté et de démocratie, mais ne peut imposer un retour à l'isolationnisme prôné par Washington et Monroe. Car, de tous côtés, l'Amérique s'ouvre au monde extérieur : les vagues d'immigrants non anglo-saxons se font de plus en plus pressantes, et les produits américains se vendent désormais sur tous les marchés d'Europe, d'Asie et d'Amérique.

En apparence, l'assassinat du président McKinley, en septembre 1901, ne modifie pas la situation. Pourtant, cet événement tragique propulse au premier rang un homme jeune, énergique et plein d'ambitieux projets : Théodore Roosevelt.

Vie politique et questions monétaires

1891
Formation du parti populiste. À son programme : frappe illimitée de l'argent, nationalisation des Chemins de fer, impôt sur le revenu, journée de travail de 8 heures, élection des sénateurs au suffrage universel, prêts aux fermiers, etc.

1892
□ **Nov.** Le démocrate Cleveland élu président une 2e fois.
Les populistes ont obtenu 8,5 % des suffrages populaires.

1893
Le Colorado accorde le droit de vote aux femmes.
Inquiet de la crise financière et de la diminution des réserves d'or, Cleveland demande au Congrès d'annuler la loi de 1890 sur les achats d'argent.

1895
Pour racheter de l'or, Cleveland obtient l'aide des grandes banques, d'où l'hostilité des populistes et de certains démocrates bimétallistes.

1896
□ **Janv.** L'Utah devient le 45e État de l'Union et accorde le droit de vote aux femmes.
Cleveland lance un emprunt public.
□ **Juin** Le parti républicain choisit comme candidat à la présidence William McKinley, protectionniste, impérialiste et monométalliste.
□ **Juill.** Le parti démocrate choisit William Jennings Bryan, auquel se rallie le parti populiste. Il propose la frappe libre de l'argent (bimétallisme).
□ **Nov.** Après une campagne acharnée, McKinley élu avec 7 millions de voix, contre 6,5 à Bryan.

1897
La production d'or en Alaska aide à résoudre la crise monétaire.

1900
□ **Mars** *Gold Standard Act,* loi établissant le monométallisme. Les réserves en or sont reconstituées.
□ **Sept.** Dans le Minnesota, première élection « primaire ».
À la suite d'un terrible ouragan, la ville de Galveston (Texas) crée une nouvelle forme de gouvernement municipal : une commission de 5 membres ayant chacun une compétence particulière.
□ **Nov.** McKinley l'emporte à nouveau sur Bryan aux élections présidentielles. Le vice-président est le républicain progressiste Théodore Roosevelt, gouverneur du New York.

1901
□ **6 sept.** Attentat contre McKinley, par l'anarchiste Léon Czolgosz, à l'Exposition panaméricaine de Buffalo (N.Y.).
□ **14 sept.** Mort de McKinley. Théodore Roosevelt devient président.

Politique étrangère

1891
Valparaiso : la foule attaque des marins américains. La guerre est sur le point d'éclater entre Chili et États-Unis.

1893
□ **Janv.** Hawaii : révolution fomentée par des planteurs américains. Un traité d'annexion est soumis au Sénat, mais le président Cleveland s'oppose à l'annexion.

1894
Traité de commerce entre États-Unis et Japon.

1895

☐ **Févr.** Début de la révolte des Cubains contre le gouvernement espagnol, encouragée par les Américains.

☐ **Déc.** Arbitrage des États-Unis dans le conflit frontalier entre Venezuela et Guyane britannique. Les relations anglo-américaines en sont resserrées.

1896

Participation des Américains aux premiers jeux Olympiques modernes, à Athènes.

1897

Accord final entre Venezuela et Grande-Bretagne.
La presse américaine, décrivant la répression espagnole à Cuba (politique de « reconcentration » de la population), pousse à la guerre.

1898

☐ **Févr.** Publication d'une lettre de l'ambassadeur espagnol à Washington, dans laquelle McKinley est ridiculisé. Explosion du navire américain le *Maine* à La Havane : 260 morts. Cause non déterminée (accident ?).

☐ **19 avr.** Ignorant les concessions que l'Espagne propose, le Congrès exige l'indépendance de Cuba et adopte une résolution de guerre, à la demande du président McKinley.

☐ **22 avr.** Le Congrès autorise Roosevelt à former un régiment de cavalerie volontaire, les *Rough Riders,* pour combattre à Cuba.

☐ **24 avr.** L'Espagne déclare la guerre.

☐ **1er mai** Défaite de la flotte espagnole aux Philippines.

☐ **10 juin.** Débarquement des Américains à Guantanamo Bay (Cuba).

☐ **20 juin** Les Américains s'emparent de l'île de Guam.

☐ **1er juill.** Bataille de San Juan Hill.

☐ **3 juill.** La flotte espagnole détruite à Santiago.

☐ **7 juill.** Après de longs débats, le Congrès accepte l'annexion de Hawaii.

☐ **23 juill.** Les Américains prennent Porto Rico.

☐ **26 juill.** L'Espagne demande la paix.

☐ **10 déc.** Signature de la paix à Paris : l'Espagne cède Porto Rico, Guam et les Philippines (contre paiement de 20 millions de dollars par les États-Unis). Cuba obtient l'indépendance.

1899

☐ **Févr.** La ratification du traité par le Sénat provoque des débats houleux entre impérialistes et anti-impérialistes.

☐ **Mars.** Début de la révolte des Philippines, dirigée par Emilio Aguinaldo, déçu de ne pas avoir obtenu l'indépendance.

☐ **Mai** Les États-Unis participent à la conférence de La Haye, qui crée la Cour d'arbitrage internationale.

☐ **Sept.** Devant le partage de la Chine entre les puissances européennes, note des États-Unis sur le principe de la « Porte ouverte » (liberté de commerce pour tous).

1900

☐ **Juin-juill.** Révolte antieuropéenne des Boxers en Chine.
Réaffirmation du principe de la Porte ouverte.

1901

☐ **Févr.** Cuba adopte une constitution sur le modèle de celle des États-Unis.

☐ **Mars** Amendement Platt : Cuba ne peut négocier aucun traité sans l'accord des États-Unis.
Arrestation du chef rebelle Aguinaldo. Fin de la révolte aux Philippines.

Économie et société

1891

☐ **Mars** Lynchage de 11 Siciliens à La Nouvelle-Orléans.

☐ **Avr.** Le Nebraska institue la journée de travail de 8 heures.

☐ **Juill.** Grève de mineurs à Briceville (Tennessee), brisée par l'envoi de condamnés de droit commun surveillés par l'armée.

1892

Ouverture d'Ellis Island, centre d'accueil des immigrants dans le port de New York.
Création de la *General Electric Co.,* par fusion des compagnies Edison et Thompson.

☐ **Juill.** Grèves dans tout le pays, et notamment dans les aciéries Carnegie à Homestead. Envoi d'agents Pinkerton pour protéger les briseurs de grève. Violences (20 morts).

☐ **Nov.** Fin de la grève après intervention de la milice de l'État. Les ouvriers n'ont rien obtenu, mais l'image de la *Carnegie Co.* est ternie.

1893

☐ **Févr.** Début de la panique financière. Nombreuses faillites.

☐ **Juin** Krach boursier. La dépression s'étend.
Eugene Debs fonde le syndicat des employés des chemins de fer, *American Railways Union.*

1894

☐ **Avr.** Grèves et émeutes en Pennsylvanie et dans l'Ohio. Une « armée » de chômeurs, conduite par Jacob Coxley, marche sur Washington ; elle est brutalement dispersée par la police.

☐ **Mai** Début de la grève des ouvriers de Pullman City : contre les baisses de salaire et les loyers trop chers imposés par la société.

☐ **Juin** Debs appelle tous les employés des chemins de fer à une grève de solidarité avec ceux de Pullman.

☐ **Juill.** Cleveland somme les ouvriers d'arrêter la grève et envoie des troupes fédérales à Chicago.

☐ **Août** Fin de la grève. Pullman n'a fait aucune concession, mais les ouvriers ont obtenu la sympathie du public.

☐ **Sept.** À New York, grève des ouvriers de la confection, contre le système des *sweat shops.*
Labor Day devient fête nationale (1er lundi de septembre).

☐ **Déc.** Debs, condamné à 6 mois de prison pour son rôle pendant la grève des Chemins de fer, devient socialiste.

1895

☐ **Janv.** La Cour suprême décrète que la loi antitrust ne s'applique pas aux sociétés ayant toutes leurs activités dans un même État : la loi est donc très inefficace.

☐ **Mai** La loi antitrust s'applique au syndicat des chemins de fer, considéré comme une « association illégale ».

1896

☐ **Mai** Cas *Plessy contre Ferguson* : la Cour suprême justifie la ségrégation raciale dans les écoles et les lieux publics en posant le principe d'établissements « séparés mais égaux ».

☐ **Août** Découverte de l'or du Klondyke en Alaska. Plus de 100 000 personnes s'y précipitent les mois suivants.

1897

Fin de la dépression.

☐ **Juin** Vote du Tarif Dingley, le plus élevé de toute l'histoire américaine.

☐ **Sept.** La police tire sur des grévistes

en Pennsylvanie. Succès de la grève, organisée par le syndicat des mineurs : la journée de 8 heures, la paie deux fois par mois et le droit de se réunir.

1900
Fondation du syndicat des ouvriers de la confection, *International Ladies Garments Workers Union.*

1901
Malgré la loi antitrust, la *United Steel Corporation* est formée dans le New Jersey (après rachat de la *Carnegie Steel Co.*). Capital : 1 400 000 000 de dollars.

Progrès technique et transports

1891 Brevets à Edison pour sa caméra cinématographique et pour la première transmission radio.

Immigration : nombre d'arrivées par période de 10 ans

1821-1830	143 439	1861-1870	2 314 824	1901-1910	8 795 386
1831-1840	599 125	1871-1880	2 812 191	1911-1920	5 735 811
1841-1850	1 713 251	1881-1890	4 246 613	1921-1930	4 107 209
1851-1860	2 598 214	1891-1900	3 687 546	1931-1940	528 431

***Origine géographique des immigrants* (en pourcentage)**

Années	Europe (Nord et Ouest)	Europe (centrale/ orientale)	Europe (méditer-ranéenne)	Autres régions
1851-1860	93,6	0,1	0,8	5,6
1861-1870	87,8	0,5	0,9	10,8
1871-1880	73,6	4,5	2,7	19,2
1881-1890	72,0	11,9	6,3	9,7
1891-1900	44,5	32,8	19,1	3,5
1901-1910	21,7	44,5	26,3	7,5
1911-1920	17,4	33,4	25,5	23,7

D'après *Statistical Abstract of the United States,* 1982, et St. Thernstrom, *Harvard Encyclopedia of Ethnic Groups.*

1892 Les frères Duryea construisent la première automobile américaine à Springfield (Mass.).

1893 Edison : appareil à visionner les films ; premier studio de prise de vues à West Orange (New Jersey).
Henry Ford : premier moteur à explosion.
Achèvement de la ligne transcontinentale *Great Northern.*

1894 Première usine hydroélectrique sur le Niagara.

1895 Brevet à Charles Duryea pour son automobile à essence.

1896 Première projection publique d'un film à New York.
Henry Ford : première automobile équipée d'un moteur à 2 cylindres.
Première utilisation de rayons X dans le traitement du cancer.

1900 Découverte du virus de la fièvre jaune, transmis par les moustiques (nombreuses victimes à Cuba pendant la guerre hispano-américaine).

1893 Ouverture de l'Exposition colombienne à Chicago, surnommée « la Ville blanche » pour la beauté de son architecture néoclassique □ Frederick Jackson Turner : *la Signification de la « Frontière » dans l'histoire américaine.* Stephen Crane : *Maggie, a Girl of the Street,* roman réaliste □ Création de la Ligue antisaloon.

1894 Henry Demarest Lloyd : *Wealth against Commonwealth,* critique sur la société. William Dean Howell : *A traveller from Altruria,* utopie inspirée par l'Exposition colombienne.

1896 La première bande dessinée, *The Yellow Kid,* donne son nom à la presse à sensation (Presse jaune), publiée notamment par Hearst (illustrations rehaussées de jaune).

1898 Adler & Sullivan construisent à New York le Bayard Building, immeuble de bureaux au décor délicat.

1900 Participation des États-Unis à l'Exposition universelle de Paris □ Théodore Dreiser : *Sister Carrie* □ Albert P. Ryder peint *les Travailleurs de la mer.*

Civilisation et culture

1891 Ouverture de Carnegie Hall à New York □ À Chicago, Daniel Burnham achève la construction du temple maçonnique, le plus haut gratte-ciel de l'époque (20 étages) □ Invention du *basket-ball* à Springfield (Mass.).

1892 Ouverture de l'université de Chicago, fondée par John D. Rockefeller □ Anton Dvorak invité à diriger le Conservatoire de New York. Il compose sa *Symphonie du Nouveau Monde* en 1893.

Biographies

Sullivan, Louis Henry (1856-1924). Considéré aujourd'hui comme un pionnier du modernisme architectural, Sullivan n'a pas toujours été aussi bien accepté. Né à Boston, il fait une année d'études à M.I.T., s'engage comme dessinateur chez un architecte de Philadelphie, puis chez William LeBaron Jenney à Chicago, ville en pleine reconstruction après l'incendie de 1871. Comme tous les architectes américains de l'époque, il fréquente l'École des beaux-arts à Paris, mais n'apprécie guère l'éclectisme stylistique qu'on y enseigne. Rentré à Chicago, il fonde avec un ingénieur d'origine danoise, Dankmar Adler, un cabinet d'architecture qui, de 1881 à 1895, joue un rôle de premier plan dans le développement de ce que l'on a appelé l'« école de Chicago ». L'Auditorium, les bâtiments Schiller et Gage, ainsi que les immeubles Wainwright à Saint Louis et Prudential à Buffalo illustrent la qualité essentielle de Sullivan, qui est d'avoir su reconnaître les possibilités esthétiques d'un nouveau type d'édifice : le gratte-ciel. Il en accentue la verticalité, en fait une œuvre d'art en lui appliquant un décor original, évoquant sans les imiter les courbes fluides de l'Art nouveau européen. Sa conception de l'architecture, exposée dans plusieurs articles (édités sous le titre *Kindergarten Chats,* en 1902) et dans son *Autobiography of an Idea* (1924), va bien au-delà de la formule à laquelle on la réduit d'ordinaire : « la forme suit la fonction ». Il y voit l'incarnation des valeurs démocratiques américaines, un art pour le peuple et par le peuple. Son intransigeance, son caractère difficile et l'évolution du goût du public ont cependant fait de lui un isolé et un incompris, à partir de sa rupture avec Adler en 1895. Il meurt dans la pauvreté et l'amertume.

Addams, Jane (1860-1935). Cette vieille dame aimée et respectée de tous dans le Chicago *West Side,* était née dans une famille aisée et avait fait de bonnes études. Un voyage en Grande-Bretagne, en 1887, lui fait découvrir l'univers du réformisme social, et notamment Toynbee Hall, à Londres, le modèle des futures *settlement houses.* Rentrée à Chicago, elle loue avec une amie quelques pièces d'une grande maison de Halsted Street, dans un quartier peuplé d'immigrants de toutes origines, italiens et allemands, polonais et juifs de Russie, irlandais, tchèques ou canadiens français. À Hull House, les femmes trouvent garderie, jardin d'enfants, ateliers pour continuer à pratiquer leurs traditions nationales, les hommes viennent se perfectionner en anglais ou recevoir l'aide nécessaire à la recherche d'un emploi. Des conférences attirent beaucoup de monde. Jane Addams habite sur place : elle partage la vie du quartier, les joies et les soucis de cette population pauvre et bigarrée. Parallèlement, elle écrit plusieurs ouvrages de sociologie, milite pour la paix et prend la tête de la Ligue internationale féminine pour la paix. Elle recevra le prix Nobel de la paix en 1931.

Bryan, William Jennings (1860-1925). Trois fois candidat démocrate aux élections présidentielles, cet avocat du Nebraska est avant tout un grand orateur qui s'est fait l'interprète du malaise économique et de l'inquiétude morale des fermiers du Sud et de l'Ouest. En 1896, bien que peu qualifié pour débattre des problèmes monétaires, il enfourche le cheval de bataille du moment : le bimétallisme, et se fait connaître au parti démocrate par un discours enflammé sur la frappe libre de l'argent, solution à tous les problèmes de l'Amérique rurale et populaire. Son ton de prédicateur plaît au public. Pourtant il n'est jamais élu. Secrétaire d'État sous la présidence de Wilson, il est profondément pacifiste et démissionne après l'affaire du *Lusitania.* Il se retire alors de la politique mais s'intéresse toujours aux débats idéologiques. Protestant fondamentaliste, il s'insurge contre l'enseignement de la théorie de l' évolution lors du fameux « Procès du Singe » en 1925. Il incarne ainsi le combat d'arrière-garde que livre l'Amérique agrarienne contre les bouleversements économiques, sociaux et culturels apportés par la révolution industrielle.

Bibliographie

Y.-H. Nouailhat, *l'Amérique puissance mondiale (1897-1929)* [Presses universitaires de Nancy, 1987].

O. Zunz, *Naissance de l'Amérique industrielle. Detroit, 1880-1920* (Paris, Aubie, 1983).

Chapitre XIII 1901-1914

L'ère des réformes

> *Je suis en faveur d'une donne loyale (a square deal) : la propriété sera au service de la communauté au lieu de la dominer.*
>
> Théodore Roosevelt, 1910.

Les visiteurs européens qui découvrent le Nouveau Monde vers 1900 considèrent les gigantesques bâtiments qui « escaladent » le ciel de New York comme l'expression d'un « génie conquérant à qui rien ne paraît impossible ». L'Amérique puissante et prospère ne serait-elle pas alors l'espoir et le modèle du monde moderne ?

En effet, la crise économique semble presque oubliée. Le pays connaît un enrichissement général. Mais les problèmes de l'époque précédente demeurent en partie. Plus nombreux que jamais, les immigrants d'Europe orientale et méditerranéenne s'entassent dans les centres industriels (13 millions arrivent entre 1900 et 1914). Leurs langues, leurs cultures, leurs religions rendent leur assimilation difficile dans une Amérique anglo-saxonne et protestante, en dépit de l'image idéale du « creuset » *(melting-pot),* proposée par un auteur juif, Israel Zangwill, en 1908. À la misère urbaine s'ajoute la condition insupportable des Noirs dans le Sud et la lente agonie des Indiens dans leurs réserves.

Pourtant, un nouvel esprit de réforme se manifeste : le progressisme, mouvement issu de la classe moyenne et instruite, veut corriger les excès dénoncés par les *muckrakers,* écrivains et journalistes déterreurs de scandales. À savoir : la corruption et l'inefficacité des gouvernements locaux, la confiscation du pouvoir par les « machines » des partis, que dominent les puissances de l'argent, les monopoles détenus par les trusts, la destruction de l'environnement naturel, la misère dans les villes. Ayant d'abord appliqué leurs idées réformistes au niveau municipal et dans le domaine social, les progressistes pénètrent ensuite les partis politiques, si bien que les deux plus grands présidents de l'époque, le républicain Théodore Roosevelt et le démocrate Woodrow Wilson, se réclament l'un et l'autre de ce mouvement. Les deux hommes ont pourtant du problème essentiel (la limitation des effets pervers du capitalisme sauvage) une approche différente. Roosevelt reconnaît que la concentration et le gigantisme sont inévitables, mais pense que le gouvernement fédéral doit contrôler les trusts ; Wilson, lui, veut les

détruire afin de rendre aux Américains une « nouvelle liberté » d'entreprendre. L'un et l'autre contribuent, par leur intelligence et leur ambition, à renforcer le prestige de l'exécutif, quelque peu entamé depuis la mort de Lincoln.
Wilson restera à la Maison-Blanche jusqu'en mars 1921, mais, dès la fin de l'année 1914, la guerre en Europe préoccupe les Américains, et le mouvement de réforme s'essouffle, puis disparaît, avec l'entrée en guerre des États-Unis en 1917.

Vie politique et institutionnelle

1901

□ **14 sept.** Mort de McKinley. Théodore Roosevelt président.

1902

□ **Juin** L'Oregon adopte plusieurs réformes démocratiques réclamées par les progressistes : référendum et initiative populaires, rappel des élus qui n'ont pas rempli leur mission.

□ **Juill.** Un gouvernement civil est créé aux Philippines.

1903

Au Wisconsin, premières élections primaires présidentielles.
Création d'un nouveau ministère, le *Department of Commerce and Labor*, scindé en deux en 1913.

1904

□ **8 nov.** Roosevelt triomphalement élu président, avec 336 voix dans le collège électoral, contre 140 pour son rival démocrate.

1907

L'Oklahoma devient le 46e État de l'Union.

1908

□ **3 nov.** William Henry Taft, élu président.

1910

Roosevelt revient sur la scène politique : reprochant à Taft d'être trop conservateur, il propose un programme de réformes : le « nouveau nationalisme » veut renforcer les pouvoirs du gouvernement national sur les forces économiques.

1911

Fondation, par le sénateur Robert La Follette, de la Ligue nationale progressiste, qui regroupe les républicains progressistes (dont Roosevelt).

1912

Nouveau-Mexique et Arizona deviennent 47e et 48e États de l'Union.

□ **Juin** Le parti républicain, divisé, nomme Taft comme candidat aux élections présidentielles.

□ **Juill.** Le parti démocrate nomme Woodrow Wilson, gouverneur du New Jersey et ancien président de l'université de Princeton, comme candidat à l'élection présidentielle.

□ **Août** Roosevelt décide de se présenter comme candidat du nouveau parti progressiste.

□ **Nov.** La division des républicains favorise Wilson, élu avec 435 voix du collège électoral contre 88 pour Roosevelt et 8 pour Taft. Succès du candidat socialiste Debs : 1 million de suffrages populaires.

1913

☐ **Févr.** Adoption du 16e amendement, créant un impôt fédéral sur le revenu.

☐ **Avr.** Wilson vient en personne lire son « message » devant le Congrès. Cela ne s'était pas vu depuis John Adams.

☐ **Mai** Adoption du 17e amendement : élection des sénateurs au suffrage universel et non plus par les assemblées des États.

Politique étrangère

1901

☐ **Sept.** Roosevelt déclare que les États-Unis doivent, notamment avec les pays d'Amérique latine, « parler doucement et brandir un gros bâton ».

☐ **Nov.** Traité Hay-Paunceforte, avec la Grande-Bretagne, remplaçant celui de 1850 : le canal de Panama sera sous contrôle des seuls États-Unis et ouvert à tous.

1902

Les États-Unis essaient d'obtenir de la Colombie le droit de construire un canal dans l'isthme de Panama.

1903

☐ **Nov.** La Colombie refuse de céder aux États-Unis une zone de 10 miles de part et d'autre du canal : ceux-ci encouragent une révolution au Panama, qui devient indépendant de la Colombie. Traité avec le nouveau gouvernement panaméen : les États-Unis obtiennent des droits permanents sur la zone du canal.

1904

☐ **6 déc.** Roosevelt définit le « corollaire » de la doctrine de Monroe : les États-Unis doivent assurer l'ordre dans l'hémisphère occidental.

1905

En application du corollaire, contrôle sur les douanes de la république Dominicaine, qui ne paie pas ses dettes à la Grande-Bretagne.

☐ **Sept.** Médiation de Roosevelt à la Conférence de Portsmouth (New Hampshire) réunissant la Russie et le Japon (en guerre depuis février 1904) ; il maintient un équilibre entre les ambitions des deux puissances. Il recevra à ce titre le prix Nobel de la paix.

1906

☐ **Janv.** Participation des États-Unis à la conférence d'Algésiras.

☐ **Août** Intervention à Cuba, prolongée jusqu'à l'élection d'un nouveau président cubain, en 1909.

☐ **Nov.** Roosevelt au Panama : première visite officielle d'un président américain à l'étranger.

1907

☐ **Mars** Les U.S. *Marines* envoyés au Honduras pour réprimer une révolution.

☐ **Juin** Participation des États-Unis à la 2e Conférence de La Haye.

☐ **Déc.** Pour montrer la puissance américaine, Roosevelt envoie la flotte de guerre faire un tour du monde.

1907-1908

Accords amiables *(Gentlemen's agreements)* avec le Japon, pour restreindre l'immigration japonaise aux États-Unis.

1911

☐ **Mars** Envoi de troupes à la frontière du Mexique, où, à la suite de la révolution de 1910 contre la dictature de Diaz, les Américains appuient le général Huerta.

1912

☐ **Juin** Nouvelle intervention des *Marines* à Cuba.

1914

☐ **Avr.** Graves incidents avec le Mexique. Occupation de Veracruz par les Américains.

☐ **Mai-juin** La médiation de l'Argentine, du Brésil et du Chili (A.B.C.) permet d'éviter la guerre avec le Mexique. Retrait des troupes américaines, mais l'antiaméricanisme des Mexicains sera bientôt exploité par l'Allemagne.

☐ **Août** Les États-Unis déclarent leur neutralité dans le conflit qui vient d'éclater en Europe.

Économie et société

1901

☐ **Oct.** Roosevelt reçoit le leader noir Booker T. Washington à la Maison-Blanche : réactions indignées dans le Sud.

1902

Grève des mineurs de charbon dirigée par John Mitchell, du syndicat *United Mine Workers.*

1903

L'arbitrage de Roosevelt met fin à la grève. Le syndicat est reconnu. Grand succès personnel pour Roosevelt.
Elkins Act : 1re loi autorisant le gouvernement fédéral à intervenir dans la fixation des tarifs ferroviaires.
Création de la *Ford Motor Company,* à Detroit.
À Boston, formation d'un mouvement pour la défense des droits des femmes au travail, la *National Women Trade Union League.*

1904

La Cour suprême décrète la dissolution d'un énorme trust, la *Northern Securities Company.* Roosevelt acquiert sa réputation de « casseur de trusts ». Longue grève dans les filatures du Massachusetts (conditions de travail très dures, en particulier pour les enfants).

1905

☐ **Juin** À Chicago, fondation d'un syndicat révolutionnaire, les *Industrial Workers of the World* (I.W.W.).

1906

☐ **Avr.** À San Francisco, le plus terrible tremblement de terre de l'histoire américaine : 500 morts et 500 000 sans-abri.

☐ **Mai** Loi Hepburn : la Commission du commerce inter-États peut intervenir dans les litiges sur les tarifs ferroviaires.

☐ **Juin** Lois sur l'inspection des viandes et le contrôle fédéral des produits alimentaires *(Pure Food & Drug Act).*

☐ **Sept.** Émeute raciale à Atlanta : 21 morts, dont 18 Noirs.

☐ **Oct.** San Francisco oblige les enfants orientaux à fréquenter des écoles séparées. Roosevelt, furieux, fait retirer la loi.

1907

☐ **Oct.** Panique financière à New York, entraînant une dépression qui dure jusqu'en 1908.

1908

Création de la *General Motors Company.*
Loi réglementant le travail des enfants dans le *District of Columbia.*
Dans *Muller contre l'Oregon*, la Cour suprême décide qu'une loi limitant le nombre d'heures de travail des femmes est constitutionnelle.

1909

☐ **Avr.** Le tarif Payne-Aldrich mécontente les libéraux : il maintient des droits de douane élevés.

☐ **Juin** E.B. Dubois fonde avec des Blancs libéraux la *National Association for the Avancement of Colored People* (N.A.A.C.P.), qui veut obtenir l'égalité raciale par des moyens légaux.

☐ **Sept.** Grève des ouvrières de la confection à New York.

1910

Loi Mann-Elkins renforçant les pouvoirs de la Commission sur le commerce inter-États.

1911

La Cour suprême ordonne la dissolution de la *Standard Oil* et la réorganisation de l'*American Tobacco Company,* qui violent la loi antitrust.

1912

Grève organisée par le syndicat I.W.W. dans les filatures de Lawrence (Mass.).

1913

Henry Ford adopte la chaîne de montage mobile.

☐ **Oct.** Baisse des droits de douane (la première depuis la guerre civile).

☐ **Déc.** Le *Federal Reserve Act* crée une Banque centrale et 12 banques régionales, auxquelles adhèrent les banques privées. Le Système fédéral de réserve établit donc un contrôle sur l'émission de billets et le crédit.

1914

Création de la *Federal Trade Commission,* qui contrôle les sociétés faisant du commerce dans plusieurs États.
Loi Clayton antitrust, renforçant la législation de 1890. Les syndicats ne tombent plus sous le coup de la loi.

Progrès technique et environnement

1902 Invention de la rayonne par Arthur Little.
1re loi sur l'environnement : création de barrages pour irriguer les terres arides de l'Ouest ; mise à part de 150 millions d'acres de forêts, comme forêts nationales.

1903 Pose du premier câble transpacifique, de San Francisco aux Philippines.
Première traversée automobile des États-Unis : une *Packard* met 52 jours, de San Francisco à New York.
Premier vol des frères Wright dans un engin plus lourd que l'air, mû par un moteur à essence, à Kitty Hawk (Caroline du Nord).

1904 Mise en circulation du premier métro à New York.
Premier moteur Diesel, présenté à l'Exposition internationale de Saint Louis.

1905 77 988 automobiles en circulation aux États-Unis.

1906 Début des travaux du canal de Panama.
Création de 16 monuments nationaux et d'une cinquantaine de réserves naturelles.

1908 Création de la Commission nationale pour la préservation des ressources naturelles, présidée par Gifford Pinchot.
Henry Ford présente son « modèle T ».

1909 Robert Peary atteint le pôle Nord.
Première production de Bakélite.

1910 Observation de la comète de Halley.

1911 Achèvement du barrage Roosevelt dans l'Arizona.
Les voitures *General Motors* sont équipées d'un démarreur.

1912 À la suite du naufrage du *Titanic* (1502 morts), loi sur les canots de sauvetage.

1913 Achèvement du barrage Keokuk, sur le Mississippi.

1914 Ouverture du canal de Panama.

Civilisation et culture

1901 Frank Norris : *The Octopus* (« la Pieuvre »), décrivant les conflits entre fermiers et compagnies de chemin de fer en Californie □ Frank Lloyd Wright construit la maison Ward Willitts, à Highland Park, près de Chicago. À New York, Burnham construit le *Flatiron,* gratte-ciel en forme de fer à repasser □ Rapport de la commission McMillan sur la reconstruction et l'embellissement de la capitale fédérale, Washington.

1903 Premier film à intrigue : *The Great Train Robbery* □ Henry James : *The Ambassadors,* sur les Américains à Paris.

1904 Le magazine *McLure's* publie l'histoire de la compagnie *Standard Oil.* Lincoln Steffens : *The Shame of Cities,* dépeignant la corruption des gouvernements municipaux. Jack London : *le Loup des mers* □ Exposition universelle de Saint Louis (centenaire de l'acquisition de la Louisiane).

1905 Début des *World Series,* compétitions annuelles de base-ball □ Les premières salles de cinéma *(Nickelodeons).*

1906 Upton Sinclair : *la Jungle,* ouvrage sur les abattoirs de Chicago qui influence la loi sur l'inspection des viandes.

1907 William James : *Pragmatism.*

1908 À New York, les peintres de l'école de la Poubelle *(Ashcan School)* exposent des œuvres réalistes □ À Chicago, F.L. Wright achève la maison Robie, exemple le plus connu du style de la Prairie. Achèvement du bâtiment Singer, le plus haut de New York.

1909 W.C. Handy écrit *Memphis Blues.*

1910 Ouverture à New York de la gare de Pennsylvanie, construite par McKim, Mead & White sur le modèle des thermes de Caracalla à Rome.

1911 Frederick W. Taylor : *Principles of Scientific Management.*

1912 À New York, la tour Woolworth, œuvre de Cass Gilbert, dépasse le bâtiment Singer.

1913 L'*Armory Show,* grande exposition d'art à New York, révèle au public les tendances du modernisme européen et les œuvres de jeunes artistes américains.

1914 Robert Frost : premiers poèmes.

Biographies

Roosevelt, Theodore (1858-1919). Originaire d'une vieille famille hollandaise installée à New York au XVIIe siècle, il fait de bonnes études à Harvard, passe quelques années dans l'Ouest, et y découvre son amour de la nature sauvage. De retour à New York, il entre dans la vie politique locale : progressiste, il lutte contre la corruption et les injustices. En 1897, il est nommé secrétaire adjoint à la Marine, et, à ce titre, prépare la flotte à la guerre contre l'Espagne. Mais il quitte ses fonctions lorsque la guerre éclate pour prendre la tête d'un régiment de cavalerie volontaire, les *Rough Riders.* Ses succès militaires le rendent populaire et il se fait élire gouverneur de l'État de New York. Ses opinions libérales et son ardeur réformiste exaspèrent les républicains conservateurs, qui pensent se débarrasser d'un gêneur en le faisant élire au poste de vice-président en 1900 : quel n'est pas leur désarroi en le voyant accéder à la magistrature suprême après l'assassinat de McKinley en septembre 1901 ! À 42 ans, c'est le plus jeune président de l'histoire américaine. Il cherche à concilier capitalisme et liberté, encourage les *Muckrakers,* intervient dans les conflits sociaux en faveur des ouvriers, limite la puissance des trusts, réglemente les industries alimentaires, veut protéger la nature contre une exploitation abusive. Il conduit une politique étrangère « musclée » : il ne se contente pas d'intervenir à plusieurs reprises en Amérique latine, de faire commencer la construction du canal de Panama, il veut aussi que les États-Unis jouent un rôle actif sur la scène internationale et affirment leur puissance navale. Laissant la place à Taft en 1908, il s'impatiente devant ses positions timorées, et se représente sous l'étiquette du Parti progressiste en 1912. Mais c'est Wilson qui est élu. Il part en exploration au Brésil et, quand la guerre éclate, prend fait et cause pour les Alliés, critiquant le pacifisme de Wilson. Son visage taillé dans le roc à Mount Rushmore (Dakota du Sud), aux côtés de ceux de Washington, Jefferson et Lincoln, témoigne de l'admiration des Américains pour l'un de leurs plus grands présidents.

Wright, Frank Lloyd (1867-1959). Architecte « américain par excellence », il est né en plein Midwest, dans une famille de pasteur-musicien. Obligé de gagner sa vie très tôt, il n'achève pas ses études d'ingénieur à l'université du Wisconsin, mais entre comme dessinateur dans le cabinet d'architecture de Louis Sullivan, à Chicago. En 1893, il ouvre son propre cabinet et commence à dessiner des maisons particulières d'un type nouveau, les « maisons de la Prairie ». Il cherche en effet à adapter son style aux grands horizons ondulés du Midwest : il accentue les lignes horizontales, utilise des matériaux naturels et crée une nouvelle conception de l'espace, fluide, non cloisonné, adapté aux divers aspects de la vie quotidienne. Tout au long de sa carrière, il poursuit cet idéal : une architecture vivante et « organique », où, écrit-il en modifiant la formule de Sullivan, « la forme et la fonction ne font qu'un ». Il acquiert une réputation nationale et internationale : ses œuvres sont admirées en Europe ; au Japon, il construit l'Imperial Hotel de Tōkyō (1916). Aux États-Unis, il dessine des maisons, des lieux de culte, des immeubles de bureaux. Les années 20 sont pour lui une période difficile ; son projet de ville idéale, *Broadacre City,* n'est qu'un rêve agrarien irréalisable. Mais il accomplit bientôt un retour décisif à l'avant-garde de l'architecture moderne avec la construction, entre autres, de la célèbre « Maison sur la cascade » (*Kaufman House,* Bear Run, Pennsylvanie). À partir de 1945, il réalise des maisons dites « usoniennes », c'est-à-dire typiquement américaines *(U.S. onian),* accessibles à tous, et dotées d'un plan souple et original. Sa dernière grande création est le musée Solomon R. Guggenheim à New York, un bâtiment en spirale inauguré après sa mort en octobre 1959. Dans ses dernières années, il vivait en Arizona, où il avait édifié sa propre maison, Taliesin West, qui était aussi une école d'architecture et qui demeure aujourd'hui un centre de rencontres, témoignant de l'énorme influence de Wright sur l'architecture du XXe siècle.

Gompers, Samuel (1850-1924). Il est sans aucun doute le leader syndical le plus influent de toute l'histoire américaine. Né en Angleterre, il a 13 ans lorsque ses parents arrivent aux États-Unis et le mettent au travail dans un atelier de fabrication de cigares à New York. Membre du syndicat des ouvriers du cigare, il en devient président en 1877. Quatre ans plus tard, il participe à la création d'une nouvelle fédération de syndicats de métiers, qui, réorganisée en 1886, devient l'*American Federation of Labor.* Il en prend la direction, qu'il gardera jusqu'à sa mort. C'est donc lui qui a donné à ce syndicat ses caractéristiques bien américaines : organisation apolitique, qui accepte le système capitaliste et veut seulement améliorer les conditions de travail des ouvriers (salaires, horaires, etc.) Pour ce faire, il recourt le plus souvent à la grève, mais il refuse toute compromission avec les éléments plus « radicaux », en particulier marxistes. Très critiqué pour cette attitude modérée et réformiste, il restera néanmoins fidèle à ses principes avec obstination et diginité jusqu'à sa mort, en 1924.

Bibliographie

R. Hofstadter, *Bâtisseurs d'une tradition* (Vent d'Ouest, 1966).

T. Malkiel, *Journal d'une gréviste (New York 1909),* texte présenté par Françoise Basch (Payot, 1980).

Chapitre XIV 1914-1920

Les États-Unis et la Première Guerre mondiale

Il faut rendre le monde sûr pour la démocratie.

Woodrow Wilson, avril 1917.

Lorsque la guerre éclate en Europe, les Américains ne comprennent pas : un conflit aussi violent et généralisé leur semble d'un autre âge. Les peuples civilisés ont mieux à faire que de se battre pour des questions de frontières ou de nationalités. Wilson, consterné, propose sa médiation aux pays belligérants, mais il n'est pas écouté.
En août 1914, les États-Unis proclament leur neutralité. Pourtant, le peuple américain est si hétérogène que des opinions divergentes s'expriment : les uns sont résolument pacifistes, par conviction religieuse ou politique, les autres ont une sympathie immédiate pour les Alliés, qu'ils veulent aider (certains accusent Wilson d'être de ceux-là malgré ses déclarations de neutralité) ; les Américains d'origine germanique penchent naturellement du côté de l'Allemagne, tandis que les immigrants irlandais sont franchement anti-anglais. Mais comment faire respecter cette neutralité par les belligérants ? Dès le début de l'année 1915, le blocus des ports allemands par la Grande-Bretagne, et la riposte sous-marine de l'Allemagne affectent le commerce des États-Unis : des navires de commerce et des paquebots de ligne sont attaqués par les sous-marins allemands, qui font de nombreuses victimes civiles. Les choses s'aggravent en 1917, au point que les États-Unis rompent les relations diplomatiques avec l'Allemagne le 3 février. Dans un dramatique discours du 2 avril, Wilson demande au Congrès de déclarer la guerre pour sauver la démocratie, dans l'espoir de fonder les relations internationales sur des bases nouvelles.
Or la « croisade » ainsi lancée s'achève, trois ans plus tard, par l'échec de l'idéal wilsonien, le Sénat refusant de ratifier le traité de Versailles, dans la crainte que la Société des Nations n'oblige les États-Unis à intervenir sans cesse dans les affaires du monde.
Car, entre-temps, les Américains ont été profondément déçus de l'esprit revanchard des Alliés à la Conférence de la paix. En outre la révolution russe, d'abord bien accueillie, fait peur aux Américains, qui craignent chez eux l'influence perverse de l'idéologie communiste

et se mettent à pourchasser tout ce qui leur paraît teinté de « rouge ». Enfin, ils sont inquiets de la puissance excessive prise par le gouvernement fédéral pendant le conflit, en particulier dans le domaine économique. La guerre a profondément marqué la société et les institutions. Les élections de 1920 ramènent au pouvoir les républicains conservateurs, signe que les Américains aspirent à un « retour à la normale ».

Vie politique et institutionnelle

1915

☐ **2 juill.** Attentat à la bombe au Sénat par un Américain d'origine allemande. La Cour suprême décrète inconstitutionnelle la clause « du grand-père », invoquée par certains États du Sud pour empêcher les Noirs de voter.

1916

☐ **7 nov.** Wilson réélu. La première femme élue au Congrès (dans certains États de l'Ouest les femmes ont le droit de vote).

1917

☐ **Mars** Porto Rico devient partie intégrante du territoire américain : ses habitants sont citoyens américains.

☐ **2 avr.** Wilson convoque le Congrès en session extraordinaire et lui demande de déclarer la guerre à l'Allemagne.

☐ **Nov.** L'État de New York accorde aux femmes le droit de vote.

1918

☐ **5 nov.** Les républicains obtiennent la majorité au Sénat et à la Chambre des représentants.

☐ **Déc.** Wilson part pour Paris (Conférence de la paix).

1919

☐ **Janv.** Ratification du 18e amendement, imposant la prohibition des boissons alcoolisées.

☐ **Mars** 10 ans de prison au socialiste Eugene Debs, accusé d'avoir publiquement protesté contre la conscription.

☐ **Août** Formation du parti communiste américain à Chicago.

☐ **Sept.** Wilson en tournée à travers les États-Unis pour convaincre l'opinion du bien-fondé du traité de Versailles.

☐ **26 sept.** Wilson, victime d'une attaque cérébrale, reste 5 semaines entre la vie et la mort.

☐ **19 nov.** Le Sénat refuse de ratifier le traité de Versailles.

1920

☐ **Janv.** Début de la *Red Scare :* l'attorney général Mitchell Palmer envoie des « raids » chez plusieurs particuliers soupçonnés de sympathies socialistes, communistes ou anarchistes. Expulsion de nombreux étrangers.

☐ **Mars** Second refus du Sénat de ratifier le traité de Versailles.

☐ **Avril** 6 députés exclus de l'Assemblée du New York pour appartenance au parti socialiste.

☐ **Mai** Dans le contexte d'hystérie antirouge, deux Italiens anarchistes accusés de vol et de meurtre, à Braintree (Mass.) : Sacco et Vanzetti, emprisonnés, sont jugés en 1921 (et exécutés en 1927).

☐ **Août** Adoption du 19e amendement, donnant le droit de vote aux femmes.

☐ **Sept.** Attentat contre la banque Morgan à New York : 38 morts.

☐ **2 nov.** Le républicain Warren Harding élu président ; vice-président, Calvin Coolidge. De sa prison, le socialiste E. Debs a obtenu près d'1 million de voix.

☐ **20 nov.** Wilson reçoit le prix Nobel de la paix.

Diplomatie et approche de la guerre

1914

☐ **Août** Wilson proclame la neutralité des États-Unis dans le conflit européen, recommande aux Américains de ne pas prendre parti, propose sa médiation aux belligérants.

☐ **Oct.** Premiers prêts (privés) aux belligérants.

☐ **Nov.** Début de la guerre sous-marine dans l'Atlantique.

1915

Wilson envoie en Europe un proche collaborateur, le colonel House, pour tenter une médiation.

☐ **Févr.** Les sous-marins allemands commencent à attaquer les navires neutres, Wilson proteste et déclare que s'il y a mort d'hommes l'Allemagne sera tenue pour responsable.

☐ **Mars** La Grande-Bretagne déclare le blocus de tous les ports allemands. Wilson proteste, au nom de la liberté de commerce des pays neutres.

☐ **7 mai** Le paquebot anglais *Lusitania* coulé au large des côtes d'Irlande : 1198 morts, dont 128 Américains.

☐ **13 mai** Le secrétaire d'État William J. Bryan demande à l'Allemagne excuses et réparations. Refus de l'Allemagne, sous le prétexte que le *Lusitania* transportait des armes.

☐ **8 juin** Seconde note de Wilson, demandant à l'Allemagne de s'engager à ne plus attaquer les navires neutres. Bryan, pacifiste, refuse de signer la note, et démissionne.

☐ **Juill.** Découverte d'un réseau d'espionnage allemand ; l'opinion américaine est indignée.
D'autres bateaux américains sont coulés.

☐ **29 juill.** Débarquement des *Marines* à Haïti. Établissement d'un protectorat américain.

☐ **Août** Conférence des pays d'Amérique latine, sur l'instabilité politique au Mexique.

☐ **Oct.** Des banques américaines prêtent 500 millions de dollars à la France et à la Grande-Bretagne.

1916

☐ **Mars** Pancho Villa, révolutionnaire mexicain, pénètre avec ses troupes au Nouveau-Mexique, après avoir assassiné 18 Américains. Wilson lance une expédition punitive, sous la conduite du général Pershing.
Autres victimes américaines, lors du torpillage du *Sussex*, bateau français, dans la Manche. Wilson menace l'Allemagne de rompre les relations diplomatiques.

☐ **Mai** Débarquement des *Marines* à Saint-Domingue.

☐ **Mai-juin** Combats à la frontière mexicaine.

☐ **Déc.** Nouvel échec d'une médiation de Wilson.

1917

☐ **Janv.** Achat au Danemark des îles Vierges, qui ont une importance stratégique pour le contrôle du canal de Panama.

Devant le Congrès, appel de Wilson a une « paix sans victoire ».

□ **28 janv.** Rappel des troupes de la frontière mexicaine.

□ **31 janv.** L'Allemagne annonce la guerre sous-marine à outrance contre les navires neutres et belligérants.

□ **3 févr.** Rupture des relations diplomatiques avec l'Allemagne.

□ **24 févr.** Les Anglais révèlent au gouvernement américain le texte d'un télégramme intercepté : Zimmermann, ministre des Affaires étrangères allemand, y incite le Mexique à déclarer la guerre aux États-Unis.

□ **6 avr.** Réuni en session extraordinaire, le Congrès déclare la guerre à l'Allemagne.

□ **7 déc.** Les États-Unis déclarent la guerre à l'Autriche-Hongrie.

1918

□ **8 janv.** Programme de paix de Wilson, en 14 points.

□ **9 oct.** Après l'abdication du Kaiser, l'Allemagne demande la paix sur la base des 14 points.

□ **11 nov.** Signature de l'armistice à Compiègne.

1919

□ **Janv.-juin** Conférence de la paix à Paris et à Versailles.

Préparatifs et faits de guerre

1915

□ **Août** Premier camp d'entraînement pour civils volontaires.

1916

□ **Juin** Loi sur la défense *(National Defense Act)* : armée (175 000 hommes), garde nationale (450 000) et budget (182 millions de dollars).

1917

□ **26 févr.** Wilson demande au Congrès l'autorisation d'armer les navires marchands.

□ **Avr.** Entrée en guerre des États-Unis. Souscription publique de bons du Trésor *(Liberty Loan Act)*.

□ **Mai** Service militaire obligatoire pour tous les hommes entre 21 et 30 ans *(Selective Service Act)*.

□ **Juin** *Espionage Act,* pour punir ceux qui tenteront de ralentir ou d'empêcher la conscription.

□ **24 juin** Arrivée en France des premières troupes américaines, le corps expéditionnaire du général Pershing.

□ **Juill.** Création du *War Industry Board,* organisme fédéral qui prend en main la production industrielle de guerre.

□ **Nov.** Arrivée en France de la 42e division, qui représente tous les États de l'Union.

1918

□ **Janv.** Les chemins de fer pris en main par le gouvernement fédéral.

□ **Avr.** À la suite de la grande offensive allemande, Foch et Pershing demandent des renforts à Wilson.

□ **Mai** *Sedition Act,* punissant tous ceux qui s'expriment contre la guerre, le drapeau et la Constitution.

□ **4 juin** Château-Thierry : la 2e division américaine arrête la marche des Allemands sur Paris.

□ **6-25 juin** Les Américains arrêtent les Allemands à Bois-Belleau.

□ **Juill.** Arrivée de 300 000 soldats américains de plus.

□ **15 juill.** 2e bataille de la Marne, près de Reims.

□ **18 juill.-6 août** Offensive sur l'Aisne et la Marne. Réduction du saillant allemand de Reims à Soissons.

□ **Août** Intervention de 10 000 soldats américains en Russie.

☐ **13 sept.** L'armée de Pershing repousse les forces allemandes à Saint-Mihiel.

☐ **26 sept.-11 nov.** Près de 1 million d'Américains engagés dans la bataille de la Meuse et de l'Argonne.

☐ **11 nov.** Signature de l'armistice.

Économie et société

1915

☐ **Nov.** Le Ku Klux Klan réorganisé à Atlanta (Géorgie).

☐ **Déc.** Grève des ouvriers de l'acier à Youngstown (Ohio) : ils obtiennent la journée de 8 heures.

1916

☐ **Juill.** *Federal Farm Loan Act,* loi instituant un système de prêts garantis aux fermiers.

☐ **Sept.** Loi instituant les 8 heures dans les chemins de fer ; loi sur le travail des enfants (déclarée inconstitutionnelle en 1918).

1917

☐ **Févr.** Loi sur l'immigration, instituant un test de lecture, votée malgré le veto de Wilson.

☐ **Août** Arrestation de suffragettes devant la Maison-Blanche.

1918

☐ **Oct.** Début d'une grave épidémie d'influenza.

1919

Nombreuses grèves dans les mines, les transports et l'industrie, notamment l'acier (sept. 1919 à janv. 1920).

☐ **Avr.** Série d'attentats et d'alertes à la bombe.

☐ **Sept.** Grève des policiers de Boston, matée par le gouverneur du Massachusetts, Calvin Coolidge.

☐ **Nov.** À Centralia (Washington), émeute contre le syndicat révolutionnaire des *Industrial Workers of the World.*

1920

☐ **Févr.** Les chemins de fer redeviennent des sociétés privées.

☐ **Juin** Vente aux particuliers des bateaux de la marine marchande construits pendant la guerre par le gouvernement.

Sciences, techniques, environnement

1915 Création du parc national des montagnes Rocheuses.

Ford construit sa millionième automobile.

1er appel téléphonique de New York à San Francisco.

Liaison radio avec le Japon.

Exposition universelle de San Francisco.

1916 Création du Service des parcs nationaux, rattaché au Département de l'Intérieur.

3,5 millions de voitures circulent sur les routes.

1920 Les voies ferrées atteignent leur extension maximale : 253 000 miles (= 455 400 km).

☐ **2 nov.** La station de radio KDKA, de Pittsburgh, diffuse pour la première fois les résultats de l'élection présidentielle.

Civilisation et culture

1915 *Birth of a Nation,* film de D.W. Griffith, dresse un portrait complaisant du Ku Klux Klan pendant la Reconstruction ; protestations des libéraux.

1916 Carl Sandburg : *Chicago Poems* □ Le *Dixieland Jazz Band* commence à jouer à Chicago, puis à New York □ Modification des lois sur la construction, à New York : les gratte-ciel peuvent monter aussi haut que l'on veut, à condition de n'occuper qu'une certaine partie de la superficie du terrain (tours à gradins).

1917 Hamlin Garland : *A Son of the Midleborder,* roman réaliste sur le Midwest □ Création d'un Comité d'information publique, chargé de la censure et de la propagande en temps de guerre.

1918 Publication de *The Education of Henry Adams.*

1920 Sinclair Lewis : *Main Street.* F. Scott Fitzgerald : *This Side of Paradise* □ E. O'Neill obtient le prix Pulitzer pour sa pièce *Beyond the Horizon.*

Biographie

Wilson, Woodrow (1856-1924). Le 28e président est sans doute l'un des hôtes les plus remarquables de la Maison-Blanche. Né en Virginie, d'un père pasteur presbytérien, il étudie l'histoire et le droit. En 1885, il commence une carrière universitaire. Devenu président de l'université de Princeton, il essaie d'introduire des réformes dans l'enseignement et l'organisation universitaires, mais il se heurte à de fortes résistances et démissionne en 1909. Il se tourne alors vers la politique et se fait élire gouverneur du New Jersey en 1910 : son administration intègre et progressiste suscite l'admiration, et le parti démocrate voit en lui un bon candidat à la présidence. En 1912, bénéficiant de la division des républicains entre partisans de Taft et de Roosevelt, il est élu président. Il propose un programme de réformes économiques et sociales, qu'il intitule la « Nouvelle Liberté ». Elle met en œuvre, pendant les deux années suivantes, des réformes douanières et financières, le contrôle des trusts et du commerce inter-États. Mais, dès 1914, la guerre en Europe infléchit le cours de sa politique. Pacifiste, il tente de faire respecter la neutralité de son pays, mais comprend vite que c'est impossible et qu'il faut se préparer à entrer en guerre. Il est cependant réélu en novembre 1916, avec le slogan : « Il nous a tenus hors de la guerre ». Accusé par ses ennemis d'avoir eu, dès 1914, un penchant personnel pour la cause des Alliés, il est pourtant déchiré lorsqu'il vient demander au Congrès de déclarer la guerre en avril 1917 ; et, tandis qu'il mène avec fermeté le pays dans son effort de guerre, il ne cesse de penser à la manière de fonder une paix durable. Le plus important de ses fameux « 14 points » est celui qui concerne la création d'une « Ligue des nations », destinée à régler les conflits par la négociation. Le refus du Sénat de ratifier cette partie du traité de Versailles sera pour Wilson l'échec le plus amer qui soit. Avec une obstination et une rigueur sans compromis, il s'emploie à faire accepter ses idées généreuses et y perd la santé. Il meurt en 1924, très seul, et profondément déçu de son échec.

Bibliographie

J.-B. Duroselle, *De Wilson à Roosevelt. La Politique extérieure des États-Unis de 1913 à 1945* (A. Colin, 1960).

R. Greagh, *Sacco et Vanzetti* (Paris, La Découverte, 1984).

A. Kaspi, *le Temps des Américains, 1917-1918,* Paris, 1976.

Chapitre XV **1921-1929**

Prospérité et conservatisme

> *Aujourd'hui, en Amérique, nous sommes plus proches que jamais de la victoire définitive sur la pauvreté.*
>
> Herbert Hoover, 1928

Les années 20, avec leur modernisme un peu tapageur, sont pleines de contradictions et souvent mal jugées. C'est l'âge du jazz, du charleston, de la cigarette, des femmes émancipées – cheveux coupés et jupes courtes –, l'âge de la radio, de l'automobile, de la publicité lumineuse, où le public s'enthousiasme pour les acteurs de cinéma, les champions de boxe et les exploits des aviateurs.

La vie politique, en revanche, est assez morne sous la conduite des républicains. Le gouvernement intervient le moins possible dans la vie économique, ferme les yeux sur le regain de concentration financière et les actions antisyndicales des chefs d'entreprises.

Le pays persiste à refuser le fardeau des responsabilités mondiales, mais les États-Unis participent à plusieurs conférences internationales et se résignent à une réduction du remboursement des dettes de guerre par les pays européens, dont l'économie est ébranlée.

La Prospérité si souvent décrite ne survient qu'après une période de dépression, celle de l'après-guerre. Dans les villes surgissent des gratte-ciel de plus en plus hauts, dans les quartiers d'affaires. Certaines industries connaissent une croissance spectaculaire : l'automobile, les appareils de radio, les accessoires électriques. On constate une augmentation générale du revenu par tête. Mais de fortes inégalités de salaires subsistent, et certains secteurs sont en difficulté : l'agriculture doit compter avec la concurrence étrangère, le textile et les charbonnages souffrent de vieillissement. Malgré l'apparente prospérité, les statistiques officielles révèlent que 60 % des Américains ont un revenu annuel inférieur à 2000 dollars, le minimum indispensable.

De plus, la modernisation ne fait pas que des heureux : une partie de l'Amérique, inquiète, se réfugie dans un conservatisme étroit, mêlé de xénophobie et de racisme. La prohibition, jadis revendiquée par les progressistes, se révèle inapplicable et se traduit par la contrebande et le gangstérisme. Pour « protéger » les valeurs « américaines », le Ku Klux Klan renouvelé utilise ouvertement la violence. Un débat idéologique entre fondamentalistes (protestants qui prennent à la lettre le texte biblique) et modernistes (qui acceptent les explications scientifiques du monde) culmine en 1925 avec le procès d'un instituteur du Tennessee accusé d'enseigner la théorie de l'évolution. Enfin, pour la première fois dans leur histoire, les États-Unis ferment leurs portes et réduisent radicalement l'immigration en provenance d'Europe centrale et méditerranéenne. La Prospérité est donc bien une période de contrastes violents, et le rêve d'un pays où la pauvreté est sur le point de disparaître à jamais s'achève brutalement en octobre 1929 avec le krach de Wall Street.

Vie politique et institutionnelle

1921

☐ **4 mars** Entrée en fonction du président républicain Warren Harding.

☐ **Juin** Création du Bureau du Budget.

☐ **Déc.** Harding fait libérer le socialiste E. Debs, condamné à 10 ans de prison en 1919.

1923

☐ **Mars** Enquête du Sénat sur une affaire de corruption au Bureau des vétérans. Suicide d'un proche de Harding.

☐ **Mai** L'État de New York refuse d'appliquer la prohibition.

☐ **2-3 août** Harding, affecté par les rumeurs de scandale dans son entourage, meurt d'une embolie. Le vice-président Calvin Coolidge lui succède.

☐ **Sept.** Le gouverneur de l'Oklahoma décrète la loi martiale pour arrêter le terrorisme du Ku Klux Klan.

☐ **Oct.** Le scandale du Teapot Dome éclate après une longue enquête : des membres du gouvernement Harding ont touché de l'argent pour louer à une société pétrolière un gisement du Wyoming réservé à la marine.

1924

☐ **Juin** Condamnation de plusieurs membres du gouvernement.

☐ **4 nov.** Coolidge élu président, avec 382 voix de grands électeurs, contre 136 au candidat démocrate et 13 au progressiste Robert La Follette. Deux femmes élues gouverneurs.

1925

☐ **Août** Manifestation du Ku Klux Klan à Washington.

1926

Annulant la loi de 1867, la Cour suprême décrète que le président a le droit de destituer les membres de son gouvernement.

1927

Exécution de Sacco et Vanzetti.

1928

☐ **6 nov.** Herbert Hoover élu triomphalement avec 444 voix du collège électoral, contre 87 pour le démocrate Al Smith, catholique et antiprohibitionniste.

1929

☐ **4 mars** Entrée en fonction de Hoover.

Diplomatie

1921

☐ **Août** Signature de traités de paix séparés avec l'Allemagne et les pays de l'ancien Empire austro-hongrois.

☐ **Nov.** À Washington, conférence sur le désarmement naval. Accords avec la Grande-Bretagne, l'Italie, la France et le Japon : interdiction des gaz asphyxiants, et définition des droits des puissances dans le Pacifique.

1922

☐ **Févr.** Création par le Congrès d'une Commission pour le paiement des dettes de guerre.

☐ **Déc.** 2e conférence sur l'Amérique centrale, à Washington.

1924

Traité avec la république Dominicaine (retrait des troupes américaines).

☐ **Sept.** Adoption du plan Dawes sur le règlement des dettes de guerre.

1926

☐ **Avr.** Signature d'un accord avec la France, annulant 60 % du remboursement des dettes.

☐ **Mai** Débarquement des *Marines* au Nicaragua, pour mater une révolte.

1928

☐ **Janv.** Coolidge préside une conférence des États américains à La Havane. Mais celle-ci condamne les interventions des États-Unis dans la politique intérieure des autres pays.

☐ **Août** Signature, par les États-Unis et 14 autres pays, du pacte Briand-Kellogg mettant la guerre hors la loi.

1929

☐ **Janv.** Le Sénat ratifie le pacte Briand-Kellogg à l'unanimité moins une voix. Le secrétaire d'État Frank Kellogg reçoit le prix Nobel de la paix.

☐ **Juin** Adoption du Plan Young : nouvelle diminution du remboursement des dettes de guerre.

☐ **Oct.** Visite à Washington du Premier ministre britannique Ramsay McDonald, en vue d'un accord de parité navale avec les États-Unis.

Économie et société

1921

☐ **Janv.** Formant un « bloc » au Congrès, les fermiers demandent au gouvernement fédéral la prolongation de l'aide accordée pendant la guerre *(War Finance Corporation)*.

☐ **Mai** Augmentation des droits de douane, notamment sur les produits agricoles.

1re loi des Quotas : pour contrôler le flot d'immigrants, seront admis 3 % des nationaux de chaque pays dénombrés au recensement de 1910, avec un maximum absolu de 357 000 personnes par an.

☐ **Juill.** Grave crise économique : nombreuses faillites, baisse des salaires, chômage.

☐ **Sept.** Conférence nationale sur le chômage, présidée par le secrétaire au Commerce, Herbert Hoover.

1922

Reprise économique, et début de la « Prospérité ».

1923

Sous la pression du président Harding, la société U.S. Steel institue la journée de 8 heures (au lieu de 12 à 14 heures).

1924

2e loi des Quotas : désormais 2 % seulement des nationaux énumérés dans le recensement de 1890 pourront entrer aux États-Unis. Cette mesure affecte surtout l'immigration en provenance de l'Europe orientale et méditerranéenne. Les Canadiens et les Mexicains ne sont pas concernés, les Japonais sont totalement exclus.

William Green devient président de l'*American Federation of Labor,* à la mort de Gompers.

1925
Boom immobilier en Floride (qui prend fin dès 1926).
À Dayton (Tennessee), procès de John Scopes, dit « procès du singe », car il met en cause l'enseignement de la théorie de l'évolution.

1926
Réduction des impôts sur le revenu.
Ford adopte la semaine de 40 heures.

1927
Coolidge s'oppose à la loi McNary-Haugen, destinée à aider les fermiers par l'achat des surplus.

1929
☐ **14 févr.** Massacre de la Saint Valentin : à Chicago, assassinat de 6 gangsters par un gang rival. Al Capone *(Scarface)* est sans doute impliqué.
☐ **Juin** Création d'un *Federal Farm Board,* destiné à aider les fermiers par l'octroi de prêts et l'achat de surplus.
☐ **Oct.** Baisse des cours boursiers : signes avant-coureurs de la panique du 24 octobre.

Sciences, techniques, transports

1922 Premier reportage radiophonique d'un match de base-ball.
Découverte du procédé Technicolor, exploité 20 ans plus tard.

1923 Premier rasoir électrique.
Premier discours présidentiel transmis par la radio.

1924 Ford annonce la sortie de la dix millionième voiture.
Arrivée dans le New Jersey du dirigeable allemand Z.R.3.

1926 Premier vol au-dessus du pôle Nord (Byrd et Bennett).

1927
☐ **20-21 mai** Charles Lindbergh réussit son vol de New York à Paris en 33 heures et demie, avec le *Spirit of Saint Louis.* Il reçoit un accueil triomphal.
Création de la *Federal Radio Commission* par le gouvernement, pour mettre

La consommation dans les années 20

Comparaison entre les dépenses d'un ménage en 1900 et en 1928 :

1900	
2 bicyclettes	70 $
essoreuse et planche à laver	5 $
brosses et balais	5 $
machine à coudre mécanique	25 $
Total	105 $

1928	
automobile	700 $
radio	75 $
phonographe	50 $
machine à laver	150 $
aspirateur	50 $
machine à coudre électrique	60 $
autres appareils électriques	25 $
téléphone (par an)	35 $
Total	1 145 $

D'après Paul Carter, *Another Part of The Twenties,* 1977.

un peu d'ordre dans le foisonnement des stations de radio.
Première émission de télévision à New York.
Mise au point du « poumon d'acier » par deux médecins de Harvard.
À New York : ouverture du premier tunnel routier sous l'Hudson, le *Holland Tunnel.*

1928 Amelia Earhart est la première femme qui traverse l'Atlantique en avion.
Exploration aérienne du pôle Sud par Richard E. Byrd.
Pour la première fois, les candidats à l'élection présidentielle utilisent la radio.
Premier panneau publicitaire lumineux animé, à Time Square.

Civilisation et culture

1921 Edith Wharton obtient le prix Pulitzer pour *The Age of Innocence.* James Joyce : *Ulysse,* publié à Paris, est interdit aux États-Unis.

1922 Louis Armstrong entre dans l'orchestre de jazz de « King » Oliver, à Chicago □ Concours international d'architecture en vue de la construction d'un immeuble pour le quotidien *Chicago Tribune.* Le projet gagnant est une tour de style néogothique □ Succès de *Babbitt,* roman de Sinclair Lewis, décrivant la vie d'un homme d'affaires de province □ Inauguration du *Lincoln Memorial,* à Washington.

1923 Fondation du premier hebdomadaire d'information : *Time Magazine.*

1924 Première audition de *Rhapsody in Blue,* à New York, avec George Gershwin au piano.

1925 Theodore Dreiser publie *An American Drama.* Dos Passos : *Manhattan Transfer.* Succès de Scott Fitzgerald avec *Gatsby le Magnifique* □ Fondation du magazine culturel *The New Yorker* □ Aaron Copland : Symphonie pour orgue et orchestre □ Charlie Chaplin joue dans *la Ruée vers l'or.*

1926 Hemingway : *Le soleil se lève aussi. Langston Hughes : The Weary Blues,* recueil de poèmes.

1927 Al Jolson joue dans le premier film parlant : *The Jazz Singer* □ Le sculpteur Gutzon Borglum commence le monument (visages de 4 présidents) de Mount Rushmore (Dakota du Sud) □ Création de l'Académie des arts et sciences du cinéma, qui distribue chaque année des « Oscars ».

1928 Apogée de l'école de la Poubelle (peinture réaliste et moderniste), avec en particulier John Sloan □ Walt Disney : premiers dessins animés avec le personnage de *Mickey Mouse* □ George Gershwin : *Un Américain à Paris* □ Hemingway : *l'Adieu aux armes.*

1929 Les sociologues Robert et Helen Lynd publient une enquête sur la société américaine : *Middletown.*

Biographies

Ford, Henry (1863-1947). Ford est peut-être le meilleur exemple de réussite à l'américaine. Né dans le Michigan, dans une famille modeste d'origine irlandaise, il sort de l'école à 15 ans, déjà passionné par la mécanique, pour devenir apprenti mécanicien, puis réparateur ambulant de machines agricoles. Engagé comme ingénieur par la Compagnie Edison du Michigan, il fait ses propres expériences de moteur à explosion et construit sa première automobile en 1896. D'abord associé à la *Detroit Automobile Company,* il fonde sa propre affaire en 1903, la *Ford Motor Company,* promise à un brillant avenir. Le fameux Modèle T, présenté en 1908, produit jusqu'en 1927, transforme la vie de beaucoup d'Américains, car sa fabrication en série permet de vendre les voitures à un prix de plus en plus bas (de 850 dollars en 1908, il passe à 310 en 1926). L'adoption de la chaîne de montage mobile en 1913 entraîne une augmentation considérable de la productivité. H. Ford pratique une politique de hauts salaires et instaure, dès 1914, la journée de 8 heures, ce qui accroît sa popularité. Pendant la guerre, il arrête la fabrication de voitures pour produire du matériel militaire après avoir vainement essayé d'arrêter la guerre en affrétant, en 1915, un navire pour la paix. Dans les années 20, le succès croissant de l'automobile suscite des concurrents. Sa gestion devient plus autoritaire, ses positions souvent très conservatrices (et antisémites). Dans les années 30, il se heurte violemment au mouvement syndical. Son fils Edsel lui succède à la tête de la société mais meurt prématurément en 1943, et Henry reprend la direction des opérations jusqu'à sa mort. Ford est le type même de l'industriel américain qui a réussi, par sa seule énergie et par son intelligence, à se hisser au sommet de l'échelle sociale. Il a assumé ses responsabilités en pratiquant la philanthropie à travers la Fondation Ford (1936). Il incarne le triomphe et la modernisation de la grande industrie américaine.

Garvey, Marcus (1887-1940). Ce leader noir du début du siècle, personnage un peu ambigu, a développé des idées d'avant-garde, reprises dans les années 60 par les adeptes du « Pouvoir noir ». Né à la Jamaïque, il fréquente l'école jusqu'à 14 ans, travaille pour un imprimeur, se met à voyager, et séjourne à Londres de 1912 à 1914. De retour à la Jamaïque, il fonde une association pour l'amélioration de la condition des Noirs, *Universal Negro Improvement Association* (UNIA). Il pense que les Noirs doivent eux-mêmes prendre en main le pouvoir économique, et songe à fonder en Afrique une nation gouvernée par des Noirs. En 1916 il arrive à Harlem, où il obtient très vite un grand succès : son mouvement essaime dans tous les États-Unis, faisant des centaines de milliers d'adeptes, notamment dans les villes du Nord, où les ghettos noirs sont en train de se former. Il fonde un journal, le *Negro World,* qui paraîtra jusqu'en 1933. Il suscite la création d'entreprises gérées par des Noirs, en particulier une compagnie de navigation, la *Black Star Line,* en 1919. En 1920 il est à l'apogée de sa carrière. Mais, bientôt, des difficultés surgissent, la *Black Star Line* s'effondre, pour cause de mauvaise gestion, Garvey est arrêté en 1923, accusé de fraude, condamné à 5 ans de prison puis expulsé des États-Unis. Il se réfugie à Londres, où il mourra dans l'obscurité. L'UNIA ne survécut pas longtemps, mais ses idées d'autonomie économique ont reparu lors de la grande révolte noire des années 60.

Bibliographie

A. Siegfried, *les États-Unis d'aujourd'hui* (Paris, 1927).

A. Kaspi, *la Vie quotidienne au temps de la Prospérité* (Paris, Hachette, 1980).

E. Lipmann, *l'Amérique de George Gershwin,* Paris, 1983.

Chapitre XVI 1929 - 1932

La grande dépression

Je ne veux pas de vos millions, Monsieur.
Je ne veux pas de vos diamants.
Tout ce que je veux, c'est le droit de vivre, Monsieur.
Rendez-moi mon travail !

Chanson populaire du temps de la dépression.

Césure profonde dans l'histoire américaine, la grande dépression, commencée au lendemain du krach boursier d'octobre 1929, ne s'achève qu'après l'entrée des États-Unis dans la Seconde Guerre mondiale.

En 1929, le président Hoover avait pourtant annoncé le début d'une « ère nouvelle ». Aussi, la crise boursière et la longue dépression qui s'ensuit prennent-elles les Américains par surprise. Nul ne croit à un bouleversement durable : l'Amérique s'est toujours remise en quelques mois de ses récessions. Les signes avant-coureurs du malaise économique ne sont donc pas décelés. La Bourse poursuit son incroyable ascension jusqu'au début du mois d'octobre. Nombre d'Américains trouvent, en effet, dans la spéculation sur les valeurs boursières un moyen rapide et facile de s'enrichir. Banques et entreprises investisssent également dans le marché boursier. On achète des titres, en empruntant à un courtier (lui-même dépendant d'une banque) ou en gageant d'autres titres. Les profits sont importants, car les valeurs montent sans cesse. D'ailleurs, au moindre signe de baisse, on se hâte de vendre. C'est ce qui se produit le 24 puis le 29 octobre : des millions de titres sont jetés sur le marché. Beaucoup ne trouvent même pas d'acquéreurs. Les courtiers sont ruinés, et, par un effet de dominos, les banques doivent fermer leurs portes. De financière, la crise devient économique : les entreprises, ne vendant plus, réduisent salaires et horaires, licencient du personnel. En quelques mois la crise se généralise. Le nombre de chômeurs est alarmant. Les agriculteurs, déjà en situation critique, ne peuvent rembourser leurs dettes et sont expulsés de leurs terres. Dans les villes, les plus touchés sont les ouvriers non qualifiés, les femmes et les Noirs. Les syndicats ne cessent de perdre des adhérents. La misère s'installe, les institutions charitables ne suffisent plus à nourrir les affamés. On voit surgir des abris de fortune, les « hoovervilles », les sans-logis se protègent du froid en s'enveloppant de vieux journaux, leurs « hooverblankets ».

En 1932, au plus profond de la dépression, le peuple américain rejette

le président Hoover, le rendant responsable de ses souffrances, car il n'a pas su résoudre la crise, dont il a attribué l'origine aux pays européens.
L'élection présidentielle de 1932 est un affrontement entre deux personnalités de style très différent : d'un côté, Hoover, le président sortant, homme compétent mais peu doué pour la communication, sincèrement attaché au libéralisme et ne voulant pas engager le gouvernement fédéral plus avant dans la voie de l'intervention ; de l'autre, le candidat démocrate Franklin D. Roosevelt, débordant d'énergie, promettant de l'aide, mais dont le programme économique est flou. Dans leur désarroi, les Américains n'envisagent pas de solution révolutionnaire et optent pour la confiance aux démocrates. Mais l'élection elle-même ne résout rien, et la dépression s'aggrave encore durant l'hiver 1932-1933.

Vie politique et institutionnelle

1929

□ **3 déc.** Message de Hoover au Congrès, déclarant que la confiance est rétablie et que les affaires vont reprendre.

1930

□ **Juill.** Création de l'Administration des vétérans, pour coordonner l'aide aux anciens combattants.

□ **Nov.** Élections législatives donnant une majorité démocrate à la Chambre des représentants ; les républicains perdent 8 sièges au Sénat.

1931

□ **Janv.** Rapport de la commission Wickersham sur la prohibition : il recommande une révision, mais non l'abolition du 18e amendement.

□ **Févr.** Débat au Congrès sur le versement anticipé d'indemnités aux anciens combattants.

1932

□ **Mars** Le Congrès vote le 20e amendement, qui fixe la date d'entrée en fonction du président au 20 janvier (au lieu du 4 mars), et l'envoie aux États pour ratification.

□ **Juill.** Convention du parti démocrate à Chicago. Franklin Roosevelt, nommé candidat à la présidence, y arrive en avion pour faire son discours d'acceptation, et lance la fameuse expression « New Deal ».

□ **8 nov.** Élection triomphale de Franklin D. Roosevelt et victoire des démocrates au Congrès.

Politique extérieure

1929

□ **Déc.** Le secrétaire d'État Henry Stimson demande à la Chine et à l'U.R.S.S. de régler leur différend sur la Mandchourie par la négociation et non par la guerre.

1930

Conférence navale internationale de Londres : accord entre États-Unis, Grande-Bretagne et Japon. La France et l'Italie ne signent pas.

1931

Hoover propose un moratoire sur les

dettes et réparations de guerre, en vue de rétablir la situation financière internationale.

☐ **Oct.** Le Japon ayant envahi la Mandchourie, la Société des Nations invite les États-Unis à envoyer un représentant pour débattre de cette violation du pacte Briand-Kellogg.

1932

Le secrétaire d'État Stimson avise le Japon que les États-Unis ne reconnaissent pas leur annexion de la Mandchourie.

☐ **Févr.** Un représentant des États-Unis à la conférence de Genève sur le désarmement, qui n'aboutit à rien.

☐ **Juill.** La conférence de Lausanne décide l'annulation de toutes les dettes de guerre.

Économie et société

1929

☐ **24 oct.** Effondrement des cours de la Bourse ; 13 millions de titres vendus. C'est le « Jeudi noir » de Wall Street. Intervention de plusieurs financiers pour tenter de faire remonter les cours.

☐ **29 oct.** « Mardi noir » : 16 millions de titres vendus. Journée la plus catastrophique de l'histoire de la Bourse.

☐ **13 nov.** On estime les pertes à 30 milliards de dollars depuis le début de la crise. Beaucoup de spéculateurs ruinés ; quelques suicides.

☐ **21 nov.** Hoover réunit à la Maison-Blanche dirigeants de l'industrie et représentants des syndicats pour leur recommander de ne pas aggraver la crise par des licenciements ou des grèves.

1930

☐ **Janv.** Baisse des prix ; 4 millions de chômeurs. Hoover demande au Congrès de financer un programme de grands travaux.

☐ **Mars** Le Congrès vote une loi sur les constructions publiques et y affecte 230 millions de dollars.

☐ **Avr.** Le Congrès vote 300 millions de dollars de crédits aux États pour la construction de routes.

☐ **Juin** Vote du tarif protectionniste Hawley-Smoot. Protestations de certains économistes, qui y voient un danger pour le commerce international.

☐ **Sept.** Interdiction de l'immigration de travailleurs étrangers.

☐ **Oct.** Hoover nomme un Comité pour l'aide au chômage, chargé de coordonner les programmes des États et des municipalités.

☐ **Déc.** Hoover obtient du Congrès de nouveaux crédits pour les travaux publics : 116 millions de dollars.

À New York, fermeture de la Banque (privée) des États-Unis. En un an, 1 300 fermetures de banques enregistrées.

1931

☐ **Janv.** Rapport du Comité sur le chômage : près de 5 millions de chômeurs ; la crise s'aggrave.

☐ **Mars** Hoover, après Coolidge, s'oppose à la nationalisation d'une usine hydroélectrique à Muscle Shoals (Tennessee).

À Scottsboro (Alabama), arrestation de 9 jeunes Noirs accusés d'avoir violé une femme blanche. Jugés coupables (jugement annulé par la Cour suprême en 1935).

☐ **Juill.** Émeutes de fermiers dans l'Iowa et le Kansas.

☐ **Août** Grève de mineurs contre la réduction de salaire à Harlan County (Kentucky).

☐ **Sept.-oct.** Nouvelle série de faillites bancaires, du fait de l'abandon de l'étalon-or par la Grande-Bretagne ;

beaucoup redoutent que les États-Unis ne l'imitent.

☐ **Oct.** Arrestation du gangster Al Capone, condamné à 11 ans de prison pour... fraude fiscale.

☐ **Déc.** Marche de la faim à Washington.

1932

☐ **Janv.** Hoover signe la loi créant la *Reconstruction Finance Corporation,* organisme fédéral chargé de prêter de l'argent aux banques, sociétés de crédit, compagnies d'assurances, afin de stimuler l'investissement dans l'industrie et de créer des emplois. Elle n'aura pas l'effet espéré.

☐ **Févr.** Loi Glass-Steagall sur la banque : la *Federal Reserve* est autorisée à assouplir les conditions de crédit et à mettre en circulation une certaine quantité d'or.

☐ **Mars** Loi Norris-La-Guardia, rendant illégale l'« injonction », ordonnant la reprise du travail dans les conflits sociaux.
Enlèvement du bébé Lindbergh, retrouvé mort après paiement d'une rançon de 50 000 dollars ; vive émotion dans l'opinion.

☐ **Mai** Arrivée à Washington d'un millier de vétérans réclamant le paiement cash d'une indemnité promise. Le Sénat rejette la loi sur le paiement du « bonus ». Les vétérans, de plus en plus nombreux (17 000), campent dans la ville. Sur l'offre gouvernementale d'une indemnité de déplacement, certains s'en vont, mais environ 2 000 restent avec leurs familles pour faire pression sur le Congrès.

☐ **Juill.** La police tente vainement de les faire partir ; Hoover envoie l'armée, qui les chasse brutalement (4 morts). L'affaire est désastreuse pour l'image de Hoover.
Hoover augmente les fonds alloués à la *Reconstruction Finance Corporation.* Le Congrès adopte une loi sur les prêts immobiliers *(Federal Home Loan Bank Act),* pour relancer la construction.

☐ **Août** Grève du lait dans le Midwest.

☐ **Déc.** 13 millions de chômeurs.

Détérioration de l'économie de 1929 à 1932

	1929	1930	1931	1932
P.N.B. (millions $)	104	91	76	59
Nombre de chômeurs (millions)	1,6	4,3	8	12,1
Investissements (milliards $)	16,2	10,3	5,5	0,9
Indice de production industrielle	100	83	67	52
Revenu de l'agriculture (milliards $)	11,3	9,1	6,4	4,8

(D'après A. Kaspi, *les Américains.* Points Seuil, tome I.)

Sciences et technologie

1930 Thomas Edison fait fonctionner le premier train électrique dans le New Jersey.
Inauguration du barrage Coolidge en Arizona.
Ouverture du planétarium Adler à Chicago.
Première attribution du prix Nobel de médecine à un Américain, Karl Landsteiner, qui a découvert les groupes sanguins.

1931 Départ de Wiley Post et Harold Gatty pour le premier tour du monde en avion (8 j, 15 h, 51 min).
Inauguration du pont George-Washington sur l'Hudson.
Harold Urey, chercheur à Columbia, découvre l'eau lourde, indispensable pour la fission de l'atome. Il sera directeur du projet Manhattan en 1942.

1932 Découverte des neutrons, par James Chadwick.
Découverte de la vitamine C.

Civilisation et culture

1930 William Faulkner : *As I Lay Dying.* Sinclair Lewis est le premier Américain à obtenir le prix Nobel de littérature avec *Babbitt* □ Grant Wood peint *American Gothic* □ Première diffusion radiophonique, par CBS, d'un concert donné par le *New York Philharmonic,* sous la direction de Toscanini □ Succès des Marx Brothers, avec *Animal Crackers.*

1931 Faulkner : *Sanctuary.* Pearl Buck : *The Good Earth* □ Eugene O'Neill : *Mourning Becomes Electra* □ Inauguration de l'*Empire State Building,* qui restera le plus haut bâtiment du monde jusqu'au début des années 70.

1932 Sherwood Anderson : *Beyond Desire* □ Charles Sheeler peint la *River Rouge Plant* (précisionniste) ; Grant Wood, les *Daughters of The American Revolution* □ Au musée d'Art moderne de New York, exposition d'architecture moderne qui révèle au public américain les œuvres de Le Corbusier, Gropius et Mies van der Rohe. Philip Johnson et Alfred Hitchcock étudient ce « Style international » □ Succès des films d'horreur *Dracula* et *Frankenstein ; Grand Hotel* reçoit les *Academy Awards.*

Biographies

Hoover, Herbert C. (1874-1964). Sans la grande dépression, Hoover eut sans doute été un très grand président : les circonstances historiques ont brisé sa carrière et porté tort à sa réputation. Né dans l'Iowa, dans une famille quaker, il fait de bonnes études d'ingénieur à l'université Stanford, en Californie. Il mène une brillante carrière d'ingénieur des mines à l'étranger : Australie, Afrique, Chine, Amérique latine. Pendant la Première Guerre mondiale, chargé d'organiser les secours alimentaires aux pays d'Europe, il fait preuve d'une remarquable efficacité. Sous Harding et Coolidge, il est un secrétaire au Commerce très actif. Le parti républicain le choisit donc pour les élections présidentielles de 1928. Il répond aux espoirs mis en lui, jusqu'à ce jour fatal d'octobre 1929 où la Bourse s'effondre. La dépression le surprend : il répète sans cesse qu'elle ne devrait pas durer, que, loin d'être une crise de structure de l'économie américaine, c'est une maladie importée d'Europe. Mais, contrairement à ce qu'on a dit, Hoover ne reste pas inactif devant le désastre économique : il met en place une politique de grands travaux, prolongée et amplifiée par Roosevelt. Toutefois, son attachement au libéralisme et à ce qu'il appelle « l'individualisme américain » lui interdit de s'engager dans la voie « socialiste » de l'intervention économique. Il préfère essayer de ranimer l'économie par le haut, en offrant des prêts avantageux aux entreprises, dans l'espoir de stimuler la production et de créer des emplois. Il est convaincu que l'aide aux chômeurs est du ressort exclusif des gouvernements locaux et des associations charitables. Sa rigidité et sa maladresse verbale lui font commettre des gaffes que le public ne lui pardonne pas. Rejeté par les électeurs en novembre 1932, il critique amèrement le New Deal, mais revient à la politique sous la présidence de Truman, à la tête d'un Comité pour l'organisation du pouvoir exécutif. Les *Mémoires* de Hoover sont un passionnant témoignage ; sa présidence a donné lieu à de nombreux débats d'historiens.

Faulkner, William (1897-1962). L'un des plus grands romanciers américains du XXe siècle, Faulkner a été reconnu en Europe, pour l'originalité de son écriture, avant d'être célèbre dans son pays. C'est un homme du Sud, qui peint une société violente, décadente, voire grotesque, mais c'est aussi un idéaliste qui a foi en l'homme. Né à Oxford (Mississippi), il est pilote dans la RAF, au Canada, pendant la Première Guerre mondiale, fréquente l'université du Mississippi de 1919 à 1921, et commence par écrire un recueil de poèmes. C'est après sa rencontre avec le romancier Sherwood Anderson qu'il se décide à écrire des nouvelles et des romans sur son pays natal. Il entame ainsi une sorte de saga décrivant la vie de plusieurs familles du comté imaginaire de Yoknapatawpha, dans l'État du Mississippi : *Sartoris* (1929), *The Sound and the Fury* (« le Bruit et la Fureur », 1929), *As I Lay Dying* (« Tandis que j'agonise », 1930), *Sanctuary* (1931), *Light in August* (« Lumière d'août », 1932), *Absalom, Absalom* (1936). Il va à Hollywood, écrit pour le cinéma, publie d'autres nouvelles *(Go down Moses and Other Stories).* La célébrité lui vient enfin, après 1950, lorsqu'il reçoit le prix Nobel de littérature. Ses dernières années sont celles d'un écrivain reconnu.

Gershwin, George (1898-1937). La brève carrière de ce musicien de génie a commencé très tôt et fort modestement. Né à Brooklyn, il montre de bonne heure son intérêt pour la musique en composant des chansons à l'âge de 15 ans. Cette activité lui apporte l'aisance matérielle et il complète son éducation musicale, jusqu'alors très informelle. Vers 1920, la chanson ne le satisfait plus tout à fait, il commence à songer à l'opéra et s'intéresse de plus en plus au jazz. En fait il mène parallèlement deux carrières, celle de producteur de spectacles musicaux populaires *(Musicals)*, qui tiennent l'affiche à Broadway (*Lady Be Good,* 1924 ; *Of Thee I Sing,* 1931), et celle de compositeur classique, qui cherche à introduire des rythmes et des thèmes du jazz dans des œuvres traditionnelles (*Rhapsody in Blue,* 1924 ; *Concerto en fa,* 1925 ; *Un Américain à Paris,* 1928 ; *Ouverture cubaine,* 1932). Son chef-d'œuvre est sans doute l'opéra populaire *Porgy and Bess,* composé et joué en 1935. Il meurt à Hollywood, à 39 ans, d'une tumeur au cerveau.

Bibliographie

J. Heffer, *la Grande Dépression* (Gallimard, coll. Archives, 1976).

A. Schlesinger, *l'Ère de Roosevelt,* vol. I : *la Crise de l'ordre ancien (1919-1933)* [Paris, 1971].

DÉCOUVERTE DE L'AMÉRIQUE DU NORD

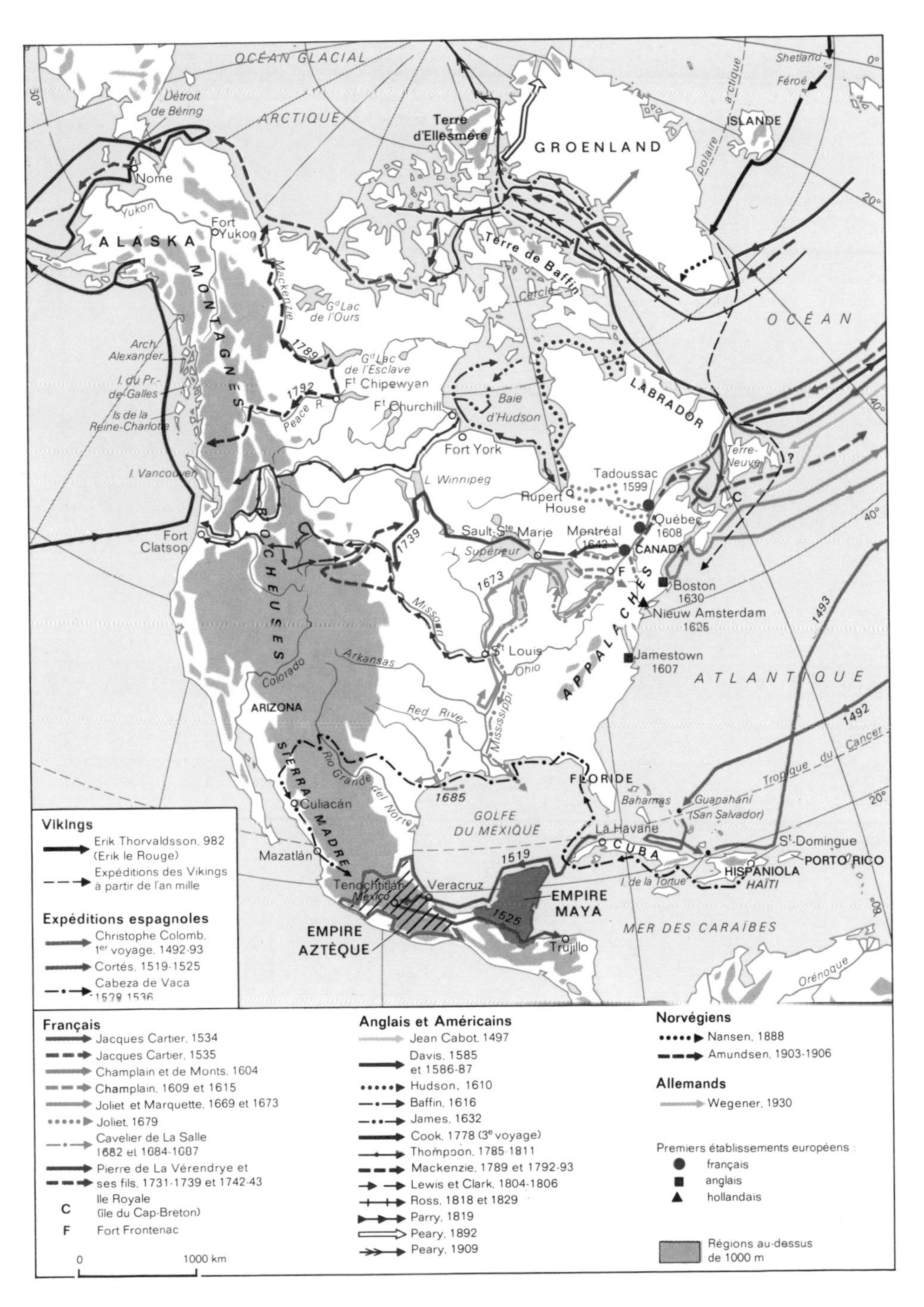

LA COLONISATION DE 1697 À 1713

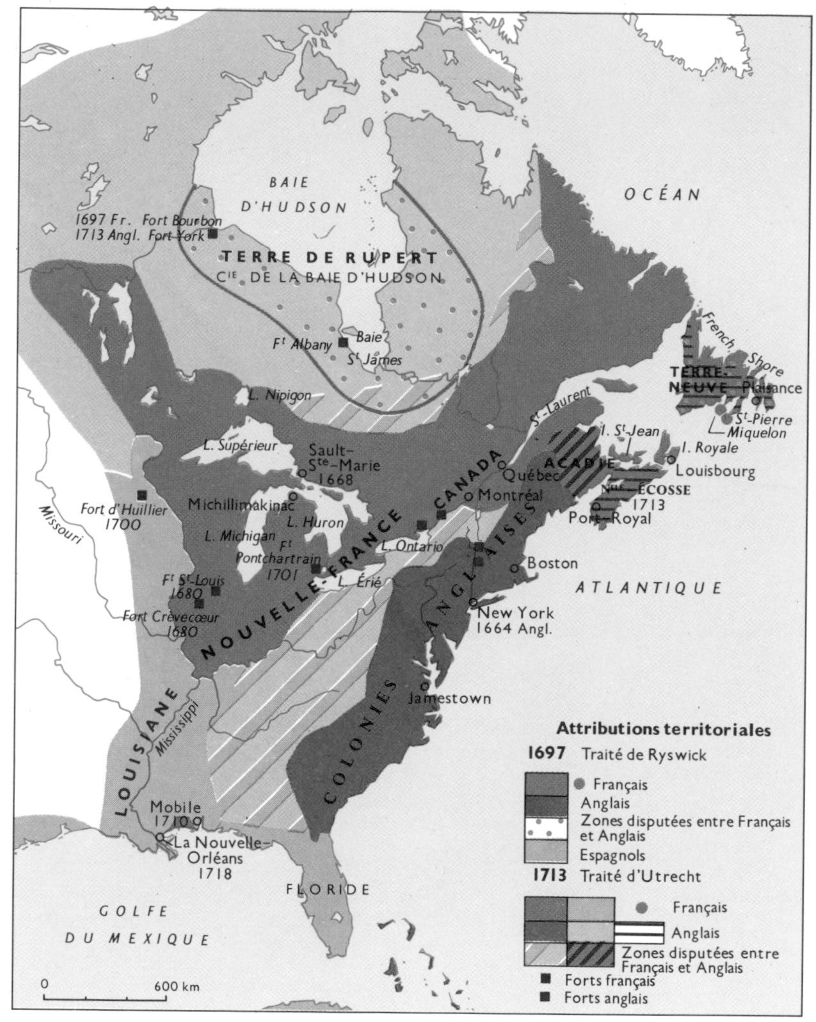
BAIE D'HUDSON
OCÉAN
1697 Fr. Fort Bourbon
1713 Angl. Fort York
TERRE DE RUPERT
Cie DE LA BAIE D'HUDSON
Ft Albany
Baie St James
L. Nipigon
French Shore
TERRE-NEUVE
Plaisance
St-Pierre
Miquelon
St-Laurent
I. St-Jean
I. Royale
Louisbourg
ACADIE
Nle-ÉCOSSE 1713
Port-Royal
Québec
Montréal
CANADA
L. Supérieur
Sault-Ste-Marie 1668
Michillimakinac
L. Huron
L. Michigan
Ft Pontchartrain 1701
L. Ontario
L. Érié
Fort d'Huillier 1700
Missouri
Ft St-Louis 1680
Fort Crèvecœur 1680
NOUVELLE-FRANCE
Boston
ATLANTIQUE
New York 1664 Angl.
COLONIES ANGLAISES
Jamestown
LOUISIANE
Mississippi
Mobile 1710
La Nouvelle-Orléans 1718
FLORIDE
GOLFE DU MEXIQUE
0 600 km
Attributions territoriales
1697 Traité de Ryswick
Français
Anglais
Zones disputées entre Français et Anglais
Espagnols
1713 Traité d'Utrecht
Français
Anglais
Zones disputées entre Français et Anglais
Forts français
Forts anglais

LA COLONISATION JUSQU'AU TRAITÉ DE PARIS (1763)

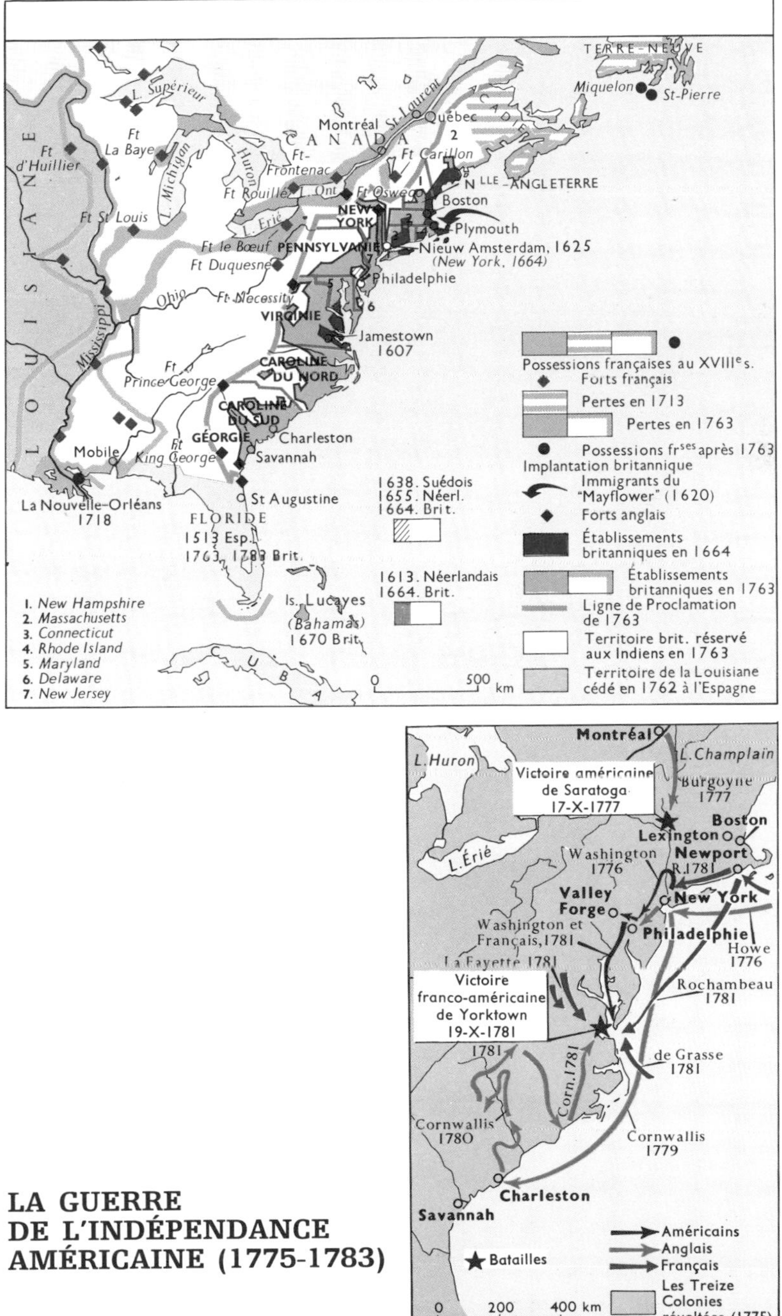

TERRE-NEUVE
Miquelon
St-Pierre
L. Supérieur
Montréal
St-Laurent
Québec
CANADA
ACADIE
Ft d'Huillier
Ft La Baye
L. Michigan
L. Huron
Ft Frontenac
Ft Carillon
Ft Rouillé
L. Ont.
Ft Oswego
N^LLE-ANGLETERRE
Boston
Plymouth
NEW YORK
L. Erié
Ft St Louis
Ft le Bœuf
PENNSYLVANIE
Nieuw Amsterdam, 1625
(New York, 1664)
Ft Duquesne
Philadelphie
Ohio
Ft Necessity
VIRGINIE
Jamestown
1607
Mississippi
LOUISIANE
Ft Prince George
CAROLINE DU NORD
CAROLINE DU SUD
GÉORGIE
Charleston
Savannah
Mobile
Ft King George
La Nouvelle-Orléans
1718
St Augustine
FLORIDE
1513 Esp.
1763, 1783 Brit.
1638. Suédois
1655. Néerl.
1664. Brit.
1613. Néerlandais
1664. Brit.
Is. Lucayes
(Bahamas)
1670 Brit.
CUBA
0 500 km
1. New Hampshire
2. Massachusetts
3. Connecticut
4. Rhode Island
5. Maryland
6. Delaware
7. New Jersey
Possessions françaises au XVIIIe s.
Forts français
Pertes en 1713
Pertes en 1763
Possessions fr^ses après 1763
Implantation britannique
Immigrants du "Mayflower" (1620)
Forts anglais
Établissements britanniques en 1664
Établissements britanniques en 1763
Ligne de Proclamation de 1763
Territoire brit. réservé aux Indiens en 1763
Territoire de la Louisiane cédé en 1762 à l'Espagne
Montréal
L. Huron
L. Champlain
Victoire américaine de Saratoga 17-X-1777
Burgoyne 1777
Boston
Lexington
L. Érié
Washington 1776
Newport
R.1781
Valley Forge
New York
Washington et Français, 1781
Philadelphie
Howe 1776
La Fayette 1781
Victoire franco-américaine de Yorktown 19-X-1781
Rochambeau 1781
1781
Corn. 1781
de Grasse 1781
Cornwallis 1780
Cornwallis 1779
Charleston
Savannah
Batailles
Américains
Anglais
Français
Les Treize Colonies révoltées (1775)
0 200 400 km

LA GUERRE DE L'INDÉPENDANCE AMÉRICAINE (1775-1783)

LA GUERRE DE SÉCESSION (1861-1865)

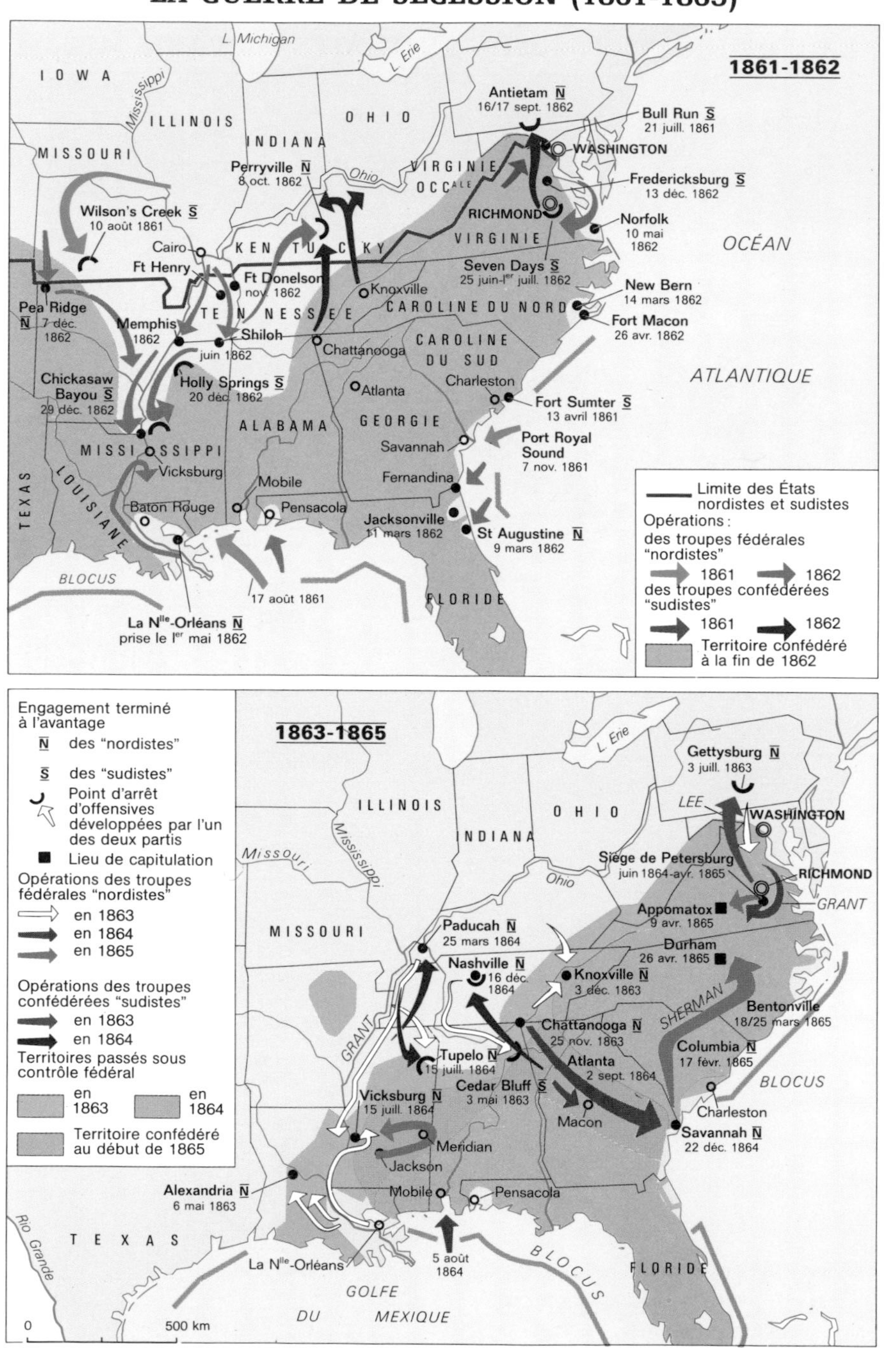

L'ESCLAVAGE EN 1861

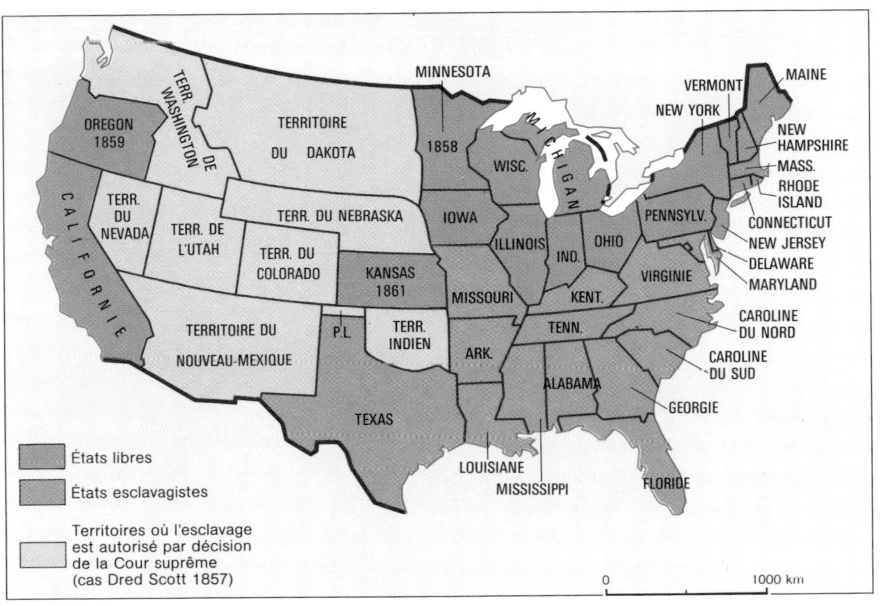

MINNESOTA
1858
VERMONT
MAINE
NEW YORK
NEW HAMPSHIRE
MASS.
RHODE ISLAND
CONNECTICUT
NEW JERSEY
DELAWARE
MARYLAND
TERR. WASHINGTON
OREGON 1859
TERRITOIRE DU DAKOTA
WISC.
MICHIGAN
CALIFORNIE
TERR. DU NEVADA
TERR. DE L'UTAH
TERR. DU NEBRASKA
IOWA
ILLINOIS
IND.
OHIO
PENNSYLV.
TERR. DU COLORADO
KANSAS 1861
MISSOURI
KENT.
VIRGINIE
TERRITOIRE DU NOUVEAU-MEXIQUE
P.L.
TERR. INDIEN
ARK.
TENN.
CAROLINE DU NORD
CAROLINE DU SUD
ALABAMA
GEORGIE
TEXAS
LOUISIANE
MISSISSIPPI
FLORIDE
États libres
États esclavagistes
Territoires où l'esclavage est autorisé par décision de la Cour suprême (cas Dred Scott 1857)
0
1000 km

LES ÉTATS-UNIS ET L'AMÉRIQUE CENTRALE (1898-1940)

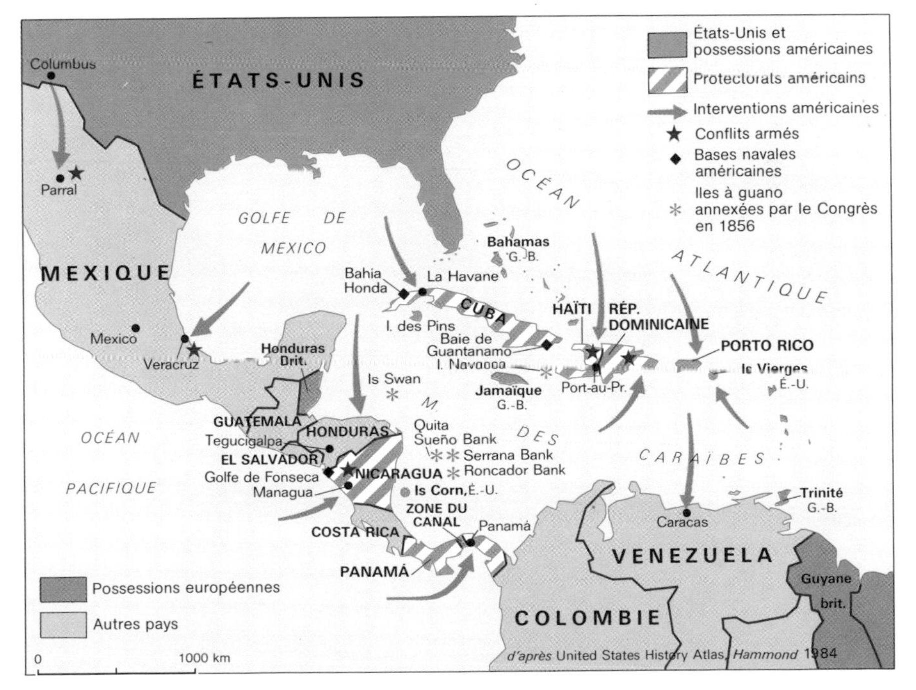

États-Unis et possessions américaines
Protectorats américains
Interventions américaines
Conflits armés
Bases navales américaines
Iles à guano annexées par le Congrès en 1856
Columbus
ÉTATS-UNIS
Parral
OCÉAN ATLANTIQUE
GOLFE DE MEXICO
MEXIQUE
Bahamas G.-B.
Bahia Honda
La Havane
CUBA
I. des Pins
Baie de Guantanamo
I. Navassa
HAÏTI
RÉP. DOMINICAINE
PORTO RICO
Is Vierges É.-U.
Mexico
Veracruz
Honduras Brit.
Is Swan
Jamaïque G.-B.
Port-au-Pr.
GUATEMALA
Tegucigalpa
HONDURAS
EL SALVADOR
Golfe de Fonseca
Managua
NICARAGUA
Quita Sueño Bank
Serrana Bank
Roncador Bank
Is Corn, É.-U.
MER DES CARAÏBES
OCÉAN PACIFIQUE
ZONE DU CANAL
Panamá
COSTA RICA
PANAMÁ
Caracas
Trinité G.-B.
VENEZUELA
Guyane brit.
COLOMBIE
Possessions européennes
Autres pays
0
1000 km
d'après United States History Atlas, Hammond 1984

EXPANSION DES ÉTATS-UNIS (1783-1898)

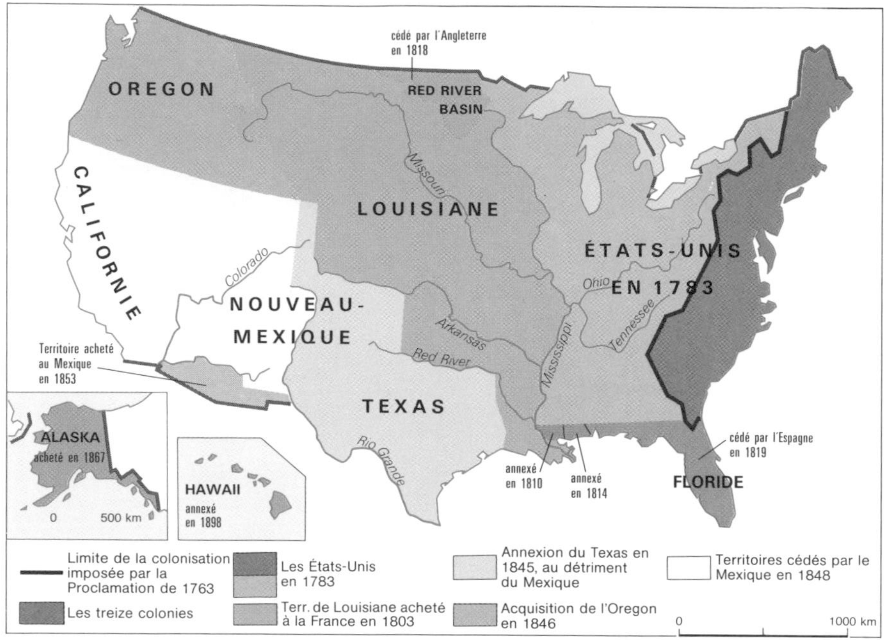
cédé par l'Angleterre en 1818
RED RIVER BASIN
OREGON
CALIFORNIE
LOUISIANE
ÉTATS-UNIS EN 1783
NOUVEAU-MEXIQUE
TEXAS
FLORIDE
Missouri
Colorado
Arkansas
Red River
Mississippi
Ohio
Tennessee
Rio Grande
Territoire acheté au Mexique en 1853
ALASKA acheté en 1867
0 500 km
HAWAII annexé en 1898
annexé en 1810
annexé en 1814
cédé par l'Espagne en 1819
Limite de la colonisation imposée par la Proclamation de 1763
Les treize colonies
Les États-Unis en 1783
Terr. de Louisiane acheté à la France en 1803
Annexion du Texas en 1845, au détriment du Mexique
Acquisition de l'Oregon en 1846
Territoires cédés par le Mexique en 1848
0 1000 km

ENTRÉE DES ÉTATS DANS L'UNION

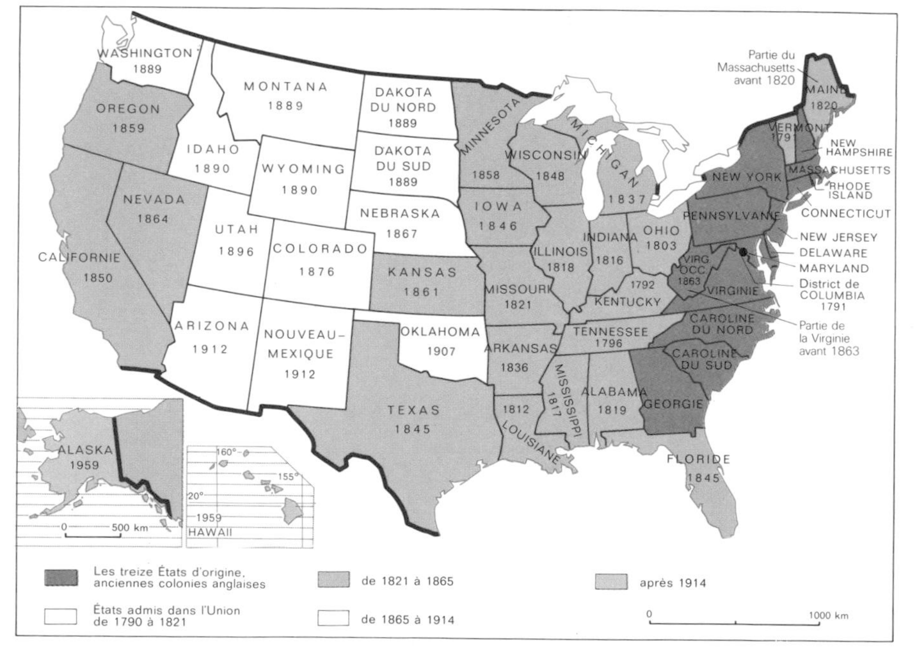
WASHINGTON 1889
OREGON 1859
CALIFORNIE 1850
NEVADA 1864
IDAHO 1890
MONTANA 1889
WYOMING 1890
UTAH 1896
COLORADO 1876
ARIZONA 1912
NOUVEAU-MEXIQUE 1912
DAKOTA DU NORD 1889
DAKOTA DU SUD 1889
NEBRASKA 1867
KANSAS 1861
OKLAHOMA 1907
TEXAS 1845
MINNESOTA 1858
IOWA 1846
MISSOURI 1821
ARKANSAS 1836
LOUISIANE 1812
WISCONSIN 1848
ILLINOIS 1818
MICHIGAN 1837
INDIANA 1816
OHIO 1803
KENTUCKY 1792
TENNESSEE 1796
MISSISSIPPI 1817
ALABAMA 1819
GEORGIE
FLORIDE 1845
CAROLINE DU SUD
CAROLINE DU NORD
VIRGINIE
VIRG. OCC. 1863
PENNSYLVANIE
NEW YORK
VERMONT 1791
MAINE 1820
Partie du Massachusetts avant 1820
NEW HAMPSHIRE
MASSACHUSETTS
RHODE ISLAND
CONNECTICUT
NEW JERSEY
DELAWARE
MARYLAND
District de COLUMBIA 1791
Partie de la Virginie avant 1863
ALASKA 1959
0 500 km
160°
155°
20°
1959
HAWAII
Les treize États d'origine, anciennes colonies anglaises
États admis dans l'Union de 1790 à 1821
de 1821 à 1865
de 1865 à 1914
après 1914
0 1000 km

LES INDIENS D'AMÉRIQUE DU NORD

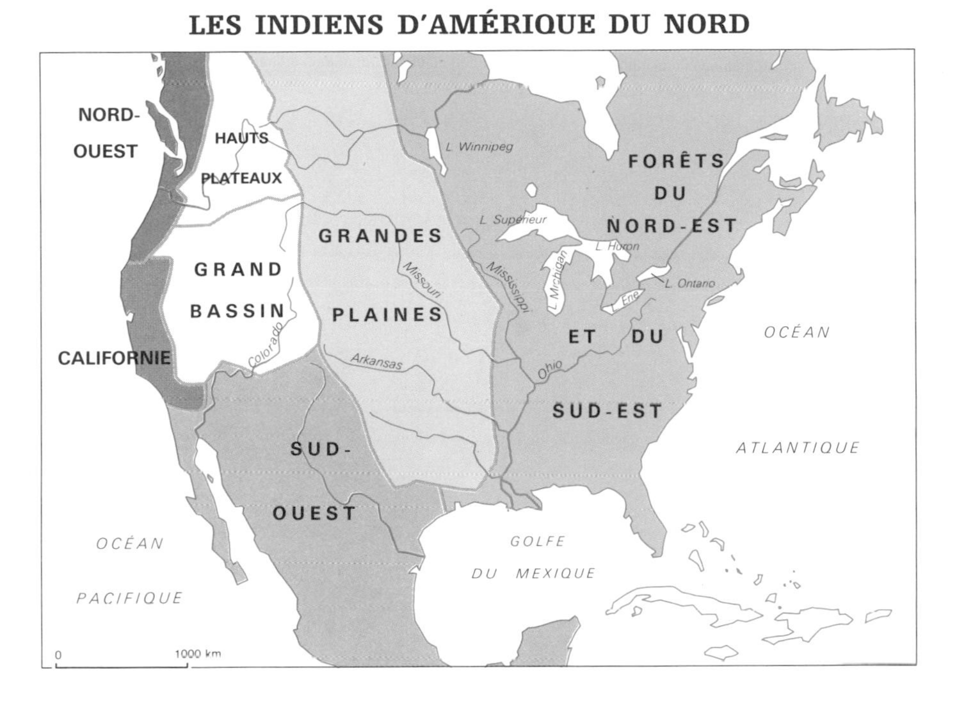

LES TRIBUS INDIENNES AU MOMENT DE LA DÉCOUVERTE

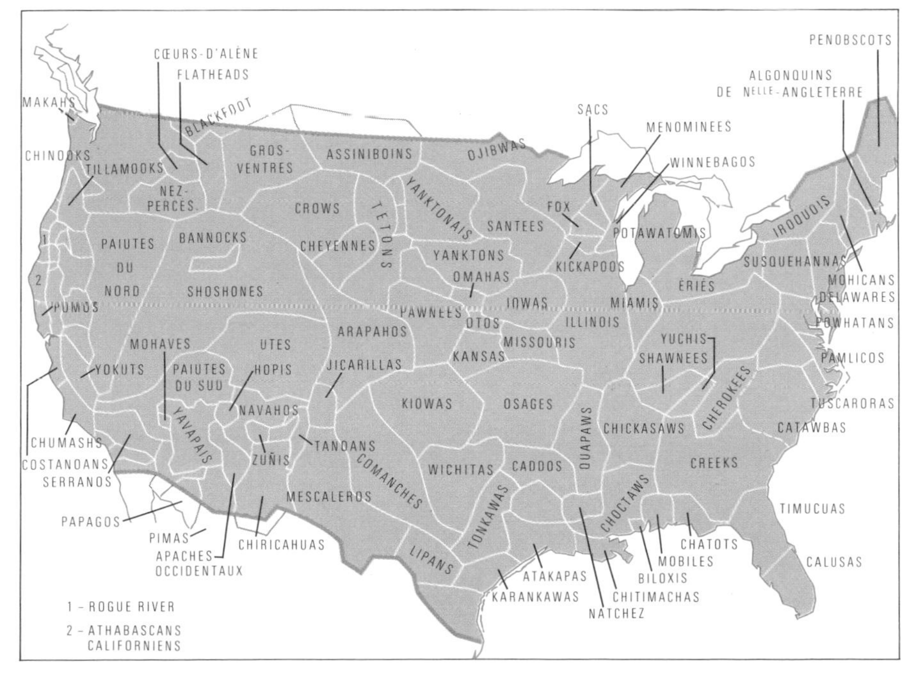

LES CHEMINS DE FER

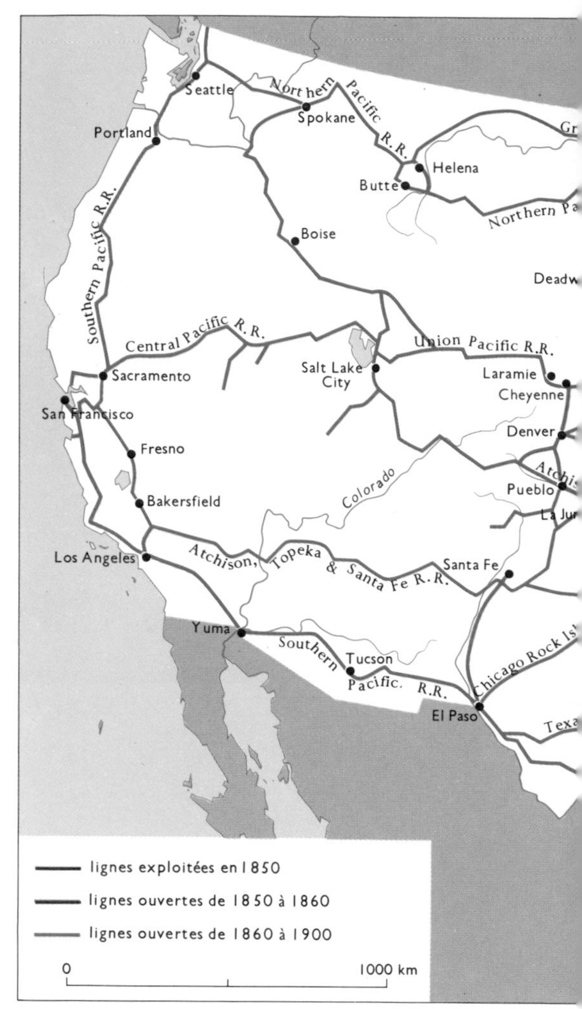

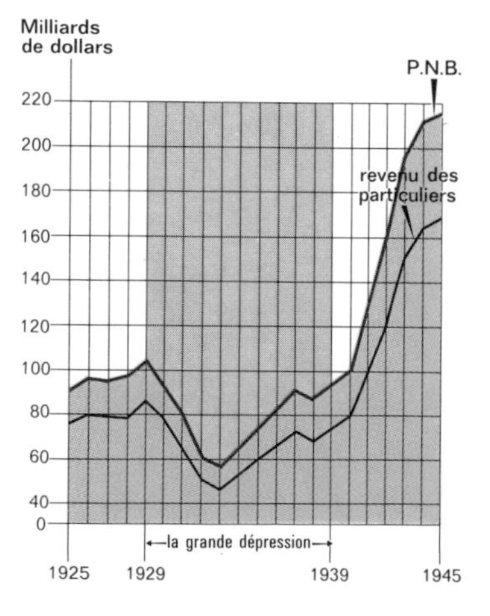

LA GRANDE DÉPRESSION DÉCLIN ET REPRISE DE L'ÉCONOMIE NATIONALE

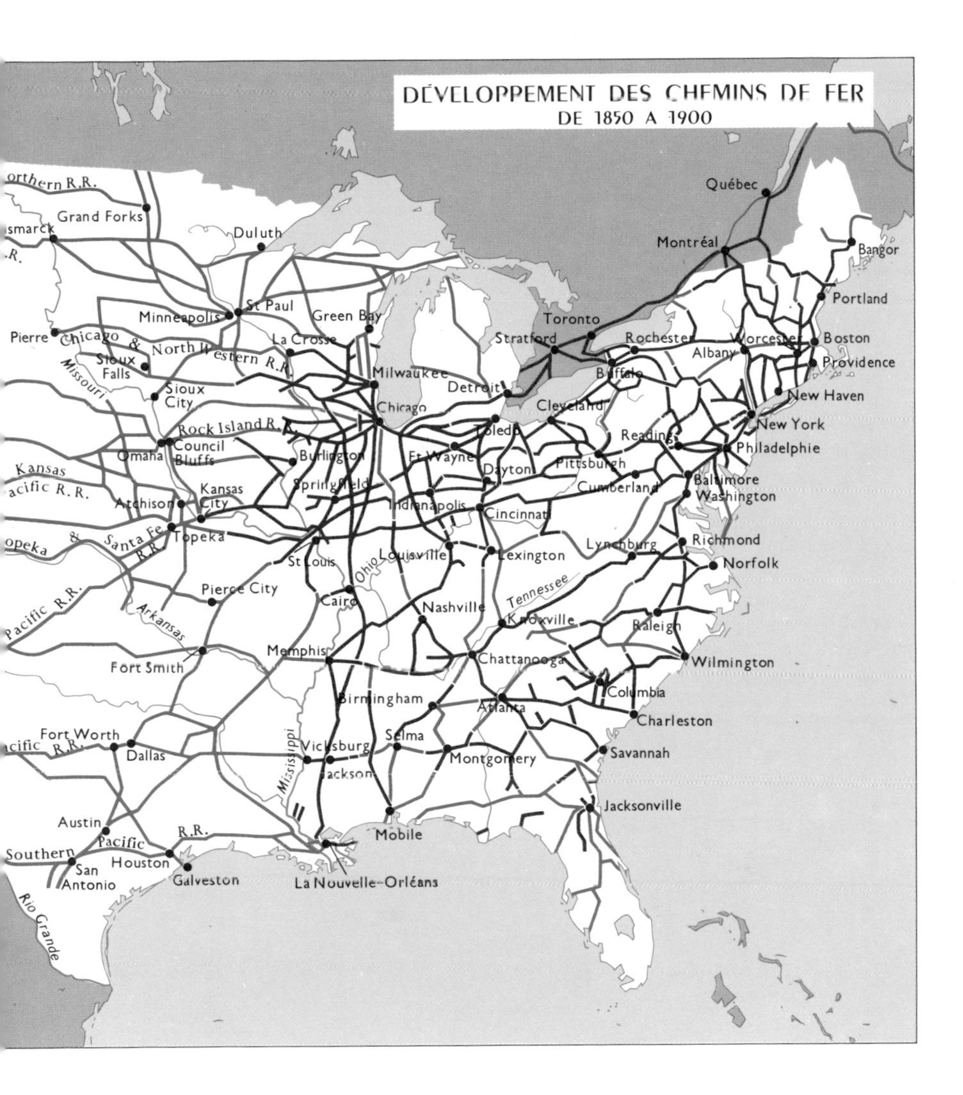
DÉVELOPPEMENT DES CHEMINS DE FER
DE 1850 A 1900
Québec
Montréal
Bangor
Portland
Toronto
Stratford
Rochester
Albany
Worcester
Boston
Providence
Buffalo
Detroit
Cleveland
New Haven
New York
Reading
Philadelphie
Pittsburgh
Baltimore
Washington
Cumberland
Richmond
Norfolk
Lynchburg
Raleigh
Wilmington
Columbia
Charleston
Savannah
Jacksonville
Grand Forks
Duluth
St Paul
Minneapolis
Green Bay
La Crosse
Pierre
Chicago & North Western R.R.
Sioux Falls
Missouri
Sioux City
Milwaukee
Chicago
Rock Island R.R.
Omaha
Council Bluffs
Burlington
Toledo
Ft Wayne
Dayton
Kansas
Springfield
Atchison
Kansas City
Indianapolis
Cincinnati
Topeka
Santa Fe R.R.
St Louis
Louisville
Lexington
Ohio
Pierce City
Cairo
Nashville
Tennessee
Knoxville
Arkansas
Memphis
Chattanooga
Fort Smith
Birmingham
Atlanta
Fort Worth
Dallas
Vicksburg
Selma
Jackson
Montgomery
Mississippi
Mobile
Austin
Pacific
R.R.
Southern
San Antonio
Houston
Galveston
La Nouvelle-Orléans
Rio Grande

ORIGINE DES IMMIGRANTS (1820-1980)

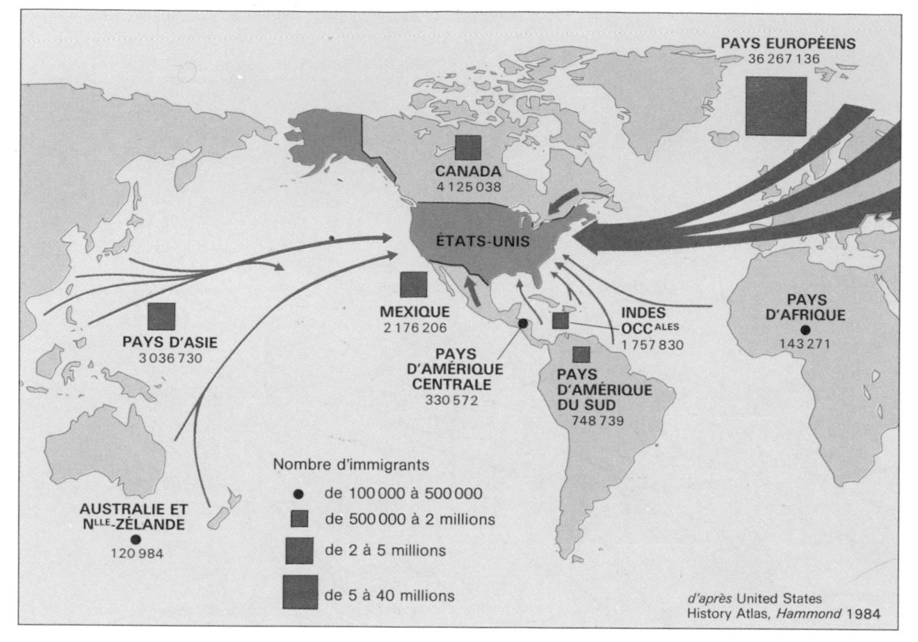
PAYS EUROPÉENS
36 267 136
CANADA
4 125 038
ÉTATS-UNIS
MEXIQUE
2 176 206
PAYS D'ASIE
3 036 730
PAYS
D'AMÉRIQUE
CENTRALE
330 572
INDES
OCC ALES
1 757 830
PAYS
D'AMÉRIQUE
DU SUD
748 739
PAYS
D'AFRIQUE
143 271
AUSTRALIE ET
NLLE-ZÉLANDE
120 984
Nombre d'immigrants
de 100 000 à 500 000
de 500 000 à 2 millions
de 2 à 5 millions
de 5 à 40 millions
d'après United States
History Atlas, Hammond 1984

PROBLÈMES RACIAUX AUX ÉTATS-UNIS

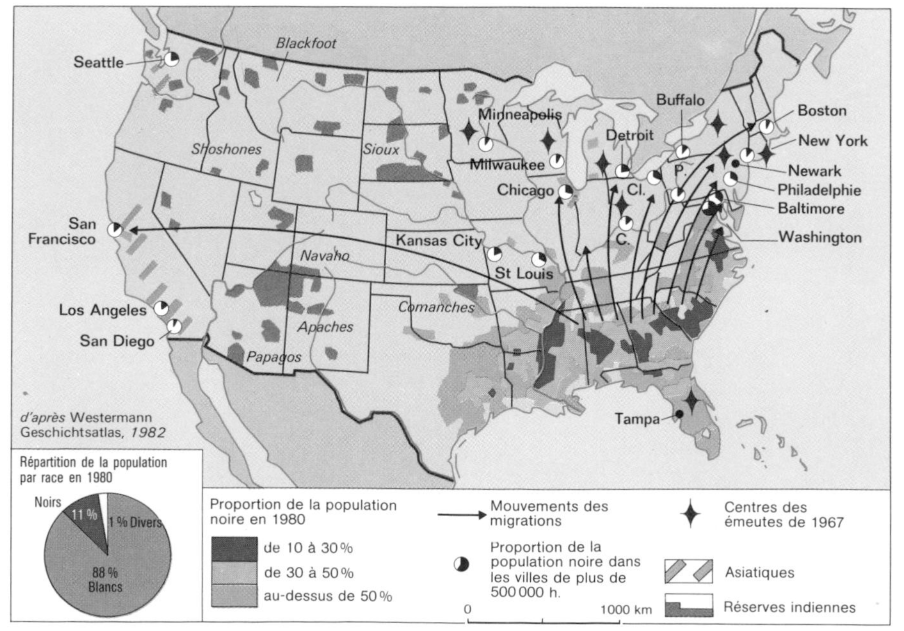
Seattle
Blackfoot
Shoshones
Sioux
Minneapolis
Milwaukee
Chicago
Detroit
Buffalo
Boston
New York
Newark
Philadelphie
Baltimore
Washington
P.
Cl.
C.
San
Francisco
Kansas City
St Louis
Navaho
Los Angeles
San Diego
Comanches
Apaches
Papagos
Tampa
d'après Westermann
Geschichtsatlas, 1982
Répartition de la population
par race en 1980
Noirs
11 %
1 % Divers
88 %
Blancs
Proportion de la population
noire en 1980
de 10 à 30 %
de 30 à 50 %
au-dessus de 50 %
Mouvements des
migrations
Proportion de la
population noire dans
les villes de plus de
500 000 h.
0
1000 km
Centres des
émeutes de 1967
Asiatiques
Réserves indiennes

CROISSANCE INDUSTRIELLE ET URBAINE EN 1920

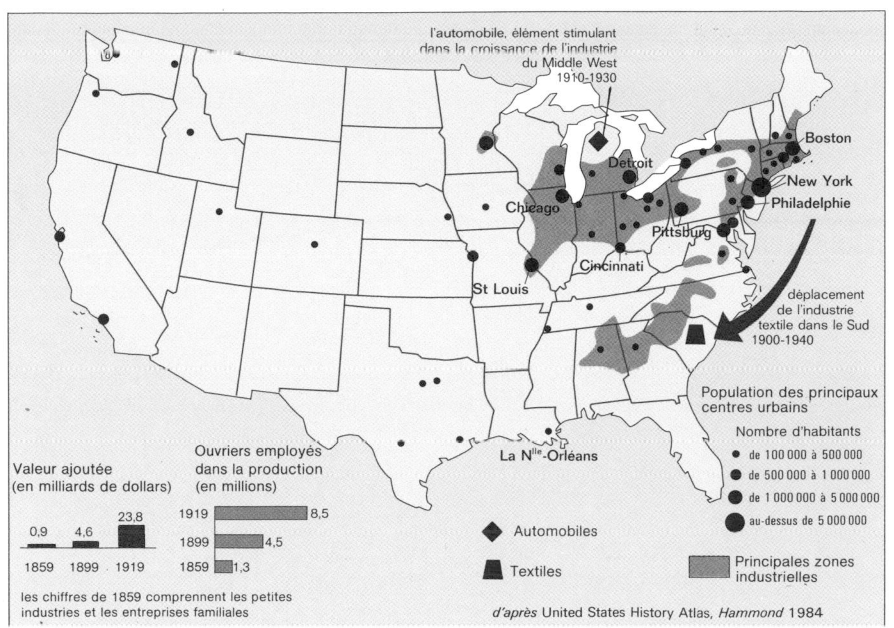

CROISSANCE INDUSTRIELLE ET URBAINE EN 1980

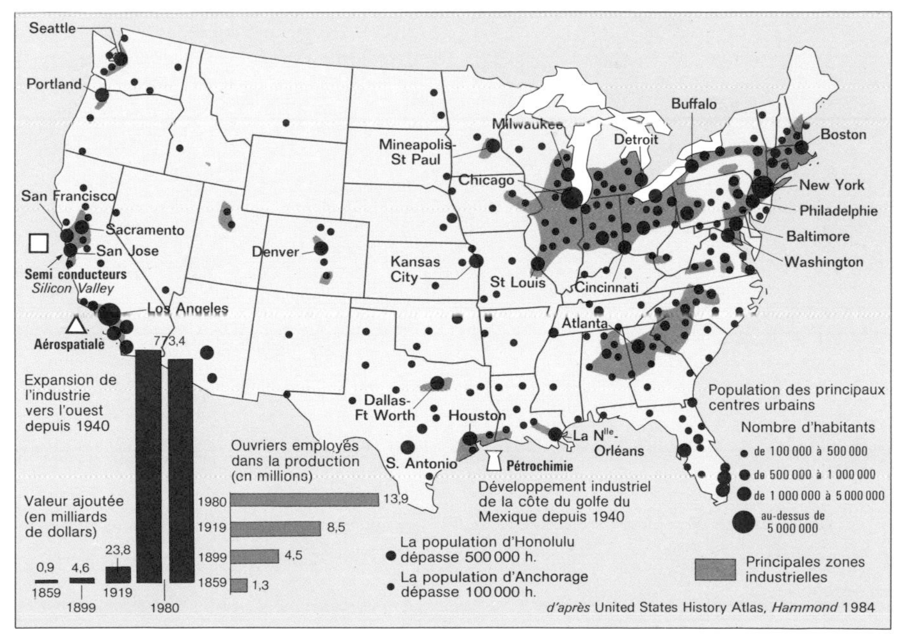

C A
Seattle
Olympia
WASHINGTON
Portland
Columbia
Salem
OREGON
Helena
MONTANA
DAKOTA DU NORD
Bismarck
DAKOTA DU SUD
Pierre
Boise
IDAHO
WYOMING
OCÉAN PACIFIQUE
Sacramento
Carson City
Salt Lake City
Cheyenne
NEBRASKA
San Francisco
Oakland
NEVADA
Denver
San Jose
UTAH
COLORADO
CALIFORNIE
Colorado
KANSA
Arkansas
Los Angeles
Long Beach
ARIZONA
Santa Fe
OKLAHO
Oklahoma City
NOUVEAU-MEXIQUE
San Diego
Phoenix
Fort Wo
El Paso
TEXAS
Austin
San Anto
MEXIQUE
Rio Grande
U.R.S.S.
CANADA
ALASKA
Yukon
Juneau
Anchorage
0
1000 km
160° ouest
156°
Honolulu
HAWAII
Hilo
0
1000 km
limite d'État
capitale d'État
capitale fédérale
autre grande ville
0
500 km

LES CINQUANTE ÉTATS

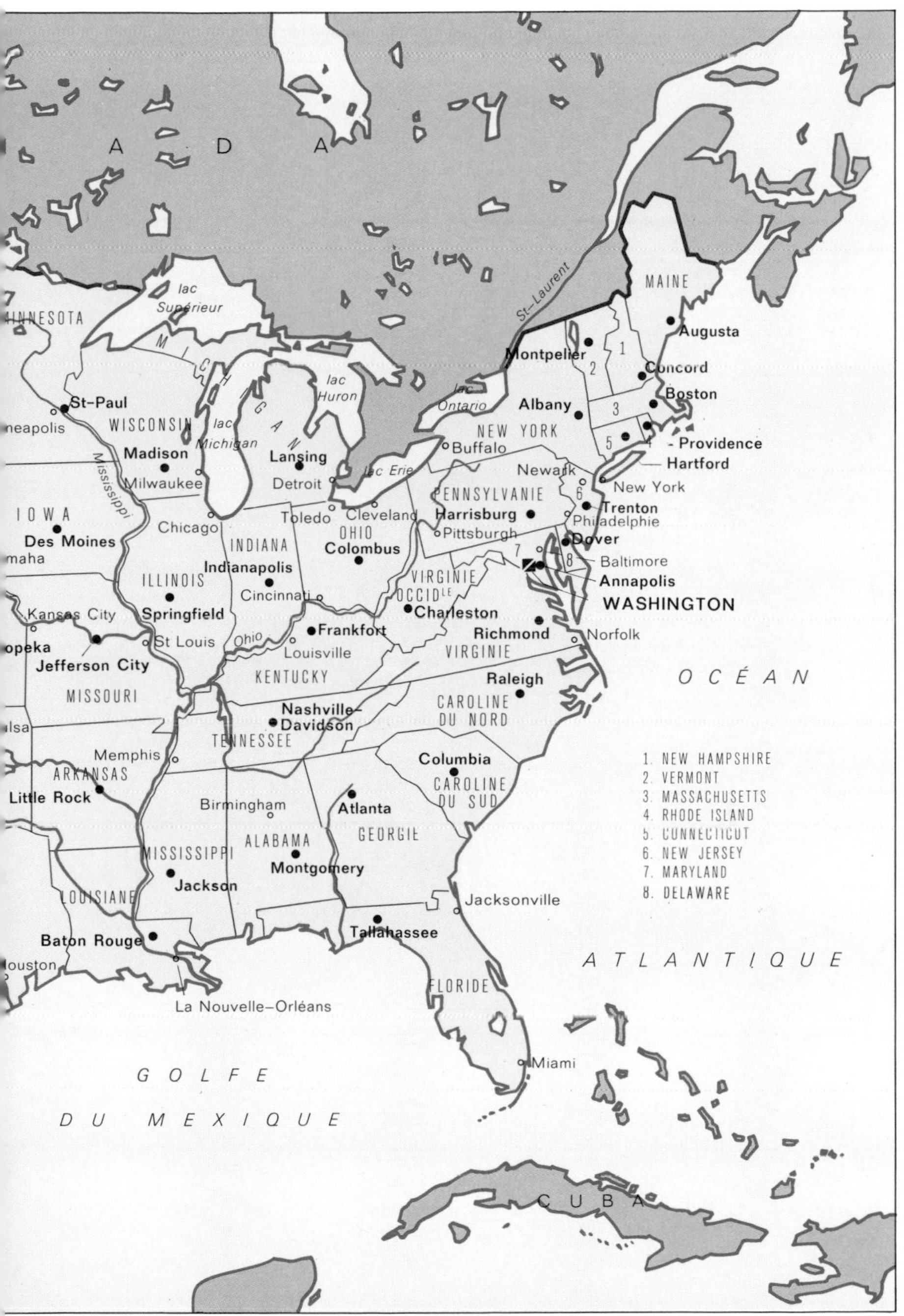

LES ÉTATS-UNIS DANS LA PREMIÈRE GUERRE MONDIALE

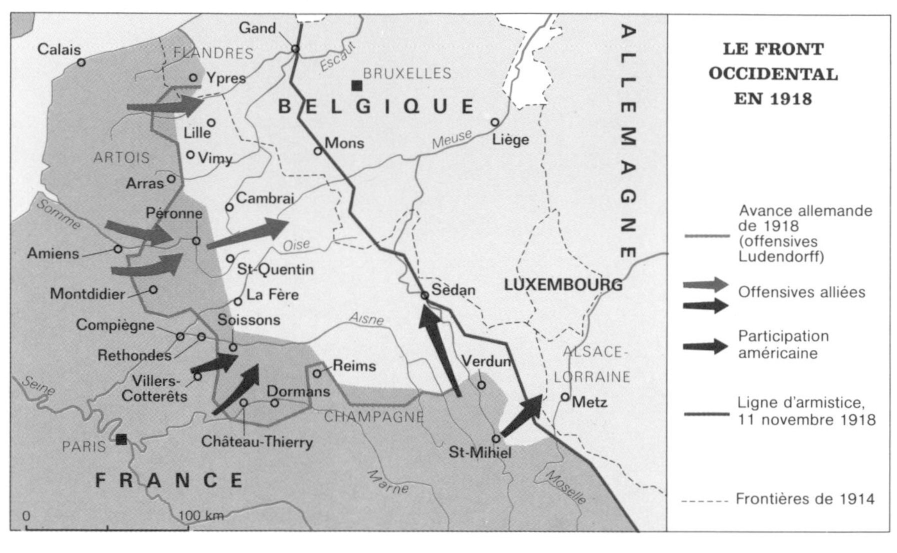

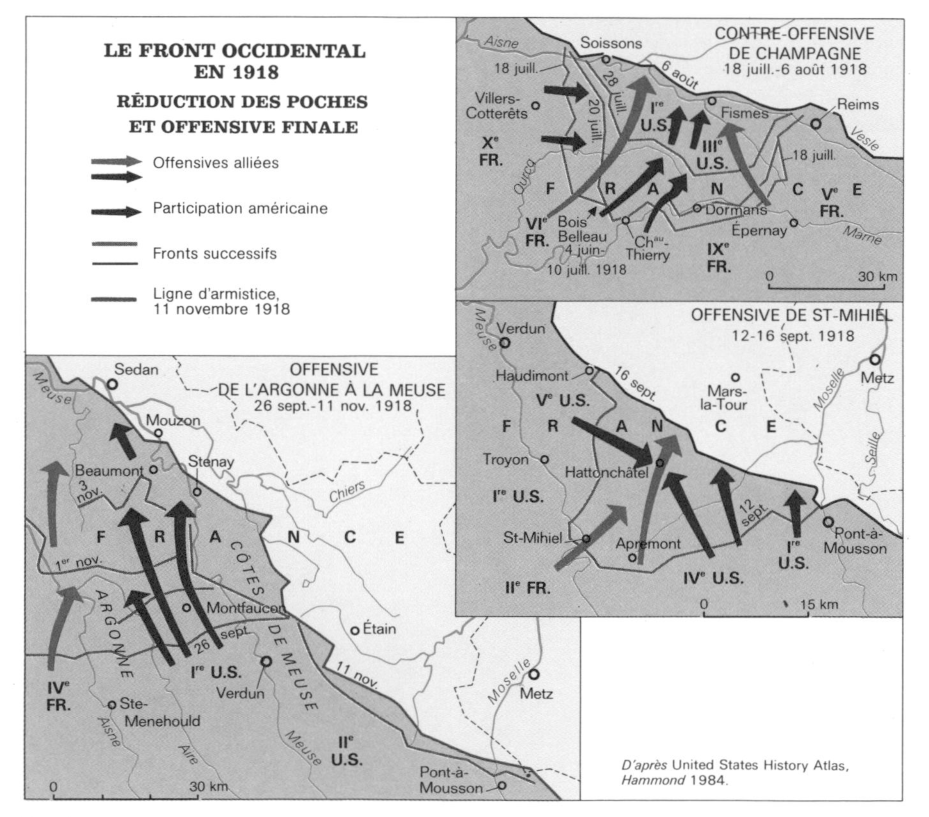

D'après United States History Atlas, *Hammond* 1984.

LES ÉTATS-UNIS DANS LA SECONDE GUERRE MONDIALE

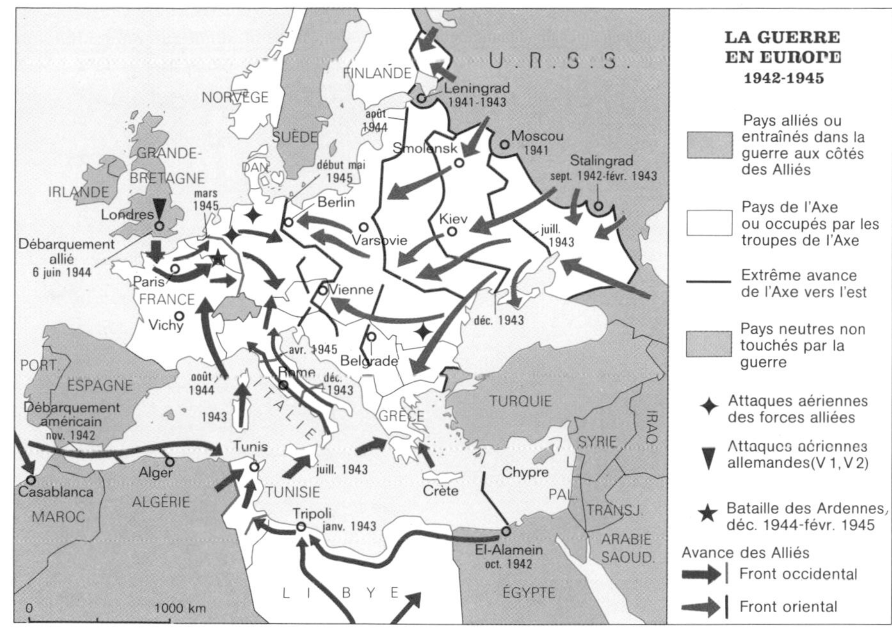

LA RECONQUÊTE DU PACIFIQUE (1941-1945)

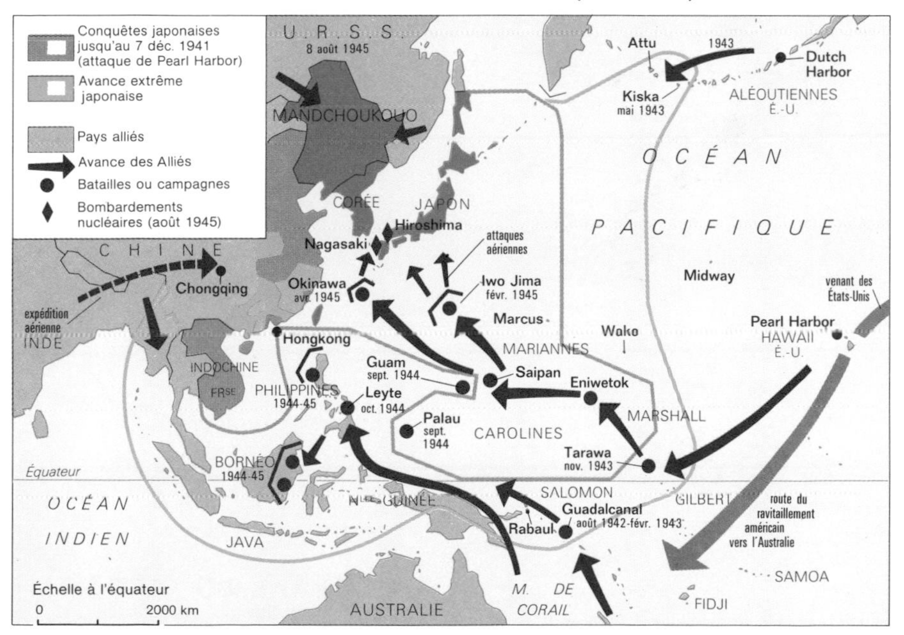

LA GUERRE DE CORÉE (1950-1953)

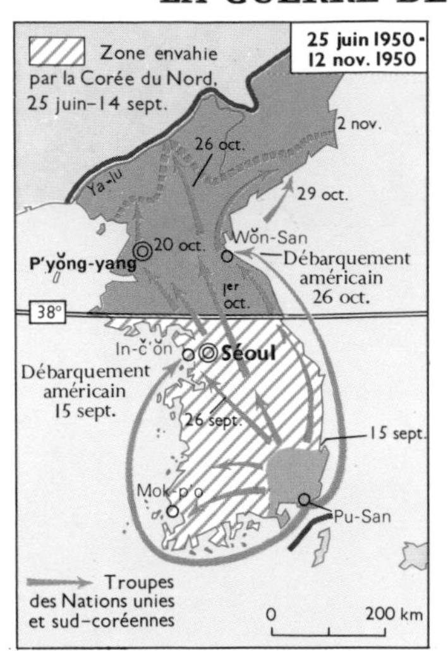
25 juin 1950 - 12 nov. 1950
Zone envahie par la Corée du Nord, 25 juin–14 sept.
Ya-lu
26 oct.
2 nov.
29 oct.
Wŏn-San
P'yŏng-yang
20 oct.
Débarquement américain 26 oct.
1er oct.
38°
In-č'ŏn
Séoul
Débarquement américain 15 sept.
26 sept.
15 sept.
Mok-p'o
Pu-San
Troupes des Nations unies et sud-coréennes
0
200 km

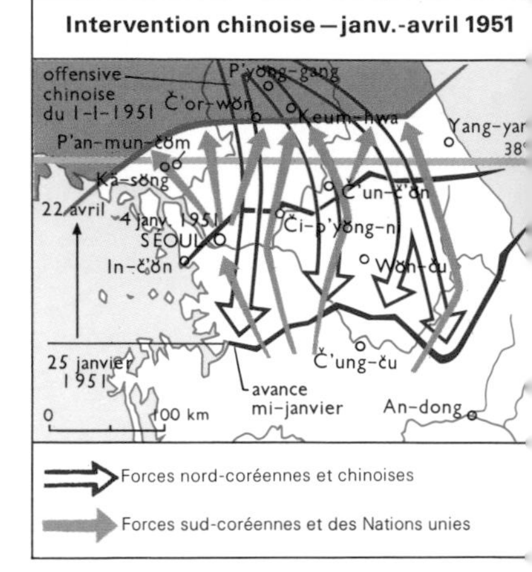
Intervention chinoise — janv.-avril 1951
offensive chinoise du 1-I-1951
P'yŏng-gang
Č'or-wŏn
Keum-hwa
P'an-mun-čŏm
Kä-sŏng
Č'un-č'ŏn
22 avril
4 janv. 1951
SÉOUL
In-č'ŏn
Wŏn-ču
25 janvier 1951
Č'ung-ču
avance mi-janvier
An-dong
0
100 km
Forces nord-coréennes et chinoises
Forces sud-coréennes et des Nations unies

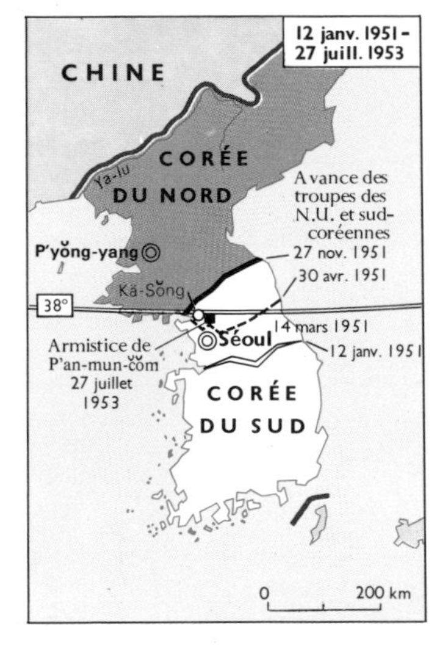
12 janv. 1951 - 27 juill. 1953
CHINE
CORÉE DU NORD
Ya-lu
Avance des troupes des N.U. et sud-coréennes
P'yŏng-yang
27 nov. 1951
30 avr. 1951
Kä-Sŏng
38°
14 mars 1951
Séoul
12 janv. 1951
Armistice de P'an-mun-čŏm 27 juillet 1953
CORÉE DU SUD
0
200 km

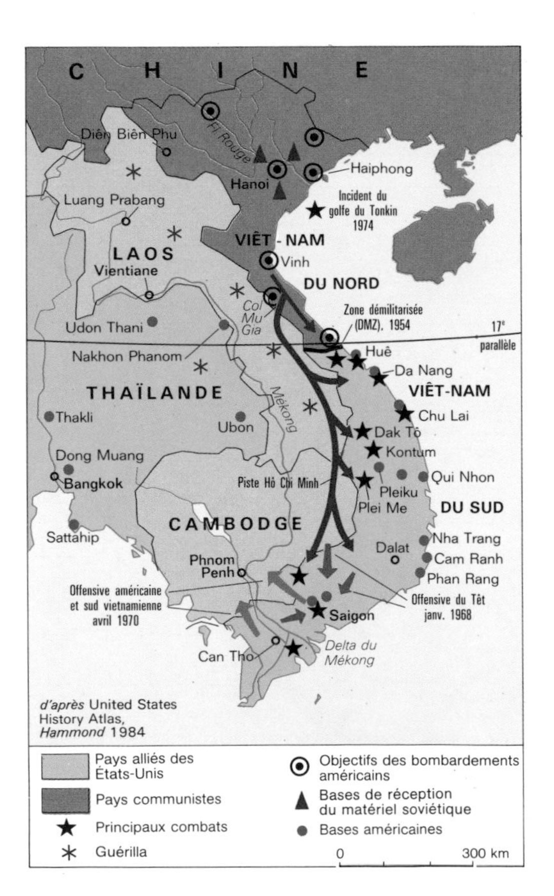
CHINE
Diên Biên Phu
Fl Rouge
Haiphong
Hanoi
Luang Prabang
Incident du golfe du Tonkin 1974
LAOS
VIÊT-NAM DU NORD
Vientiane
Vinh
Col Mu Gia
Udon Thani
Zone démilitarisée (DMZ), 1954
17e parallèle
Nakhon Phanom
Huê
Da Nang
THAÏLANDE
VIÊT-NAM DU SUD
Mékong
Thakli
Ubon
Chu Lai
Dak Tô
Kontum
Dong Muang
Bangkok
Piste Hô Chi Minh
Qui Nhon
Pleiku
Plei Me
CAMBODGE
Sattahip
Dalat
Nha Trang
Cam Ranh
Phnom Penh
Phan Rang
Offensive américaine et sud vietnamienne avril 1970
Offensive du Têt janv. 1968
Saigon
Can Tho
Delta du Mékong
d'après United States History Atlas, Hammond 1984
Pays alliés des États-Unis
Pays communistes
Principaux combats
Guérilla
Objectifs des bombardements américains
Bases de réception du matériel soviétique
Bases américaines
0
300 km

LA GUERRE DU VIÊT-NAM (1964-1975)

Chapitre XVII 1933

Franklin D. Roosevelt et le New Deal

Le capitalisme fut sauvé en huit jours.

Un conseiller de Roosevelt.

L'élection de Franklin Delano Roosevelt, gouverneur de l'État de New York, marque la fin de douze années de pouvoir républicain à la Maison-Blanche. Il gagne ces élections avec une majorité importante, 57 % du vote populaire, recueillant 22 809 638 voix contre 15 758 901 pour Herbert Hoover. Au sein du collège électoral, il obtient 427 mandats contre 59. Face à la crise, les Américains veulent un changement, mais prouvent par leur vote qu'ils souhaitent des solutions traditionnelles. Ils n'ont, en effet, donné que 882 000 voix au candidat socialiste, Norman Thomas, et 103 000 à William Foster, le candidat communiste.

« Je vous promets, je me promets une nouvelle donne *(a new deal)* pour le peuple américain », affirmait Roosevelt pendant sa campagne électorale.

En 1933, les États, les municipalités sont à court d'argent. Le temps de la charité individuelle est révolu. Devant l'ampleur de la crise, seul le gouvernement fédéral a les ressources nécessaires pour intervenir efficacement. Roosevelt sait qu'il faut agir au plus vite. Dès son entrée en fonction – qui n'a lieu que le 4 mars 1933 –, il obtient des pouvoirs exécutifs très élargis et prend une série de mesures sans précédent pour relancer l'économie, créer des emplois et aider les plus défavorisés.

Le New Deal ne forme pas un ensemble cohérent ; c'est une suite de réponses spécifiques et pragmatiques pour faire face aux besoins les plus urgents, pallier les carences les plus importantes, redonner de l'énergie à une économie en détresse.

Sur le plan international, les États-Unis entament une politique de « bon voisinage » *(good neighbor)*, avec les autres nations américaines, notamment avec l'Amérique latine.

Une Conférence économique, réunie à Londres, connaît un échec partiel en raison du désaccord entre les États-Unis et leurs partenaires européens, les premiers désirant relancer leur commerce extérieur en laissant fluctuer le dollar, alors que la priorité pour les Européens est clairement la stabilisation des taux d'échange des monnaies.

Vie politique et institutionnelle

1933

☐ **6 févr.** 20e amendement à la Constitution : l'entrée en fonction du président aura désormais lieu le 20 janvier ; au cas où le président viendrait à mourir auparavant, le vice-président assumera automatiquement ses fonctions.

☐ **15 févr.** Giuseppe Zangara tente d'assassiner le président à Miami. Exécuté le 20 mars.

☐ **4 mars** Entrée en fonction du président Roosevelt. John Nance Garner, vice-président.

☐ **9 mars** Ouverture du 73e Congrès. Vote de la loi d'urgence sur l'aide aux banques.

☐ **5 déc.** 21e amendement à la Constitution, mettant fin à la prohibition en abrogeant le 18e amendement.

Politique extérieure

1933

☐ **12 juin-27 juill.** Conférence sur l'économie internationale à Londres.

☐ **10 oct.** Rio de Janeiro : Conférence des États américains. Traité de non-agression, approuvé par le Sénat le 15 juin 1934.

☐ **16 nov.** Arrivée à Washington du ministre des Affaires étrangères soviétique, Maxim Litvinov, en vue d'une reprise des relations avec l'U.R.S.S.

☐ **Déc.** Montevideo : Conférence des États américains. « Aucun État n'a le droit d'intervenir dans les affaires intérieures ou extérieures d'un autre État. »

Économie et société

1933

☐ **1er janv.** 15 millions de chômeurs, soit 25 % de la population active.
Le taux des mariages a baissé de 40 % depuis les années 20.
L'espérance de vie est de 59 ans, 10 ans de plus qu'en 1900.

☐ **5 mars** Fermeture des banques pour 4 jours par décision du président Roosevelt.

☐ **20 mars** Loi sur l'économie *(Economy Act)* : réduit les salaires des employés fédéraux et les pensions des anciens combattants, et réorganise les administrations.

☐ **31 mars** Le Congrès crée le Corps civil pour la protection de l'environnement *(Civil Conservation Corps, CCC)*.

☐ **19 avr.** Le dollar n'est plus indexé sur l'or. Baisse immédiate.

☐ **12 mai** Loi sur les secours d'urgence *(Federal Emergency Relief Act)*, créant une administration chargée d'accorder des allocations aux États pour l'aide aux plus déshérités. Budget initial de 500 millions.
Loi sur l'agriculture *(Agricultural Adjustment Act)*, créant l'administration *(Agricultural Adjustment Administration, AAA)* chargée d'aider les agriculteurs qui limiteront leur production.

☐ **Mi-mai** Le dollar vaut 85 cents en valeur-or sur le marché international.

☐ **18 mai** Loi pour l'aménagement de la vallée du Tennessee *(Tennessee Valley Act)*, créant la *Tennessee Valley Authority*, pour la réalisation du programme.

☐ **27 mai** Loi sur la Bourse *(Federal Securities Act)* : toute émission d'actions ou d'emprunts devra être approuvée par le gouvernement fédéral.

NIRA (National Industrial Recovery Act), *16 juin 1933*

Cette loi est l'un des pivots du New Deal, première manière. Elle alloue un budget pour établir deux programmes : le *National Recovery Administration (NRA)* et le *Public Works Administration (PWA).*

Le *NRA* a pour objectif de stimuler la concurrence et d'encourager une collaboration constructive entre le gouvernement, les hommes d'affaires et les travailleurs.
Les industriels, réunis en groupes de travail, et en association avec le gouvernement, établiront des codes de concurrence loyale pour définir les limites réalistes de la production, décider des fourchettes de prix et du minimum des salaires et du temps de travail, et garantir les relations syndicales.
L'appartenance à ces groupes est facultative. Le NRA attribue une sorte de label de confiance, un aigle bleu, à ses membres pour que le public sache qui participe à l'Administration.
Le NRA rassemble très vite les firmes industrielles les plus importantes et obtient l'appui des organisations syndicales.
En quelques mois, plus de 500 firmes ont adopté les codes et environ 2 millions et demi d'ouvriers jouissent de conditions de travail améliorées.
Mais la bureaucratie s'alourdit et les codes s'avèrent trop complexes pour être appliqués vite et facilement. De plus, trop souvent, ils favorisent les grandes entreprises.
Les organisations syndicales sont vite désenchantées : le minimum pour les salaires a été placé trop bas, et les codes contournent les relations entre patronat et ouvriers, permettant aux patrons de créer des organismes syndicaux internes.
Dès la fin de l'année 1933, ce programme est critiqué ; en mai 1935, la Cour suprême déclare le NRA inconstitutionnel.

Le *PWA*, sous la direction du secrétaire de l'Intérieur, Harold Ickes, met sur pied des projets de travaux publics. De grands projets sont réalisés dans le cadre de ce programme – le barrage de Grand Coulée, dans l'État de Washington, le pont Triborough à New York, la construction d'écoles – qui a un succès réel, mais limité, car il ne réussit pas à employer autant de chômeurs qu'on l'avait espéré.

CCC (Civil Conservation Corps)

Conçu par Roosevelt et établi grâce à la loi sur l'aide au reboisement du 31 mars 1933.
Deux objectifs : l'embauche ; la protection et l'entretien des ressources naturelles.
À partir du mois de juin, des camps d'accueil sont construits en pleine nature et 300 000 jeunes gens de 18 à 25 ans s'y installent.
Ils reçoivent 30 dollars par mois, 45 pour les chefs de chantier, 36 pour leurs adjoints. Ils sont logés, nourris, habillés. Ils reçoivent une formation gratuite et peuvent terminer leur scolarité. Les soins médicaux sont gratuits. Ce sont des volontaires, qui servent de 6 mois à 2 ans.
À la fin du programme, début 1942, plus de 2 millions et demi de jeunes ont été employés. Ils ont participé à des projets de reboisement et de nettoiement et au contrôle de l'érosion des sols. Ils ont combattu incendies et inondations, construit des routes et des pistes, des refuges de montagne et des terrains de camping.

☐ **6 juin** Loi sur l'emploi *(National Employment System Act)*, créant un service pour l'emploi qui coopérera avec les États.

☐ **13 juin** Loi de réforme sur le financement des logements *(Home Owners Refinancing Act)*, créant la *Home Owners Loan Corporation, HOLC,* destinée à aider les propriétaires.

☐ **16 juin** Après 100 jours de délibération, le 73e Congrès adopte une série de lois :

loi sur le relèvement industriel *(National Industrial Recovery Act, NIRA)*, créant le *Public Works Administration (PWA)* et le *National Recovery Administration (NRA)*, les deux éléments essentiels du programme de relance du président ;

loi sur le crédit rural *(Farm Credit Act)*, prévoyant des prêts aux agriculteurs à des taux d'intérêts modérés ;

loi bancaire *(Banking Act)*, établissant la *Federal Bank Deposit Insurance Corporation (FDIC)*, société fédérale d'assurances sur les dépôts de banque jusqu'à 5 000 dollars.

☐ **21 juin** La confédération syndicale du travail *(American Federation of Labor, AFL)* annonce une reprise de l'embauche. 1 500 000 de ses membres ont retrouvé un emploi.

☐ **5 août** Ouverture du Bureau national du travail *(National Labor Board)*, prévu par le *NIRA.* Sous la direction du sénateur Robert F. Wagner, ce service devra assurer les droits syndicaux et tranchera en cas de litige entre syndicat et patronat.

☐ **Sept.** À la rentrée, 2 000 écoles et quelques universités sont restées fermées. 200 000 enseignants sont au chômage ; environ 2 300 000 enfants ne vont pas à l'école.

☐ **Oct.** Le dollar a perdu 30 % de sa valeur.

Indicateurs économiques pour 1933

1933	Production industrielle *	Emploi *	Salaires *	Prix de gros **
Mars	56	58,8	37,1	60,2
Avril	65	59,9	38,8	60,4
Mai	77	62,6	42,7	62,7
Juin	93	66,9	47,2	65
Juillet	101	71,5	50,8	68,9
Août	91	76,4	56,8	69,5
Sept.	83	80	59,1	70,8
Oct.	65	79,6	59,4	71,2

* Moyenne mensuelle 1923-1925 = 100
** Moyenne pour 1926 = 100

D'après A.S. Link et W.B. Catton, *American Epoch, Vol. 1, 1900-1945,* New York, Alfred A. Knopf, 5e éd., 1980.

☐ **20 oct.** L'*AFL (American Federation of Labor)* demande le boycott de tout produit fabriqué en Allemagne pour protester contre la politique du nouveau régime nazi vis-à-vis de l'action syndicale.
La semaine de cinq jours devient officielle.

☐ **25 oct.** Le président autorise l'achat d'or à 31,36 dollars l'once, alors que son prix était de 29,80. (Le dollar s'en trouve dévalué.)

☐ **8 nov.** Création de l'administration des travaux publics légers *(Civil Works Administration)*, sous la direction de Harry Hopkins. Budget initial de 400 millions. Objectif prioritaire : créer 4 millions de nouveaux emplois.

Sciences et technologie

1933 Edwin Armstrong développe les modulations de fréquence (FM) en radio.
Farnsworth invente un récepteur de télévision électronique.
Thomas Hunt Morgan découvre le rôle des chromosomes dans l'hérédité ; il reçoit le prix Nobel de physiologie et de médecine.

☐ **23 juill.** L'aviateur Wiley Post atterrit à New York après avoir fait le premier tour du monde en solitaire. Il a mis 7 jours et 19 heures avec une moyenne de 200 km/h et s'est arrêté dix fois pour se réapprovisionner en carburant.

Civilisation et culture

1933 Erskine Caldwell : *le Petit Arpent du Bon Dieu.*

☐ **17 oct.** Fuyant la vague d'antisémitisme de l'Allemagne hitlérienne, Albert Einstein et sa femme se réfugient aux États-Unis.

☐ **6 déc.** Le juge John Woolsey lève la censure prononcée contre *Ulysse,* œuvre de l'Irlandais James Joyce.

Biographies

Roosevelt, Franklin Delano (1882-1945). Né le 30 janvier 1882, dans l'État de New York, dans une famille de la haute bourgeoisie, Franklin D. Roosevelt, cousin et neveu par alliance de Théodore Roosevelt, fait des études de droit à l'université Columbia, d'où il sort diplômé en 1907. En 1910, il est élu sénateur démocrate de l'État de New York, puis, de 1913 à 1921, secrétaire adjoint à la Marine. En 1920, le parti démocrate présente James Cox à la présidence ; il est colistier. Ils sont battus par les républicains. En 1921, atteint de poliomyélite, il reste paralysé des deux jambes. Il est gouverneur de l'État de New York de 1928 à 1933. Il s'illustre alors par un ensemble de mesures sociales. Pendant la crise, il s'entoure d'une équipe de conseillers brillants, le « Brain Trust », qui le suivra à la Maison-Blanche. Président en 1932, c'est un homme politique expérimenté. Durant son premier mandat, il lutte contre la crise. Au cours de son deuxième mandat, sa politique intérieure rencontre une certaine opposition ; puis les exigences de la situation économique laissent le pas au danger de la guerre. Réélu en 1940, il engage irrémédiablement son pays, traditionnellement isolationniste, dans la Seconde Guerre mondiale ; sa réélection en 1944 prouve combien le pays le suivait dans cette décision. Usé par la vie politique, il meurt le 12 avril 1945 en

Géorgie. Cet homme élégant et plein de charme fut un président énergique et un habile politique, qui sut renforcer le pouvoir fédéral.

Hopkins, Harry (1890-1946). Né dans l'Iowa, le 17 août 1890, il se tourne, ses études terminées, vers les problèmes sociaux. En 1931, Roosevelt le nomme directeur du Service d'aide sociale de l'État de New York. Il met sur pied un programme qui viendra en aide à plus d'un million d'individus touchés par la crise. Devenu président, Roosevelt le nomme directeur de la *Federal Emergency Relief Administration,* service qui doit créer des programmes d'aide d'urgence aux plus défavorisés. Il se lance alors dans une action ambitieuse et coûteuse, qui crée des emplois, mais est fortement critiquée. En 1938, il est secrétaire au Commerce. Il accompagne désormais le président aux grandes conférences internationales. Il abandonne son poste en 1940 pour raison de santé, mais demeure aux côtés du président. Avec Truman, il travaille à l'élaboration des Nations unies. Sa santé le force à abandonner la scène politique en 1945, un an avant sa mort.

Perkins, Frances (1880-1965). Première femme membre d'un gouvernement et l'une des activistes les plus ardentes au service des relations entre le gouvernement et les organisations syndicales. Ses études terminées, elle travaille pour des organisations sociales et philanthropiques. En 1912, elle s'emploie à faire passer un projet de loi pour l'amélioration des conditions de travail des femmes et des enfants. Elle s'associe au politicien new-yorkais Al Green pour la réforme des conditions de travail en usine, puis devient la collaboratrice du gouverneur Roosevelt. Ce dernier, devenu président, la nomme au département du Travail. Elle développe son ministère et crée la *Division of Labor Standards,* qui établit un code du travail. Elle collabore à la préparation de la loi sur la sécurité sociale *(Social Security Act)* de 1935 et à celle de la loi sur le travail *(Fair Labor Standards Act)* de 1938. Le bon sens est la qualité principale de cette pionnière. Avec l'entrée des États-Unis dans la guerre, son rôle dans la vie politique perd de son importance. Elle abandonne son poste en 1945. Un an plus tard, elle publie un livre sur ses relations avec Roosevelt, intitulé *The Roosevelt I Knew.* Elle se consacre à l'écriture et à l'enseignement jusqu'à sa mort, en 1965.

Bibliographie

D. Artaud, *l'Amérique en crise* (Armand Colin, 1987).

A. Kaspi, *Franklin Roosevelt* (Fayard, 1988).

Chapitre XVIII 1934 - 1936

Le New Deal, deuxième acte

Aussi traditionnels qu'aient pu paraître les mots par lesquels le New Deal s'exprimait, ce fut véritablement une révolution dans le domaine des idées, des institutions et des actions, lorsqu'on le compare au monde politique et social qui avait précédé.

Carl N. Degler, *Out of Our Past,* 1970.

Au cours de l'année 1933, le New Deal s'était composé de mesures d'urgence pour sauvegarder la structure capitaliste. La deuxième phase, qui s'amorce dès le début de l'année 1934, dénote un plus grand souci de justice sociale, et cela malgré les critiques qui commencent à se faire entendre.

Les mesures de 1933 ont déjà porté leurs fruits : en 1934, il y a 4 millions d'emplois en plus par rapport à l'année précédente, et moins de faillites. Le pouvoir d'achat des ouvriers de l'industrie a augmenté de 25 % ; les prix sur les produits agricoles ont sensiblement augmenté. 1935 est marquée par les luttes syndicales. Le New Deal subit des attaques de la droite comme de la gauche. Le 27 mai 1935, le fameux « Lundi noir », en déclarant le NIRA inconstitutionnel la Cour suprême apporte un argument supplémentaire à l'opposition de la droite, qui accuse le New Deal d'anti-américanisme. Cependant, l'adoption de la loi sur la sécurité sociale fait date : pour la première fois, le gouvernement fédéral reconnaît sa responsabilité vis-à-vis du monde du travail et des individus dans le besoin.

L'année 1936 s'achève par le triomphe incontesté du président sortant aux présidentielles. Il l'emporte dans tous les États sur son adversaire républicain, Alfred Landon, sauf dans le Maine et le Vermont. Roosevelt recueille 27 752 869 voix, 5 millions de plus qu'aux élections de 1932, et 531 mandats du collège électoral.

Sur le plan international, la situation en Europe est extrêmement inquiétante. Elle mobilisera les enthousiasmes. Mais malgré l'inquiétude causée par la montée de l'hitlérisme et les poussées fascistes, l'Amérique demeure résolument neutraliste. D'autant plus que l'on a publié, en 1934, le rapport de l'enquête sur l'entrée en guerre des États-Unis en 1917, entreprise deux ans plus tôt par la Commission sénatoriale sous la direction de Gerald Nye. Ternes conclusions : les fabricants de munitions, en quête d'énormes profits, apparaissent

comme les véritables responsables de l'entrée en guerre de États-Unis. Ce rapport est à l'origine des trois lois sur la neutralité votées coup sur coup. Par ailleurs, en Extrême-Orient, un conflit se développe, dû à l'expansionnisme du Japon, qui quitte la Société des Nations en 1936.
Cet organisme semble avoir désormais perdu tout pouvoir, toute efficacité.

Vie politique et institutionnelle

1935

☐ **27 mai** La Cour suprême condamne le NIRA et l'AAA. C'est le début d'un conflit entre la Cour suprême et Roosevelt.

1936

☐ **3 nov.** Élections présidentielles : Roosevelt est réélu.

Politique extérieure

1934

☐ **24 mars** Loi Tydings-McDuffie établissant l'indépendance des Philippines.

☐ **29 mai** Traité avec Cuba établissant son indépendance.

☐ **12 juin** Loi sur les relations commerciales *(Reciprocal Trade Agreement Act)* autorisant le président à négocier des accords commerciaux internationaux sans l'accord du Sénat.

☐ **29 déc.** Le Japon dénonce le traité naval de Washington de 1922 et celui de Londres de 1930, et déclare qu'il s'en dégagera en décembre 1936.

1935

☐ **31 août** Première loi sur la neutralité. Elle interdit toute expédition de munitions et d'armes à une nation en guerre et recommande aux Américains de ne pas voyager à bord d'un bâtiment appartenant à un belligérant. L'embargo sur les armes est voté jusqu'au 1er mars 1936.

☐ **5 oct.** Roosevelt proclame l'état de guerre entre l'Italie et l'Éthiopie.

☐ **9 déc.** Deuxième Conférence navale de Londres, pour contrôler l'expansion des forces navales dans le monde. Elle interdit au Japon de développer une puissance navale égale à celle des États-Unis ou de la Grande-Bretagne ; le Japon quitte la conférence.

1936

☐ **29 févr.** 2e loi sur la neutralité : elle prolonge la validité de la 1re loi jusqu'au 1er mai 1937 et ajoute l'interdiction de tout prêt ou crédit à un État en guerre.

☐ **25 mars** Alliance tripartite des États-Unis, de la Grande-Bretagne et de la France, pour contrôler leur propre puissance navale.

☐ **7 août** Déclaration officielle des États-Unis : ils n'interviendront pas dans la guerre civile en Espagne.

Économie et société

1934

☐ **30 janv.** Loi sur les réserves d'or *(Gold Reserve Act)*, donnant au président le droit de fixer la valeur du dollar par rapport à l'or. L'or détenu jusque-là par les banques fédérales de réserves sera transféré au Trésor. Le gouvernement contrôle désormais la valeur du dollar.

☐ **31 janv.** Le président fixe le dollar à 59,06 cents et l'or à 35 dollars l'once. Loi de financement des prêts aux agriculteurs *(Farm Mortgage Refinancing Act)*, créant une agence qui viendra en aide aux agriculteurs dans l'incapacité de rembourser leurs prêts bancaires. Prêts à des taux privilégiés.

☐ **2 févr.** Création de la Banque import-export de Washington, pour encourager le commerce international.

☐ **15 févr.** Loi sur l'aide d'urgence et les travaux publics *(Civil Works Emergency Relief Act)*, allouant des fonds pour les nouveaux programmes de travaux publics et pour une assistance directe, sous la gestion de la Federal Emergency Administration.

☐ **23 févr.** Loi sur les prêts pour les récoltes *(Crop Loan Act)*.

☐ **15 mars** Pour prouver sa confiance dans l'économie, Henry Ford remonte le salaire minimal à 5 dollars par jour pour 47 000 de ses 70 000 employés.

☐ **7 avr.** Loi Jones-Connally sur l'aide aux agriculteurs, allongeant la liste des produits agricoles contrôlés par l'AAA.

☐ **28 avr.** Loi sur les prêts aux propriétaires, en complément du *Home Owners Refinancing Act* de 1933, pour relancer la construction de maisons individuelles.

☐ **10-11 mai** Une tornade traverse les États de Texas, Oklahoma, Arkansas, Kansas et Colorado, appauvrissant les terres cultivables. Les agriculteurs abandonnent en grand nombre leur exploitation et se dirigent vers l'ouest, notamment la Californie.

☐ **6 juin** Loi sur la Bourse *(Securities Exchange Act)*, créant la *Securities Exchange Commission (SEC)* pour contrôler toutes les opérations boursières. Son directeur se nomme Joseph Kennedy.

☐ **12 juin** Loi sur les saisies des fermes hypothéquées *(Farm Mortgage Foreclosure Act)* prévoyant des prêts aux agriculteurs menacés de saisie.

Indicateurs économiques de 1934 à 1936

D'après Jim Potter, *The American Economy Between the World Wars* (New York, John Wiley & Sons, 1974, cité dans A. Kaspi, *les Américains* (Le Seuil, 1986, vol. 1).

	1934	1935	1936
Produit national brut			
– indice	76	83	95
– par tête	73	80	91
Emploi			
– population active au travail (millions)	40,9	42,3	44,4
– indice	86	89	93
– chômeurs (millions)	11,3	10,6	9
– chômeurs (%)	21,6	20	16,8
Industrie			
– indice de production	71	82	95

☐ **18 juin** Loi Wheeler-Howard, pour la réorganisation des territoires indiens, prévoyant la restitution, aux différentes tribus, de terres qui ont été mises en vente.

☐ **19 juin** Loi sur les communications *(Communications Act)*, créant la Commission fédérale *(Federal Communications Commission, FCC)* pour superviser les communications nationales et internationales par radio, télégraphe et téléphone.
Loi sur l'achat d'argent-métal *(Silver Purchase Act)*, autorisant le président à augmenter les réserves d'argent du Trésor à concurrence d'un tiers de la valeur des réserves en or. Le président peut aussi nationaliser les mines d'argent.

☐ **28 juin** Loi Frazier-Lemke sur les faillites *(Federal Bankruptcy Act)*, établissant un moratoire sur les saisies en milieu rural.
Loi sur le logement *(National Housing Act)*, créant l'organisme du logement *(Federal Housing Administration, FHA)*, pour aider au financement de travaux de réparation ou d'agrandissement et encourager la construction.

☐ **16 juill.** 12 000 membres du syndicat des dockers *(International Longshoremen's Association)* se mettent en grève et lancent de San Francisco un appel à la grève générale ; début de l'agitation sociale.

☐ **9 août** Roosevelt nationalise l'argent-métal et fixe son cours à 50,01 cents l'once.

1935

☐ **8 avr.** Loi d'allocation de prêts d'urgence *(Emergency Relief Appropriation Act)* débloquant 5 milliards de dollars pour allocations immédiates et, à plus longue échéance, pour une relance de l'emploi. Le programme principal est le *Works Progress Administration (WPA)*.

☐ **11 mai** Le président forme une administration pour le plan d'électrifi-

WPA (Works Progress Administration)

Programme établi par la loi du 8 avril 1935, l'*Emergency Relief Appropriation Act*. Placé sous la direction d'Harry Hopkins, le WPA vise à employer des chômeurs pour faciliter leur réinsertion dans la société.
Il fonctionne du 6 mai 1935 au 4 décembre 1942. Dans leur ensemble, les projets relèvent du domaine des travaux publics légers, laissant les plus importants au PWA (Public Works Administration). Le WPA agit aussi dans le domaine des arts, produisant spectacles, concerts, expositions pour aider les artistes.
Il emploie des femmes et des Noirs (1 million en 1939). Une antenne pour les jeunes est également créée : le *NYA* (*National Youth Administration*), qui place à mi-temps écoliers et étudiants.
En 1939 le WPA devient *Works Projects Administration*. Accusé d'employer les chômeurs à des travaux inutiles, critiqué pour son administration trop lourde, l'organisme est supprimé en 1942, au moment où le redressement économique est amorcé et où l'embauche a repris du fait de la guerre.
En réalité, le défaut du WPA ne fut pas, comme le dirent les critiques, de trop dépenser, mais, au contraire, de trop peu agir. Il n'a en effet jamais fourni plus de 3 millions d'emplois : il en aurait fallu 10 millions.

cation en zone rurale *(Rural Electrification Administration)*, qui accordera des prêts à des projets en ce domaine.

□ **5 juill.** Loi Wagner-Connery sur les relations ouvrières *(National Labor Relations Act)*, créant le Bureau national des relations ouvrières *(National Labor Relations Board, NLRB)* ; celui-ci remplace le National Labor Board de 1933, qui n'a pu soutenir les organisations syndicales. Le *NLRB* ne sera pas plus efficace.

□ **14 août** Loi sur la sécurité sociale *(Social Security Act)*, instituant un programme de compensations pour les retraités de 65 ans et les chômeurs.

□ **9 nov.** John L. Lewis, président de l'Union des mineurs *(United Mine Workers)*, enclave de l'*AFL*, prend la tête d'une nouvelle confédération syndicale, le *Committee For Industrial Organization (CIO)*.

1936
□ **30 déc.** L'union des ouvriers de l'industrie automobile *(United Auto Workers, UAW)* entame une grève sur le tas dans une usine de la General Motors au Michigan ; elle durera jusqu'au 11 février 1937.

Sciences et technologie

1934 □ **11 janv.** L'aviatrice Amelia Earhart s'envole d'Honolulu pour atterrir à Oakland (Californie) 16 heures plus tard : premier vol en solo réalisé par une femme.

□ **23 mai** Le chimiste Wallace Carothers invente une fibre synthétique de haute résistance, qu'il nomme « polymer 66 » ; on l'appellera par la suite « Nylon ».

1935 Premier appareil portable pour mal-entendants ; il pèse plus d'un kilo. Premier avion commercial pour le transport des voyageurs : le DC3, à cabine chauffée et isolée. La traversée des États-Unis sans escale se fait en 15 heures.

1936 Construction du Hoover Dam, barrage sur la rivière Colorado à Boulder City (Nevada) : le plus haut barrage des États-Unis. Le lac Mead est ainsi formé.
Le pilote Howard Hughes établit un record de vitesse pour la traversée des États-Unis en avion.
Premiers vols expérimentaux en hélicoptère.
Découverte de l'éclairage fluorescent.
Mise au point du « cœur artificiel ».

Civilisation et culture

1934 Shirley Temple fait ses débuts au cinéma □ L'Association catholique pour la défense des mœurs *(Catholic Legion of Decency)* institue une censure des films et un Code de moralité pour le cinéma □ On aménage l'île d'Alcatraz en prison de haute sécurité. Les hors-la-loi Bonnie Parker et Clyde Barrows sont abattus en Louisiane.

1935 John Steinbeck : *Tortilla Flat,* premier succès commercial de l'écrivain.

□ **1er mai** 300 volontaires partent vivre en Alaska pour y faire de l'élevage et développer le territoire.

□ **10 oct.** Première de l'opéra *Porgy and Bess* de George Gershwin ; c'est le premier opéra de tradition purement américaine.

1936 Margaret Mitchell : *Autant en emporte le vent.*

□ **12 nov.** Eugene O'Neill reçoit le prix Nobel de littérature.
Sortie du numéro 1 du magazine *Life.*

Biographies

Roosevelt, Eleanor (1884-1962). La plus active et la plus engagée des « premières dames ». Née dans l'aristocratie américaine, elle se lance dans l'action sociale dès la fin de ses études, dans les quartiers pauvres de New York. Elle épouse en 1905 un étudiant, Franklin Roosevelt. Ils auront 6 enfants. Pendant la Grande Guerre, elle travaille pour la Croix-Rouge. On la retrouve, dans les années 20, œuvrant dans des associations féminines. À partir de la maladie de son mari, elle sera de plus en plus présente. Elle aimait à dire qu'à côté de son mari, l'homme politique, elle était l'agitateur. Elle donne son énergie à des causes multiples, les déshérités, les femmes, les minorités raciales, les droits des ouvriers. Elle anime une émission quotidienne à la radio, rédige des éditoriaux pour la presse, écrit des livres, dont le plus célèbre, *This Is My Story,* paraît en 1937. On l'accusera d'avoir trahi sa classe sociale. Déléguée à l'O.N.U. de 1945 à 1952, elle participe à l'élaboration de la Déclaration internationale des droits de l'homme. À la même époque, elle soutient la création de l'État d'Israël. Elle est, dans les années 50, ambassadrice extraordinaire. Dans le conflit de la Guerre froide, elle se prononce en faveur d'un dialogue avec l'U.R.S.S.. Elle meurt en 1962.

Long, Huey (1893-1935). Personnage haut en couleur et très paradoxal. Fils d'agriculteurs, il a par son milieu et son éducation une aversion pour la classe privilégiée. Après ses études secondaires, il se fait voyageur de commerce, étudie le droit, devient avocat. Il se lance alors dans la politique. En 1928, il est gouverneur démocrate de la Louisiane. Il défie l'opinion par une corruption qu'il ne cherche pas à cacher. Mais il a un programme social très avancé. En 1930, il est élu sénateur. Excellent orateur, il s'adresse aux gens simples. Son programme : faire disparaître la misère par le partage des fortunes. C'est pendant cette période qu'il acquiert son surnom de *Kingfish* (Caïd). En 1932, il apporte son soutien à Roosevelt, mais devient l'un de ses critiques les plus violents lorsque celui-ci refuse son programme de redistribution des fortunes. Par la suite, c'est souvent sous la pression qu'il exerce que le gouvernement Roosevelt accélère sa politique sociale. Il crée des clubs, qui diffusent ses idées ; il déclarera en 1935 qu'il en existe 27 000 dans le pays. Dans son État de Louisiane, il renforce son pouvoir d'une façon jusque-là inégalée. En août 1935, il annonce sa candidature aux présidentielles. Mais il meurt assassiné, le 10 septembre 1935, en Louisiane.

Bibliographie

C. Fohlen, *l'Amérique de Roosevelt* (Paris, Imprimerie nationale, 1982).

J. Steinbeck, *les Raisins de la colère.*

Chapitre XIX 1937-1938

Le New Deal en déclin

Lorsqu'une épidémie commence à s'étendre, la communauté fait bloc pour faire une quarantaine, afin de protéger de la maladie la santé de ses membres. [...] La guerre est une épidémie, qu'elle soit déclarée ou non. Elle peut engloutir des États et des peuples éloignés du théâtre des hostilités. Nous sommes déterminés à rester en dehors de la guerre, cependant nous ne pouvons nous protéger contre ses effets désastreux et les dangers de la participation. Nous adoptons des mesures propres à minimiser notre risque de participation, mais nous ne pouvons espérer une protection complète dans un monde de désordre dans lequel la confiance et la sécurité ont été détruites.

Franklin D. Roosevelt, discours prononcé à Chicago, oct. 1937.

Cette période est marquée par une récession économique qui entraîne un nouvel effort du gouvernement. La fin de l'année 1938 voit un redressement de la situation. Mais le New Deal ne mobilise plus les enthousiasmes. Les forces du conservatisme au sein des deux principaux partis font bloc pour résister à son expansion. Roosevelt essaie de rééquilibrer les pouvoirs en sa faveur. Il entreprend, par exemple, de remplacer « les Neuf Vieillards » de la Cour suprême, au fur et à mesure des départs à la retraite et des décès, par des libéraux plus en harmonie avec ses objectifs. Aux élections de mi-parcours de novembre 1938, les démocrates reculent nettement devant les républicains.
La situation internationale est dramatique : la guerre civile continue en Espagne, l'Allemagne, réarmée, envahit l'Autriche, l'Italie quitte la Société des Nations après que cette dernière eut voté contre son intervention en Éthiopie, le Japon mène contre la Chine une guerre non déclarée. Tous ces événements réveillent l'ancienne querelle entre les partisans d'un isolationnisme sans compromis et ceux qui se prononcent en faveur d'une prise de position et d'une intervention limitée des États-Unis pour rétablir l'ordre et le bon droit.

Vie politique et institutionnelle

1937

□ **20 janv.** Début du 2e mandat de Roosevelt. « Je vois un tiers de la nation mal logé, mal vêtu et mal nourri. »

□ **5 févr.** Roosevelt propose au Congrès de réorganiser la Cour suprême, en augmentant le nombre des juges. Il est aussitôt accusé de vouloir manipuler la Cour en sa faveur *(packing the Court)*, et de détourner la Constitution pour renforcer le pouvoir exécutif. Refus du Congrès.

□ **1er mars** Loi sur la mise à la retraite des juges de la Cour suprême *(Supreme Court Retirement Act)* : les juges fédéraux pourront prendre leur retraite à 70 ans et continueront à recevoir leur plein salaire (après 10 ans de service).

□ **12 août** Roosevelt nomme un libéral, Hugo Black, à la Cour suprême pour remplacer le juge Van Devanter. Avec cette nomination, la Cour penche en faveur du New Deal ; mais le fait que Black ait appartenu au Ku Klux Klan fait scandale.

1938

□ **26 mai** Création de la Commission de la Chambre sur les activités anti-américaines *(House Committee to Investigate Un-American Activities, HUAC)*, pour traquer les radicaux de droite comme de gauche. Dans la pratique, ses activités se concentreront surtout à gauche.

Politique extérieure

1937

□ **6 janv.** Résolution du Congrès interdisant l'envoi d'armes et de munitions à l'un ou à l'autre des adversaires dans la guerre civile d'Espagne.

□ **1er mars** Accord sur les relations commerciales *(Reciprocal Trade Agreement)* prolongeant la loi de 1934 jusqu'en 1940.

□ **1er mai** 3e loi sur la neutralité, rendant permanentes les décisions prises dans les deux premières lois, de 1935 et 1936, mais introduisant la clause « cash and carry » pour une période de deux ans : les Américains pourront vendre des armes aux belligérants (à l'exclusion des munitions) à condition que ceux-ci paient comptant (cash) et se chargent du transport (carry).

□ **14 sept.** Par ordre du président, les navires américains reçoivent l'interdiction de livrer des armes à la Chine et au Japon.

□ **12 déc.** La canonnière américaine *Panay* coulée par des avions japonais sur le Yang-Tseu ; le 14 décembre, excuses officielles du Japon, qui s'engage à verser une indemnité.

1938

□ **3 janv.** Dans son message au Congrès, le président évoque le besoin de la nation de se défendre.

□ **28 janv.** Recommandation du président au Congrès pour établir un budget de défense nationale.

□ **31 mars** Herbert Hoover lance un avertissement contre toute intervention en Europe pouvant conduire à la guerre.

□ **17 mai** Loi sur le développement de la Marine *(Naval Expansion Act)* pour augmenter la puissance navale sur une période de dix ans.

□ **27 sept.** Messages du président à la Grande-Bretagne, la France, l'Allemagne et la Tchécoslovaquie, leur demandant de trouver une issue pacifique à la crise en Tchécoslovaquie. Les accords de Munich, le 29 septembre, représentent une capitulation face à Hitler. Une enquête aux États-Unis montre que les Américains en majorité approuvent ces accords.

□ **14-18 nov.** L'ambassadeur américain en Allemagne est convoqué à Washington pour informer le président du traitement des Juifs en Allemagne nazie. D'où, rappel en Allemagne de l'ambassadeur allemand à Washington.

□ **6 déc.** L'ancien Premier ministre britannique, sir Anthony Eden, lance un avertissement à la radio lors d'une visite aux États-Unis : toutes les démocraties partagent les mêmes valeurs et sont menacées par les mêmes dangers.

Économie et société

1937

☐ **Janv.-févr.** Climat social instable. Grèves sur le tas en série dans les usines de construction automobile. Des usines de la General Motors sont contraintes de fermer. Puis, General Motors, suivie de Chrysler, reconnaît l'Union des ouvriers de l'industrie automobile, l'UAW, comme union syndicale officielle de ses ouvriers. Ford décide de combattre le syndicat.

☐ **1er mars** Le chef de la CIO, John L. Lewis, et le président de la firme US Steel annoncent ensemble que cette dernière reconnaît officiellement les ouvriers syndiqués, *United Steel Workers*. Victoire syndicale importante.

☐ **29 mars** La Cour suprême décide de maintenir le principe du salaire minimal pour les femmes.

☐ **12 avr.** La Cour suprême se prononce en faveur du *National Labor Relations Act*.

☐ **24 mai** La Cour suprême se prononce en faveur du *Social Security Act*. Ces deux décisions apaisent le conflit qui s'était développé entre le président et la Cour.

☐ **30 mai** Émeutes au cours d'une grève d'ouvriers métallurgistes à Chicago. Dix morts, nombreux blessés.

☐ **Août** La récession est brutalement mise en évidence par une baisse soudaine et grave de la Bourse.

☐ **2 sept.** Loi sur le logement, *National Housing Act,* créant une commission nationale, la *U.S. Housing Authority,* qui accordera des prêts aux villes et aux États pour la construction de logements sociaux.

1938

☐ **16 févr.** Le 2e *Agricultural Adjustment Act* prend la relève de la première loi, déclarée inconstitutionnelle, et poursuit les programmes d'aide aux agriculteurs.

☐ **Mars** La Bourse baisse ; elle a perdu 50 points depuis août 1937. La récession continue.

☐ **21 juin** Loi d'aide d'urgence *(Emergency Relief Appropriations Act)*, pour faire face à la récession économique des dix derniers mois.

☐ **25 juin** Loi sur les conditions de travail *(Fair Labor Standards Act)*, fixant le salaire horaire minimal à 40 cents et la durée du travail à 44 heures par semaine.

		Indice de l'emploi dans l'industrie	*Indice des salaires dans l'industrie*	*Indice de production*
1937	Octobre	110,3	104,9	102
	Novembre	104,2	93,3	88
	Décembre	97,7	84,6	84
1938	Janvier	91	75,4	80
	Février	91,6	77,7	79
	Mars	91,2	77,8	79

D'après Arthur S. Link et William B. Catton, op. cit.

Sciences et technologie

1937 Nouveau record aérien d'Howard Hughes : Los Angeles-Newark (New Jersey), en 7 heures, 28 minutes.

□ **27 mai** Inauguration du pont « Golden Gate », à San Francisco.

□ **2 juill.** L'aviatrice Amelia Earhart disparaît dans le Pacifique pendant son tour du monde en solo.

1938 Commercialisation des produits en Nylon ; le premier sur le marché est la brosse à dents.
Invention de la machine à photocopier.

□ **14 juill.** Nouveau record de vol autour du monde par Howard Hughes, en 3 jours, 19 heures, 14 minutes.

Civilisation et culture

1937 John Steinbeck : *Des souris et des hommes* □ Sortie du premier dessin animé en long métrage produit par Walt Disney : *Blanche-Neige et les sept nains.*

□ **22 juin** Le boxeur Joe Louis, champion du monde des poids lourds ; il gardera son titre jusqu'à sa retraite, en 1949.

1938 Richard Wright : *les Enfants de l'oncle Tom.*

□ **30 oct.** « la Guerre des mondes, l'invasion venue de Mars », programme radiophonique d'Orson Welles, sème la panique parmi les auditeurs.

Biographie

Hull, Cordell (1871-1955), né dans le Tennesse. Député démocrate à la Chambre des représentants de 1907 à 1921 et de 1923 à 1931, Cordell Hull réorganise le parti démocrate après le départ de Woodrow Wilson. Il entre au Sénat en 1931 et devient le secrétaire d'État aux Affaires étrangères de Roosevelt, de 1933 à 1944. Hostile à l'isolationnisme de son pays dès la Première Guerre mondiale, il soutient les efforts d'aide aux puissances alliées lors de la Deuxième Guerre mondiale. Il participe aux conférences de Québec (août 1943) et de Moscou (octobre 1943). C'est lui qui établit le système de sécurité internationale qui aboutira à la création de l'O.N.U. En 1945, il reçoit le prix Nobel de la paix, en tant que « père » du nouvel organisme. Il meurt dans le Maryland en 1955.

Bibliographie

A.M. Schlesinger, *l'Ère de Roosevelt* (Denoël, 1971).

Chapitre XX 1939-1941

L'ombre de la guerre, fin de la neutralité

> *Ces dernières années, et, beaucoup plus violemment, ces derniers jours nous ont enseigné une terrible leçon. Nous devons entreprendre cette grande épreuve qui nous attend en abandonnant une fois pour toutes l'illusion que nous pourrions à nouveau nous isoler du reste de l'humanité. Nous allons gagner cette guerre, et nous gagnerons la paix qui suivra.*
>
> Franklin D. Roosevelt, 9 déc. 1941.

De 1939 à 1941, la situation intérieure américaine est intimement liée aux événements internationaux. L'Allemagne multiplie ses agressions en Europe et le Japon se prépare à attaquer dans le Pacifique. L'Allemagne et l'U.R.S.S. ont signé un traité de non-agression à Moscou, le 23 août 1939. Le 3 septembre, la France et la Grande-Bretagne déclarent la guerre à l'Allemagne. L'Italie se range du côté de l'Allemagne l'année suivante. L'Europe occidentale est à feu et à sang. Roosevelt comprend très tôt que l'entrée en guerre des États-Unis sera inévitable et fait pression sur le Congrès pour que soit définitivement abandonnée la neutralité. Les États-Unis font bloc avec les pays qui combattent le fascisme. Durant ces trois années, la participation américaine dans cette alliance évolue par étapes jusqu'à l'état de guerre final.

Devant l'urgence de la situation, Roosevelt décide de se présenter pour la troisième fois aux présidentielles de 1940. Le candidat républicain, Wendell Willkie, est un ancien démocrate. Il est peu connu, mais son énergie et son enthousiasme en font, pendant la campagne électorale, un adversaire sérieux. Cependant Roosevelt est réélu, avec 27 244 160 voix et 449 mandats du collège électoral, contre 22 305 198 et 82 pour Willkie. Sa réélection montre, entre autres, que le peuple américain était favorable à son engagement international.

Vie politique et institutionnelle

1939

☐ **3 avr.** Loi sur la réorganisation des administrations *(Administrative Reorganization Act)* permettant au président de simplifier les services exécutifs.

1940

☐ **20 juin** Roosevelt nomme deux républicains à la tête de deux ministères essentiels : Henry L. Stimson à la Guerre, Frank Knox à la Marine.

☐ **5 nov.** Élections présidentielles. Roosevelt réélu.

1941

☐ **20 janv.** Début du 3ᵉ mandat de Roosevelt. Henry Wallace nommé vice-président.

L'approche de la guerre

1939

☐ **4 janv.** Dans son message sur l'état de l'Union, le président insiste sur la situation internationale critique ; il lance un appel aux démocraties afin qu'elles se préparent à toute éventualité.

☐ **5 janv.** Dans le budget qu'il soumet au Congrès, le président demande 1 319 000 000 de dollars pour la défense nationale, sur un total de 9 milliards.

☐ **1ᵉʳ avr.** La lutte armée étant terminée, Washington reconnaît le gouvernement franquiste en Espagne.

☐ **14 avr.** Message de Roosevelt à Hitler et Mussolini, leur demandant de garantir la paix en Europe et au Moyen-Orient pour 10 ans, en échange de la coopération américaine en vue d'accords commerciaux et stratégiques.

☐ **18 juill.** Roosevelt et son secrétaire d'État, Cordell Hull, demandent au Congrès la révision de la loi sur la neutralité.

☐ **26 juill.** Hull annule le traité de commerce passé avec le Japon en 1911. Toujours neutre, l'Amérique veut montrer où vont ses sympathies.

☐ **3 sept.** Le vaisseau anglais *Athenia,* coulé au large des îles Hébrides par un sous-marin allemand. Mort de trente passagers américains. Le président réaffirme la neutralité des États-Unis.

☐ **4 sept.** Cordell Hull demande aux Américains de limiter à un minimum leurs voyages vers l'Europe.

☐ **5 sept.** Déclaration officielle de neutralité dans la guerre en Europe.

☐ **8 sept.** Le président proclame « l'état d'urgence limité », dans l'intention de se donner certains pouvoirs pour agir plus rapidement en cas de nécessité.

☐ **21 sept.** Session spéciale du Congrès : le président demande l'abrogation de la clause interdisant les ventes d'armes dans la loi sur la neutralité de 1937.

☐ **18 oct.** Le président déclare la fermeture des eaux territoriales américaines et des ports américains aux sous-marins de toute nation en guerre.

☐ **20 oct.** Déclaration du secrétaire d'État : les États-Unis ne reconnaissent pas le partage de la Pologne par l'Allemagne et l'U.R.S.S., et maintiendront des relations diplomatiques avec le gouvernement en exil.

☐ **4 nov.** 4ᵉ loi sur la neutralité, annulant toutes les décisions précédentes à l'exception de la clause « cash and carry » pour les belligérants acheteurs de matériel de guerre.

☐ **30 nov.** Les États-Unis offrent leur aide à la Finlande, envahie par l'U.R.S.S.

1940

☐ **29 avr.** Le président lance un appel à Mussolini pour tenter de rétablir l'ordre en Europe. Pas de réponse de Mussolini.

☐ **15 mai** Premier télégramme de Churchill à Roosevelt, pour obtenir une aide dans la guerre.

☐ **16 mai** Le président demande au Congrès une allocation plus importante pour la défense (notamment pour développer l'aviation militaire).

☐ **25 mai** Création d'un bureau *(Office for Emergency Management, OEM)* pour faire face aux éventuelles urgences de la guerre.

☐ **3 juin** Les États-Unis acceptent de vendre du matériel de guerre et des munitions en surplus à la Grande-Bretagne.

☐ **10 juin** Discours du président à l'université de Virginie : au lieu de neutralité, il parle de « non-belligérance » ; les États-Unis soutiendront ouvertement les forces alliées sans entrer eux-mêmes dans la guerre. Message plutôt bien reçu par l'opinion publique.

☐ **11 juin** Loi sur l'arsenal naval *(Naval Supply Act) :* 1 milliard et demi de dollars affectés à la défense navale.

☐ **13 juin** Loi sur l'arsenal militaire *(Military Supply Act) ;* 1 milliard 800 millions de dollars affectés à la défense militaire.

☐ **28 juin** Loi Smith : les étrangers devront se faire inscrire sur des listes permettant de les contrôler.

☐ **10 juill.** Le président demande au Congrès une allocation de 4 milliards 800 millions de dollars pour la défense.

☐ **20 juill.** Le Congrès alloue 4 milliards de dollars pour la défense navale dans l'Atlantique et le Pacifique.

☐ **18 août** Alliance avec le Canada en vue d'un plan de défense commun.

☐ **3 sept.** Envoi de 50 destroyers à la Grande-Bretagne, en échange du droit de construire des bases navales et aériennes en territoire britannique, dans le grand nord américain et dans les Antilles.

☐ **16 sept.** *Selective Training and Service Act,* loi établissant le service militaire sélectif.

☐ **29 oct.** Début de l'incorporation militaire.

1941

☐ **6 janv.** Dans son message sur l'état de l'Union, le président définit les « quatre libertés essentielles » : liberté d'expression, liberté de culte, liberté par l'absence de peur et par l'absence de besoin. Pendant les années de guerre, ce discours sera une référence idéologique.

☐ **27 janv.** Réunion secrète des états-majors britanniques et américains à Washington pour décider d'une stratégie dans le cas de l'entrée en guerre des États-Unis : c'est le plan ABC-1.

☐ **11 mars** Loi prêt-bail *(Lend-Lease Act),* permettant d'envoyer des armes aux nations alliées en guerre.

☐ **Avr.** Accord avec le Danemark : les troupes américaines défendront le Groenland en échange du droit d'y établir des bases militaires.

☐ **Avril-mai** Convois américains dans l'Atlantique.

☐ **11 avr.** Roosevelt annonce l'extension de la zone de sécurité américaine dans l'Atlantique.

☐ **21-27 avr.** Réunion des états-majors américain, britannique et néerlandais à Singapour, pour décider d'une stratégie commune contre le Japon au cas où ce pays attaquerait les États-Unis.

☐ **21 mai** Un bâtiment allemand coule le navire marchand américain *Robin Moor,* à l'intérieur de la zone de sécurité américaine.

☐ **27 mai** Roosevelt déclare l'état d'urgence.

☐ **14 juin** Roosevelt gèle les fonds allemands et italiens aux États-Unis.

☐ **16 juin** Roosevelt ordonne la fermeture de tous les consulats allemands sur le territoire américain (l'Allemagne et l'Italie prennent la même mesure).

☐ **24 juin** Les États-Unis promettent leur aide à l'U.R.S.S., envahie le 22 juin par l'Allemagne.

☐ **7 juill.** Les *Marines* américains débarquent en Islande.

☐ **20 juill.** Roosevelt ordonne la fermeture de tous les consulats italiens sur le territoire américain.

☐ **26 juill.** Gel des fonds japonais aux États-Unis. L'armée des Philippines, territoire dépendant des États-Unis, est placée sous le commandement du général Douglas MacArthur, qui devient commandant en chef des forces armées américaines en Extrême-Orient.

☐ **14 août** Adoption de la Charte de l'Atlantique par Roosevelt et Churchill. Elle définit les grands objectifs des deux gouvernements : droit des peuples à choisir leur gouvernement, possibilité d'accéder aux matières premières, renoncement à toute expansion territoriale, respect des libertés. Dans les semaines suivantes, elle est signée par 15 autres nations.

☐ **11 sept.** En raison des attaques subies par les navires américains, le président ordonne aux avions et aux navires de la marine de tirer à vue dans la zone de sécurité.

☐ **17 oct.** Le destroyer *Kearney* détruit par un navire allemand au large de l'Islande. Onze Américains périssent.

☐ **30 oct.** Le destroyer *Reuben James* détruit au large de l'Islande. Cent Américains trouvent la mort.

☐ **7 déc.** Attaque surprise par les forces japonaises de la base navale de Pearl Harbor à Hawaii. Dégâts importants en hommes et en matériel. Simultanément, attaques de bases installées aux Philippines, à Guam et à Midway, et de bases anglaises à Hongkong et en Malaisie.

☐ **8 déc.** Déclaration de guerre des États-Unis au Japon.

☐ **10 déc.** Les Japonais envahissent les Philippines.

☐ **11 déc.** L'Allemagne et l'Italie déclarent la guerre aux États-Unis ; ces derniers reconnaissent l'état de guerre.

☐ **15 déc.** 3e loi pour le budget de la défense *(Defense Appropriation Act) :* 10 milliards de dollars affectés à la guerre.

☐ **20 déc.** Loi sur la conscription *(Draft Act) :* les hommes entre 20 et 44 ans sont incorporables sans exception.

☐ **22 déc.** Entretien Roosevelt-Churchill, à Washington.
Les Japonais prennent l'île de Wake.

☐ **25 déc.** Les Japonais s'emparent de la colonie britannique de Hongkong.

Économie et société

1939

☐ **27 févr.** Le principe de la grève sur le tas déclaré illégal par la Cour suprême.

☐ **1er juill.** Création d'une agence administrative, la FWA *(Federal Works Agency)*, qui regroupe cinq bureaux préexistants : le Public Building Adm., le Public Roads Adm., le Public Works Adm., le Works Projects Adm. et la US Housing Authority ; permet de réduire le personnel.

1940
Dernier recensement aux États-Unis : 131 669 275 hab. ; espérance de vie de 64 ans.

☐ **2 juill.** Loi pour le contrôle des exportations *(Export Control Act)* : le président pourra ralentir ou arrêter l'exportation de tout produit jugé vital à la défense nationale.

☐ **21 nov.** Comme il s'y était engagé John L. Lewis démissionne de son poste de président de la CIO à la suite de la victoire de Roosevelt aux présidentielles, et adhère au parti républicain.

☐ **20 déc.** Ouverture du bureau de contrôle de la production, l'OPM *(Office of Production Management)*, pour contrôler et faciliter la production de munitions et de matériel de guerre.

1941
☐ **Janv.** Premières réquisitions sur l'aluminium et certains outillages par l'OPM.

☐ **22 janv.** Début d'une vague de grèves dans l'industrie militaire.

☐ **26 févr.** Grève des métallurgistes.

☐ **11 avr.** Création d'un bureau de contrôle des prix, l'OPA *(Office of Price Administration)*, qui pourra limiter la consommation en cas d'inflation.
Ford signe son 1er contrat avec une organisation syndicale, après une grève de 9 jours, qui a mobilisé 85 000 ouvriers et fait 150 morts.

☐ **14 avr.** L'industrie métallurgique augmente les salaires de 10 cents de l'heure.

☐ **17 avr.** L'industrie automobile accepte de réduire sa production de 20 %.

☐ **16 mai** General Motors accorde une augmentation de salaire de 10 cents de l'heure.

☐ **25 juin** Ouverture d'un bureau chargé d'assurer des conditions de travail équitables *(Fair Employment Practices Committee)*, pour empêcher toute injustice envers les ouvriers des industries de la défense, en raison de leur couleur, race ou religion.

☐ **24 juill.** L'AFL signe avec l'OPM un engagement de non-grève pour les métiers de la construction tant que durera l'état d'urgence.

☐ **20 sept.** Loi sur les impôts sur le revenu *(Revenue Act)* : nette augmentation fiscale, pour aider au financement des dépenses de guerre.

☐ **15 déc.** L'AFL signe avec l'OPM un engagement de non-grève pour les métiers de l'industrie de la guerre.

☐ **27 déc.** L'OPA annonce une réquisition du caoutchouc. Les quantités disponibles à la consommation civile vont diminuer de 80 %.

Sciences et technologie

1939 Des chercheurs ont réussi à fractionner des atomes d'uranium, de thorium et de protractinium en les bombardant de neutrons.
Clara Adams, première aviatrice à faire le tour du monde.
Premier hélicoptère, construit par Sikorski.
Démonstration de la télévision en couleurs.
Albert Einstein écrit à Roosevelt pour qu'il autorise la recherche et la fabrication de la bombe atomique : « Il est possible de provoquer une réaction

nucléaire dans l'uranium, qui libérerait d'énormes quantités d'énergie. Ce nouveau phénomène conduirait également à la fabrication de bombes d'un type nouveau, extrêmement puissantes. »

□ **28 juin** Premier vol régulier traversant l'Atlantique.

□ **25 oct.** Mise en vente des premiers bas Nylon.

1940 Karl Pabst dessine la Jeep.

1941 Le *Manhattan Project* entame les recherches pour la construction de la bombe atomique.
Rationnement de certains métaux, rendant plus courante l'utilisation des matières plastiques.

□ **28 juin** Création du Bureau de la recherche et du développement scientifique *(Office of Scientific Research and Development)*, pour coordonner les recherches scientifiques et technologiques liées à la défense, notamment sur radars et sonars, ainsi que les premiers travaux sur la bombe atomique.

Civilisation et culture

1939 John Steinbeck : *les Raisins de la colère.* Publication de *Mein Kampf* en anglais □ Sortie du film *Autant en emporte le vent,* de Victor Fleming.

□ **30 avr.** Inauguration de l'Exposition internationale de New York.

□ **7-12 juin** Le roi George VI et la reine Elizabeth en visite officielle, la première en date pour des souverains britanniques.

1940 Ernest Hemingway : *Pour qui sonne le glas ?* □ Sortie des films *le Dictateur,* de Charlie Chaplin, et *Fantasia,* de Walt Disney. « Bugs Bunny » fait ses débuts au cinéma □ Environ 30 millions de foyers possèdent un poste de radio □ Albert Einstein devient citoyen américain.

1941 Sortie des films *Citizen Kane,* d'Orson Welles, et *le Faucon maltais,* de John Huston □ La Commission fédérale de communications (FCC) autorise la diffusion de programmes télévisés. Un million de postes vendus dans l'année.

Biographies

Stimson, Henry L. (1867-1950). Né à New York, il obtient en 1890, après des études à Yale et Harvard, un diplôme de droit. Il acquiert bientôt une solide réputation en gagnant plusieurs procès importants contre des trusts pour le compte de Theodore Roosevelt. En 1911, au poste de secrétaire à la Guerre du président républicain Taft, il réorganise l'armée, puis s'engage, en 1917. Après la guerre, Stimson prend part aux négociations avec le Nicaragua et les Philippines. En 1929, il est secrétaire d'État du président Hoover, mais la crise et les priorités qu'elle impose limitent son rôle. Pendant les années 30, il milite pour la vigilance face à la montée du fascisme. En 1940, lorsque l'entrée en guerre semble inéluctable, Roosevelt le nomme secrétaire à la Guerre. Avec le général Marshall, chef d'état-major, il met en place la mobilisation et coordonne tous les efforts de guerre. C'est lui qui décide de faire évacuer les citoyens d'origine japonaise vers les camps d'internement. En 1945, il contrôle la fabrication de la bombe atomique et en août, conseille à Truman de donner l'ordre de la lâcher sur le Japon. La guerre finie, il se retire de la vie politique et meurt en 1950.

Lindbergh, Charles A. (1902-1974). Né à Detroit, et pilote au début des années

20, il traverse en 1927 les États-Unis en un temps record, à bord d'un avion de sa conception, *The Spirit of Saint Louis.* Le 20 mai 1927, il fait la première traversée de l'Atlantique, de New York à Paris (en 33 heures et demie), et gagne le prix Orteig de 25 000 dollars. Du jour au lendemain, *Lucky Lindy* est l'idole des foules. Il épouse une riche héritière, Anne Spencer Morrow, qui sera son copilote et son associée. Plusieurs récompenses lui sont décernées. En 1932, son fils, âgé de 20 mois, est kidnappé et tué. L'événement scandalise à tel point l'opinion qu'une loi est votée en 1934 rendant l'enlèvement passible de mort. En 1936, il collabore avec le docteur Alexis Carrel à la fabrication d'une pompe à perfusion, le 1er cœur artificiel. Vers la fin des années 30, Lindbergh fait plusieurs voyages en Allemagne et reçoit de Goering une décoration. Au moment de la guerre, il prône la neutralité. Le couple fait des discours contre l'intervention américaine et la loi prêt-bail : « Les Anglais, les Juifs et le gouvernement Roosevelt sont les trois groupes principaux qui poussent le pays à la guerre », discours qui le fait taxer d'antisémitisme. Après la Deuxième Guerre mondiale, il est conseiller technique pour l'aviation, milite pour la protection de l'environnement. En 1954, un livre de souvenirs, *The Spirit of Saint Louis,* lui vaut le prix Pulitzer.

Ickes, Harold (1874-1952). En 1912, Ickes travaille pour le parti progressiste de Theodore Roosevelt, puis pour le candidat républicain Charles Evans Hughes, aux présidentielles de 1916. Aux élections de 1932, à la tête d'un groupe de républicains libéraux, il rejoint le candidat démocrate. Roosevelt le nomme secrétaire de l'Intérieur. Il déploie son activité pour l'amélioration des relations avec les Indiens, étend le système des parcs nationaux et prend la tête du Public Works Administration. Membre de l'Association nationale pour l'avancement des gens de couleur *(National Association for the Advancement of Colored People, NAACP)*, il organise, avec Eleanor Roosevelt, le récital donné par la cantatrice Marian Anderson au Lincoln Memorial, le 9 avril 1939, qui a valeur de symbole. Pendant la Deuxième Guerre mondiale, il s'élève contre la répression des citoyens d'origine japonaise par le gouvernement. Il condamne Huey Long dans de nombreux articles de presse. Très tôt, il se prononce pour une extrême vigilance vis-à-vis de la montée du fascisme dans le monde. En 1946, il démissionne par suite d'un différend avec le président Truman. S'il n'intervient plus dans la vie politique, il continue à publier des commentaires de presse sur l'actualité. Il attaque violemment le sénateur McCarthy et sa chasse aux sorcières. Malgré ses critiques, il garde confiance dans le système : « Le cœur de ce peuple est malgré tout sain et bon », note-t-il dans son dernier article. Il meurt à Washington en 1952.

Owens, Jesse (James) [1913-1980]. Athlète né en Alabama, dans une famille de onze enfants dont les parents font la cueillette du coton. À 7 ans, il part avec eux pour Cleveland. Doué de grandes qualités physiques, il bat 5 records du monde en 1935. Idole populaire, il est surnommé le « dieu du stade », l'« antilope noire ». Aux jeux Olympiques de Munich, en août 1936, il donne 4 médailles d'or à son pays. Hitler quitte plusieurs fois la tribune pour ne pas assister à la victoire d'un athlète de race « non pure ». L'Amérique acclame Owens à son retour d'Allemagne. Mais il ne reçoit aucune aide financière pour continuer son entraînement. Devenu professionnel, il doit, pour gagner sa vie, donner des spectacles où il se mesure, à la course, à des chevaux, des chiens, des trains ou des voitures. Il fait quelque temps partie de l'équipe de basket-ball des Harlem Globe Trotters. Vers la fin de sa vie, il consacre son temps à aider l'enfance déshéritée. Il meurt d'un cancer du poumon.

Berlin, Irving (1888). La vie de ce compositeur de chansons populaires est l'histoire de la réussite exemplaire d'un self-made-man, la preuve que le melting-pot fut, pour un temps, une réalité. Né Israël Baline, en Sibérie, dans une famille juive, il arrive à New York peu de temps avant son 5e anniversaire. En 1897, son père meurt : il a 9 ans et doit gagner sa vie. Il chante dans les rues, puis il est engagé comme serveur et chanteur dans un restaurant du Bowery. En 1907, il publie sa première chanson sous son nouveau nom, Irving Berlin. À partir de là, il semble avoir parfaitement intériorisé la culture populaire américaine, mieux, il en est devenu l'un des créateurs. Il compose un très grand nombre de chansons, dont beaucoup sont d'énormes succès : *Alexander's Ragtime Band* en 1911, *Easter Parade* en 1933. Puis il part pour Hollywood et compose des musiques de films, dont, en 1942, la musique de *Holiday Inn,* qui comporte la célèbre chanson *White Christmas.* Son succès le plus prestigieux est *God Bless America,* publié en 1939, qui est devenu le second hymne national. Il a fêté son 100e anniversaire.

Bibliographie

J.-B. Duroselle, *De Wilson à Roosevelt. La politique extérieure des États-Unis, 1913-1945* (Armand Colin, 1960).

Chapitre XXI 1942 – 15 août 1945

La guerre

> *À la productivité américaine, sans laquelle cette guerre aurait été perdue !*
>
> Joseph Staline, conférence de Téhéran.
> Toast à l'Amérique et à la victoire.

Les États-Unis sont à présent un pays en guerre, qui a pour problème immédiat la conversion de l'économie. Celle-ci s'opère vite et efficacement grâce à la création de plusieurs agences gouvernementales, dont la plus importante gère et contrôle la production de tout le matériel et des équipements. Il s'agit de l'office de production pour la guerre, le *War Production Board (WPB)*, dont l'objectif est clair : le *Victory Program.* Son champ d'action s'amplifie très vite : en 1941, 15 % de la production industrielle avaient des fins militaires ; en 1942, 33 %. Le redressement économique, déjà amorcé, devient spectaculaire à partir de 1942 : le chômage disparaît presque totalement, à cause de la mobilisation et des emplois qu'elle entraîne. Les industries de guerre embauchent aussi des femmes en grand nombre. Face à l'expansion économique, brutale et importante, le gouvernement doit prendre des mesures anti-inflationnistes, mais le coût de la vie augmente rapidement et, les produits de consommation se faisant plus rares, un vaste réseau de trafic illicite s'organise.

Les élections présidentielles ont lieu en 1944 et Roosevelt reste le candidat des démocrates. Devant son mauvais état de santé, son entourage souhaite un colistier capable de rassembler les Américains mieux qu'Henry Wallace, si le président venait à disparaître. Le choix se porte sur Harry S. Truman, sénateur du Missouri. Roosevelt est réélu pour un quatrième mandat. Il obtient 25 602 504 voix contre 22 006 285 pour son adversaire républicain, Thomas E. Dewey, et 432 mandats du collège électoral contre 99.

Sur le théâtre des opérations, les hostilités s'intensifient, dans le Pacifique comme dans l'Atlantique. Les forces alliées se battent d'abord en Afrique du Nord, puis en Italie. Le débarquement en Normandie sera un élément décisif de la victoire finale. La défaite de l'Allemagne paraissant inéluctable, les chefs alliés se réunissent à Yalta pour préparer la paix et jeter les premières bases de la réorganisation de l'Europe.

La mort de Roosevelt, à 63 ans, marque la fin d'un cycle ; l'Amérique sort victorieuse de la crise et de la guerre ; une nouvelle ère s'annonce. Truman prend la relève ; la transition s'opère sans heurt. Devant la poursuite des hostilités dans le Pacifique, il prend la décision de lancer les deux premières bombes atomiques sur deux villes japonaises, Hiroshima et Nagasaki. Le Japon se rend. La Seconde Guerre mondiale est terminée.

Vie politique et institutionnelle

1942

☐ **15 mai** Création d'un corps militaire féminin.

☐ **13 juin** Création d'un Bureau de renseignements sur la guerre *(Office of War Information)* et d'un Bureau de services stratégiques *(Office of Strategic Services)*, dont la CIA reprendra, après la guerre, certaines fonctions.

☐ **18 nov.** Par un amendement à la loi sur le service sélectif de 1940, l'âge de la mobilisation est porté à 18 ans. On estime que, sous peu, les forces armées compteront 10 millions d'hommes.

1943

☐ **27 mai** Création de l'*Office of War Mobilization,* pour coordonner les efforts de guerre.

1944

☐ **7 nov.** Élections présidentielles. Roosevelt réélu.

1945

☐ **20 janv.** Début du 4e mandat de Roosevelt. Harry Truman, vice-président.

☐ **12 avr.** Mort de Roosevelt. Harry S. Truman prête serment.

Politique extérieure

1942

☐ **1er janv.** Les représentants de 26 pays, dont les États-Unis, signent la Déclaration des Nations unies et proclament leur union contre les forces de l'Axe.

☐ **15-28 janv.** Conférence des États américains à Rio de Janeiro. Les ministres des Affaires étrangères des 21 États américains cessent toute relation avec les pays de l'Axe.

☐ **19 juin** Rencontre Roosevelt-Churchill à Washington. Ils envisagent l'invasion de l'Afrique du Nord.

☐ **12-15 août** À Moscou, rencontre entre Churchill, Averell Harriman et Staline pour élaborer une stratégie commune.

☐ **7 nov.** L'U.R.S.S. pourra bénéficier de la loi prêt-bail.

1943

☐ **14-27 janv.** Conférence de Casablanca, réunissant Roosevelt, Churchill, Giraud et De Gaulle. Les Alliés n'accepteront pas un armistice. Accords de stratégie. Eisenhower nommé à la tête des opérations en Afrique du Nord.

☐ **11-27 mai** Conférence Trident à Washington, entre Roosevelt et Churchill, accompagnés des chefs d'état-major.

☐ **19 mai** Discours de Churchill au Congrès, annonçant la défaite certaine de l'Allemagne et du Japon.

☐ **11-24 août** Conférence de Québec, entre Roosevelt et Churchill.

☐ **19-30 oct.** Conférence de Moscou des puissances alliées : on y prépare la paix ; la création d'une organisation internationale pour assurer la paix est envisagée.

☐ **5 nov.** Le Sénat approuve la future création des Nations unies.

☐ **22-26 nov.** Conférence du Caire. Roosevelt, Churchill et Tchang Kaï-chek, réunis, discutent de la paix dans le Pacifique.

☐ **28 nov.-1er déc.** Conférence de Téhéran, entre Roosevelt, Churchill et Staline, pour préparer l'invasion de l'Europe de l'Ouest.

1944

☐ **6 juill.** Visite de De Gaulle à Washington.

☐ **21 août-7 oct.** Conférence de Dumbarton Oaks, pour jeter les bases d'une organisation internationale qui, la guerre finie, préservera la paix dans le monde.

☐ **11-16 sept.** Conférence de Québec, entre Roosevelt et Churchill.

1945

☐ **4-11 févr.** Conférence de Yalta.

☐ **Avr.-Juin** Conférence de San Francisco, pour établir l'Organisation des Nations unies. La Charte est signée le 26 juin, approuvée par le Sénat le 28 juillet.

☐ **5 juin** Négociations entre les quatre Grands à propos de l'occupation de l'Allemagne à la fin de la guerre et de la division de Berlin.

☐ **17 juill.** Conférence de Potsdam. Déclaration de Potsdam, qui est un ultimatum au Japon pour qu'il se rende sans condition ou se prépare à être complètement détruit. À l'ordre du jour : réorganisation du monde de l'après-guerre. Des divergences entre les Alliés apparaissent.

Faits de guerre

1. Dans l'Atlantique, en Afrique et en Europe

1942

☐ **26 janv.** Les troupes américaines débarquent en Irlande du Nord.

☐ **6 févr.** États-Unis et Grande-Bretagne désignent un chef unique pour leurs deux armées.

☐ **25 juin** Le major général Dwight D. Eisenhower nommé commandant en chef des forces américaines en Europe.

☐ **4 juill.** Premiers raids anglo-américains sur le continent européen.

☐ **17 août** Premier raid des forces américaines autour de Rouen.

☐ **10-14 sept.** Les U-boats allemands en Atlantique Nord : 12 freighters en route vers la Grande-Bretagne et un destroyer coulés.

☐ **7-8 nov.** 400 000 soldats alliés débarquent en Afrique du Nord sous le commandement d'Eisenhower.

1943

☐ **27 janv.** Les Américains bombardent l'Allemagne. Première attaque à Wilhelmshaven.

☐ **14-25 févr.** Défaite alliée en Afrique du Nord devant Rommel, au col de Kasserine (Tunisie). Le 25, les troupes américaines reprennent leur position et stoppent l'avancée de Rommel.

☐ **7 mai** Les Américains prennent

Bizerte (Tunisie). Les Britanniques s'emparent de Tunis. Fin de la campagne d'Afrique du Nord.

☐ **10 mai** Reddition des Allemands et des Italiens stationnés en Afrique du Nord. Ils ont perdu 500 000 hommes, morts ou prisonniers.

☐ **10 juill.** Débarquement allié en Sicile, sous le commandement d'Eisenhower.

☐ **19 juill.** Raid de l'aviation américaine sur Rome.

☐ **17 août** Prise de Messine, marquant la conquête de la Sicile. Les Alliés ont perdu 25 000 hommes, les Allemands et les Italiens 167 000. La campagne a duré 5 semaines.

☐ **3 sept.** Les Alliés traversent le détroit de Messine.

☐ **8 sept.** L'Italie se rend aux Alliés sans condition.

☐ **9 sept.** Arrivée des troupes alliées à Salerne.

☐ **14 sept.** Les Allemands abandonnent Salerne.

☐ **19 sept.** Les Alliés contrôlent la Sardaigne. En Corse, les Français contre Italiens et Allemands, qui contrôlent l'île.

☐ **1er oct.** Naples prise par la Ve armée américaine (Général Clark).

☐ **13 oct.** L'Italie déclare la guerre à l'Allemagne.

1944

☐ **16 janv.** À Londres, le général Eisenhower au poste de commandant suprême des opérations en Europe.

☐ **22 janv.** Les Alliés arrivent à Anzio et Nettuno, au sud de Rome. Ils vont affronter les unités allemandes stationnées en Italie centrale.

☐ **20-27 févr.** « Big Week », série de raids aériens sur les centres de construction aéronautique allemands. Pertes importantes pour l'Allemagne.

☐ **6 mars** Premier raid américain sur Berlin.

☐ **8 mars** Deuxième raid aérien sur Berlin, suivi de raids quotidiens sur des villes allemandes.

☐ **15 mars** Bombardement de Cassino, nœud de la ligne de défense allemande en Italie centrale. Pas de victoire décisive.

☐ **18 mai** Retraite allemande à monte Cassino. La ligne Gustav, qui traverse l'Italie, est percée.

☐ **4 juin** L'armée américaine entre dans Rome, après évacuation des Allemands.

☐ **5 juin** Les Alliés poursuivent l'ennemi au nord de Rome.

☐ **6 juin** D-Day : opération « Overlord ». Débarquement allié sur les plages normandes. Succès complet.

☐ **10 juin** Les forces américaines forment un front, de Omaha Beach à Utah Beach, sur la côte normande, et avancent vers l'intérieur.

☐ **27 juin** Les forces américaines reprennent Cherbourg.

☐ **18 juill.** Les forces américaines reprennent Saint-Lô.

☐ **25 juill.** Début de l'opération « Cobra », sous le commandement du général Omar Bradley, à partir de Saint-Lô, pour isoler les unités allemandes en Bretagne.

☐ **9 août** Eisenhower installe en France son Q.G., le SHAEF *(Supreme Headquarters Allied Expeditionary Force),* jusque-là en Grande-Bretagne.

☐ **15 août** Débarquement allié en Provence. Faible résistance allemande. Les Alliés se dirigent vers le nord.

☐ **25 août** Libération de Paris.

☐ **28 août** À Toulon et Marseille, les Allemands capitulent.

☐ **12 sept.** L'armée américaine pénètre en Allemagne.

☐ **17-27 sept.** Opération « Market Garden ». Tentative manquée d'invasion de la Hollande par l'aviation alliée.

☐ **21 oct.** Les Alliés s'emparent de Auchen, en Allemagne, après une semaine de combat.

☐ **16-30 déc.** Début de la bataille des Ardennes *(Battle of the Bulge)*. Le front allié, d'abord repoussé, est victorieux.

1945

☐ **1er févr.** Raid de l'aviation américaine sur Berlin.

☐ **7 mars** L'armée américaine franchit le Rhin à Remagen.

☐ **27 avr.** Soldats américains et soviétiques se rejoignent sur l'Elbe.

☐ **7 mai** Capitulation allemande à Reims, Q.G. d'Eisenhower.

☐ **8 mai** V-E Day (Victory in Europe Day). Capitulation sans condition signée à Berlin.

2. Dans le Pacifique

1942

☐ **2 janv.** Manille aux mains des Japonais. Repli des troupes américaines et philippines dans la péninsule de Batan. Le général MacArthur établit son Q.G. à Corregidor (Philippines).

☐ **23 févr.** Californie : une raffinerie de pétrole touchée par un sous-marin japonais ; l'un des rares incidents sur le continent américain.

☐ **27 févr.-1er mars** Les forces alliées battues par la marine japonaise en mer de Java.

☐ **11 mars** Les forces de MacArthur quittent les Philippines pour l'Australie. Le général prend le commandement des forces alliées dans le Pacifique Sud-Ouest.

☐ **9 avr.** Péninsule de Batan : après une résistance de 3 mois, 75 000 soldats américains et philippins se rendent aux Japonais. Les prisonniers gagnent à pied un camp de détention à plus de 150 km. Plusieurs milliers meurent en route.

☐ **18 avr.** Premier raid aérien américain sur Tokyo.

☐ **4-8 mai** Bataille de la mer de Corail, près des côtes de Nouvelle-Guinée ; l'aviation de la marine américaine inflige des pertes importantes à la flotte japonaise et la fait reculer.

☐ **7 mai** Le général Wainwright, successeur de MacArthur, capturé par les Japonais. Il demande aux forces américaines basées à Corregidor et aux Philippines de se rendre.

☐ **3-6 juin** Bataille navale des îles Midway. Défaite du Japon, qui a perdu la supériorité navale.

☐ **3-21 juin** Les Japonais envahissent deux îles de l'archipel des Aléoutiennes.

☐ **21 juin** Un sous-marin japonais tire sur les côtes de l'Oregon. Aucun dégât.

☐ **7 août** Début de la contre-offensive américaine dans les îles Salomon. Première opération amphibie dans le Pacifique.

☐ **23-26 oct.** Offensive japonaise sur Guadalcanal. Bataille de Santa Cruz. Victoire américaine ; recul des Japonais.

☐ **12-15 nov.** Bataille de Guadalcanal. Victoire décisive des Américains.

1943

☐ **9 févr.** Succès des opérations américaines sur l'archipel des Salomon. Les dernières troupes japonaises évacuent Guadalcanal.

☐ **2-4 mars** Victoire importante des forces aériennes américaines et australiennes dans la mer de Bismarck.

☐ **11 mai** Les troupes américaines

reprennent les Aléoutiennes. La résistance japonaise cesse le 31 mai.

☐ **17-21 août** Défaite japonaise à Wewak, Nouvelle-Guinée ; lourdes pertes.

☐ **Nov.** Offensive américaine dans le Pacifique Centre.

1944

☐ **31 janv.-22 févr.** Invasion américaine des îles Marshall.

☐ **3 févr.** La marine américaine tire sur les îles Kouriles, au nord du Japon : première attaque directe sur le territoire japonais.

☐ **22 avr.** Débarquement allié en Nouvelle-Guinée hollandaise.

☐ **Juin** Invasion des îles Mariannes par les forces américaines.

☐ **19-20 juin** Bataille de la mer des Philippines. Importante défaite japonaise.

☐ **10 juill.** Les Américains s'emparent de Saipan, après un combat de 25 jours.

☐ **10 août** Les Américains reprennent l'île de Guam, après 20 jours de combat.

☐ **20 oct.** Débarquement américain sur l'île de Leyte, aux Philippines. MacArthur revient aux Philippines ainsi qu'il l'avait promis.

☐ **23-26 oct.** Bataille du golfe de Leyte ; les Japonais sont battus.

☐ **24 nov.** Débuts de bombardements intensifs sur Tokyo.

1945

☐ **7 févr.** Le général MacArthur reprend Manille.

☐ **19 févr.-16 mars** Bataille d' Iwo Jiwa, l'une des plus violentes de toute la guerre. Victoire américaine.

☐ **1er avr.-21 juin** Bataille d' Okinawa : victoire américaine.

☐ **11 mai** Le porte-avion *Bunker-Hill* attaqué par un avion japonais kamikaze

La conférence de Yalta (Crimée)

Elle réunit, du 4 au 11 février 1945, Roosevelt, Churchill et Staline, pour discuter de l'avenir de l'Europe, de l'Asie et des Nations unies.

Allemagne : le principe de démembrement est accepté. La décision d'occupation du territoire par zones est maintenue, avec adjonction d'une zone française. La question des réparations est abordée : aucune décision quant à leur montant.

Pays de l'Europe de l'Est : en Pologne, le gouvernement de Lublin sera réorganisé, pour inclure des démocrates réfugiés à l'étranger. Des élections devront avoir lieu pour la création d'un gouvernement permanent. Dans les autres États, des gouvernements temporaires seront établis jusqu'à ce que des élections libres mettent en place des gouvernements permanents.

Asie : l'U.R.S.S. devra déclarer la guerre au Japon dès la fin des hostilités en Europe ; elle accepte la souveraineté de la Chine en Mandchourie et doit signer un pacte avec le gouvernement de Tchang Kaï-chek. Le Japon restitue à l'U.R.S.S. les territoires pris en 1905.

Nations unies : les décisions de Dumbarton Oaks sont maintenues. Une conférence est prévue à San Francisco pour dresser une charte.

au large d'Okinawa : 373 Américains tués.

☐ **21 juin** Les Japonais abandonnent Okinawa à l'armée américaine.

☐ **5 juill.** Reprise des Philippines par MacArthur.

☐ **6 août** Bombardement atomique d'Hiroshima.

☐ **9 août** Bombardement atomique de Nagasaki.

☐ **14 août** Le Japon se rend.

☐ **15 août** V-J Day (Victory over Japan).

Économie et société

1942

☐ **1er janv.** L'OPM interdit la vente de nouvelles voitures ou de camions pour le civil.

☐ **17 mars** Les présidents de l'AFL et du CIO s'engagent à ne pas entreprendre de grève pendant la guerre.

☐ **5 mai** Rationnement du sucre.

☐ **15 mai** L'essence rationnée dans 17 États.

☐ **18 mai** Plafonds sur les prix de détail.

☐ **22 juill.** Système de coupons pour le rationnement de l'essence.

☐ **10 sept.** Rapport de la commission Baruch-Compton-Connant sur le caoutchouc, révélant qu'il va manquer sous peu.

☐ **11 sept.** Signature d'un accord des États-Unis pour l'achat de toute la production mexicaine de caoutchouc pour les quatre années à venir. L'industrie du caoutchouc synthétique appelée à se développer.

☐ **29 nov.** Le café est rationné.

☐ **1er déc.** L'essence est rationnée dans tous les États.

☐ **4 déc.** Fermeture du WPA.

1943

☐ **7 févr.** Les chaussures de cuir sont rationnées.

☐ **9 févr.** La semaine de travail de 48 heures minimales est instaurée dans les usines de matériel de guerre.

☐ **1er mars** Les conserves sont rationnées.

☐ **1er avr.** Viande, beurre et fromage sont rationnés.

☐ **20-22 juin** Combats raciaux à Detroit. Des Blancs protestent contre l'embauche de Noirs. 35 morts et plus de 500 blessés, surtout des Noirs. Pendant l'été, autres affrontements à Mobile, Los Angeles, Harlem, et au Texas.

☐ **17 déc.** Révocation des lois établis-

Coût de la Seconde Guerre mondiale pour les États-Unis
(estimation en millions de dollars)

Coût de la guerre	Pensions d'anciens combattants	Intérêts sur les emprunts	Coût à long terme
260 000	65 231	200 000	625 200

D'après le *U.S. Bureau of the Census, Statistical Abstract of the United States*, 1984, 104e éd.; Washington, D.C.,1983.

sant un quota sur les immigrants venant de Chine.

1944

□ **3 mai** Fin du rationnement de la viande.

□ **22 juin** Loi sur la réadaptation des recrues. *(Servicemen's Readjustment Act, G.I. Bill of Rights)*, pour leur réinsertion dans la vie civile en temps de paix.

□ **1er-22 juill.** Conférence monétaire de Bretton Woods. 44 pays signent un accord pour la création du FMI et d'une Banque internationale pour la reconstruction et le développement.

□ **14 août** Reprise de la production de produits de consommation.

□ **18 nov.** Publication des indices économiques : le coût de la vie a augmenté de 30 % depuis 1943.

1945
Le P.N.B. a augmenté des 2/3 par rapport à 1939.

□ **30 avr.** Le rationnement du sucre réduit de moitié.

□ **25 mai** La production d'avions militaires réduite de 30 %.

Sciences et technologie

1942 Seaborg extrait le plutonium de l'uranium : *Plutonium Project.*
Henry Kaiser et Howard Hughes dessinent un avion à 8 moteurs, capable de transporter 700 personnes.
Invention du napalm.
Première fabrication de bazookas.
Première utilisation du radar.

□ **1er oct.** Vol d'essai du XP-59, premier jet américain.

□ **2 déc.** Première réaction nucléaire, à l'université de Chicago, par Szilard et Fermi : *Projet Argonne.*

1943 Oppenheimer monte le laboratoire Weapons, à Los Alamos (Nouveau-Mexique), pour fabriquer la bombe atomique : *Manhattan Project.*
Waksman découvre la streptomycine, aussitôt appliquée au traitement de la tuberculose ; il crée le terme « antibiotique ».
Début de la fabrication de la pénicilline en grande quantité.

1945

□ **16 juill.** Premier essai atomique à Alamogordo (Nouveau-Mexique).

Civilisation et culture

1942 Sortie de *Casablanca,* film de Michael Curtiz.

1943 Première grande exposition de Jackson Pollock □ Construction du Pentagone, siège du département de la Défense.

1944 Par suite des rationnements de papier, production de livres brochés : début du livre de poche.

□ **24 déc.** Mort du major, et jazzman, Glenn Miller, au cours d'un vol militaire Paris-Londres.

Biographies

Patton, George S. (1885-1945). Né en Californie, petit-fils d'un général de l'armée confédérée, il sort en 1909, diplômé, de l'académie militaire de West Point. En 1912, il participe aux jeux Olympiques de Stockholm dans l'épreuve militaire du pentathlon. Il se bat, en 1916, aux côtés du général Pershing contre Pancho Villa. Pendant la guerre de 1914-1918, commandant de tank, il reçoit plusieurs décorations. Croyant à la réincarnation, il se voit comme le dernier d'une lignée de soldats, à travers l'histoire. Son courage lui vaut le surnom de « Sang et Tripes » *(Blood and Guts)*. En 1942, avec le grade de général, il commande le premier corps d'armée près de Casablanca. En 1943, il coopère avec le général Montgomery, en vue de l'invasion de la Sicile, après l'opération de Tunisie. Mais son comportement hors du champ de bataille lui attire des ennuis : en août 1943, il est sur le point de perdre son poste pour avoir frappé deux soldats en état de choc après un combat. Il devra présenter des excuses. Lors du Débarquement, sa IIIe armée se lance dans une opération hardie qui permet de briser la défense allemande. Patton se couvre de gloire à la bataille des Ardennes. En mars 1945, il franchit le Rhin, avance jusqu'en Tchécoslovaquie et en Autriche, harcelant les arrières de l'armée allemande. À la fin de la guerre, le général reçoit sa quatrième étoile. Encouragé par ses succès militaires, il conçoit le projet de combattre l'armée soviétique en collaboration avec les forces allemandes : il est alors relevé de tout service actif. Il meurt le 21 décembre 1945 à Heidelberg, des suites d'un accident de voiture.

MacArthur, Douglas (1880-1964). Né dans l'Arkansas, le 26 janvier 1880, dans une famille d'ancienne tradition militaire, il fait de brillantes études à West Point ; il est diplômé en 1903. Pendant la guerre de 1914-1918, blessé par deux fois, décoré, il est promu général à 38 ans. Devenu directeur de West Point en 1919, il institue un programme de modernisation. De 1922 à 1930, il se bat aux Philippines : Hoover le nomme chef d'état-major. Il se fait remarquer par ses critiques acerbes contre les pacifistes, faisant preuve d'un manque de mesure.
En 1941, il est commandant des forces américaines en Extrême-Orient. L'année suivante, c'est sur l'ordre de Roosevelt qu'il abandonne les Philippines aux Japonais. En 1943, il est commandant en chef des forces alliées du Pacifique, et, en 1945, il entre triomphalement dans Manille. Le 2 septembre 1945, il reçoit la capitulation du Japon. Nommé chef de la reconstruction du Japon après la guerre, il fait preuve des plus grandes qualités en poursuivant un programme de restauration, de démocratisation, de démilitarisation et de réforme. En 1950, il retourne au champ de bataille comme commandant en chef des forces des Nations unies en Corée. Mais une différence de vue sur les objectifs à poursuivre dans cette guerre lui attire les foudres du président Truman, qui le démet de ses fonctions en avril 1951. À son retour en Amérique, il est accueilli en héros. Il quitte la scène publique. En 1978, William Manchester publie sa biographie sous le titre *American Caesar.*

O'Neill, Eugene (1888-1953), né à New York le 16 octobre 1888, dans le milieu du spectacle. Après un début d'études à l'université Princeton, il voyage pendant 6 ans. Il se marie, divorce, enfin écrit des pièces, *Bound East for Cardiff* (1916), *The Moon of the Caribbees* (1918). Avec la petite troupe des « Provincetown Players », il va rénover et révolutionner le théâtre américain. En 1920, il obtient le prix Pulitzer pour sa première pièce, *Beyond the Horizon.* Il obtiendra ce prix deux fois encore, en 1922 pour *Anna Christie* et en 1928 pour *Strange Interlude.* Il emprunte aux anciens la technique du masque, aux Allemands les procédés de l'expressionnisme et à Freud les données essentielles de la psychanalyse. Du réalisme, il passe à une vision poétique, et ses thèmes majeurs sont l'incapacité de l'homme à s'intégrer à un univers qui le déroute. Second mariage, suivi d'un divorce, puis il épouse, en 1929, Carlotta Monterey, et mène à partir de cette époque une vie retirée en Géorgie et en Californie. En 1931, il écrit *le Deuil sied à Électre* dans l'esprit de la tragédie grecque où des êtres exceptionnels luttent contre un destin inexorable. En 1936, il reçoit le prix Nobel de littérature. À cette époque, une maladie nerveuse dégénérescente lui rend le travail pénible et douloureux. Sa dernière pièce, *Long Day's Journey into Night*, est en partie autobiographique. Ecrite en 1940, elle est jouée pour la première fois en 1956, après sa mort. Arthur Miller dira de lui : « O'Neill combattit dans un face-à-face avec Dieu ».

Bibliographie

H. Feis, *le Marchandage de la paix, Potsdam, juillet 1945* (Arthaud, 1963).

N. Mailer, *les Nus et les Morts* (1948 [roman])

A. Kaspi, article sur les États-Unis, in *Dictionnaire de la Seconde Guerre mondiale* (Larousse, 1979).

Chapitre XXII 16 août 1945 - 1947

Organisation du monde de l'après-guerre

> *Le communisme est comme une rivière qui coule sans jamais s'arrêter, là où il lui est possible d'aller, vers le but qu'il s'est donné.*
>
> George Kennan, in *Foreign Affairs,* juillet 1947, « les Origines de la conduite soviétique ».

Au sortir de la guerre, les États-Unis sont un pays prospère, soudé. L'État et les producteurs s'emploient à effectuer une reconversion rapide de l'économie. Celle-ci redémarre dans l'effervescence. La demande en biens de consommation est si forte que le gouvernement essaie de la freiner pour éviter l'inflation. Brusquement, les revendications des travailleurs, longtemps contenues, éclatent. L'année 1946 est marquée par une série de grèves : au total, 4 600 000 ouvriers auront cessé le travail à un moment donné. En réaction, une législation restreint le pouvoir syndical en 1947.

Devant l'importance des questions internationales, il est clair que les États-Unis ne pourront plus jamais adopter l'attitude du repliement vis-à-vis du reste du monde, tant sur le plan politique et diplomatique que sur le plan économique.

Le monde se réorganise peu à peu. Les nations alliées occupent l'Allemagne. Le tribunal de Nuremberg condamne dix-neuf chefs nazis. Les États-Unis ont besoin d'alliés forts ; ils s'engagent, avec le plan Marshall, dans la reconstruction de l'Europe. L'U.R.S.S., dénonçant ce plan comme une forme d'impérialisme économique, refuse son adhésion et celle des pays satellites. Staline inspire de la méfiance et de la crainte aux dirigeants occidentaux : d'évidence, il n'a pas l'intention de respecter les décisions prises aux conférences internationales de la fin de la guerre, et ses désirs d'expansion menacent le rétablissement de la démocratie dans plusieurs pays. Dès 1946, Winston Churchill parle d'un « rideau de fer » qui coupe l'Europe en deux. Deux blocs se constituent : la Guerre froide est engagée.

Aux États-Unis, on parle de *containment,* stratégie visant à « contenir », endiguer, l'expansionnisme soviétique. Un diplomate en est le concepteur, George Kennan, qui a une longue expérience de l'U.R.S.S. Il emploie le terme pour la première fois dans un article publié anonymement par la revue *Foreign Affairs,* en juillet 1947 : son analyse de l'U.R.S.S. et des relations est-ouest guidera la politique des États-Unis dans ce domaine jusqu'à l'arrivée d'Eisenhower à la Maison-Blanche, en 1953. La « Doctrine Truman » s'insère dans cette perspective, pour venir en aide aux pays menacés par le communisme.

Vie politique et institutionnelle

1946

☐ **20 janv.** Le président établit le *Central Intelligence Group,* précurseur de la CIA.

☐ **1er août** Loi McMahon, créant la Commission pour l'énergie atomique ; premier directeur : Dean Acheson. L'énergie nucléaire est placée sous le contrôle de cinq civils. Elle sera en liaison avec l'armée. L'armée ou la marine peuvent fabriquer des armes atomiques. Toute distribution de matériaux nucléaires et d'information est interdite.

☐ **5 nov.** Aux élections législatives, les républicains obtiennent la majorité : 51 sièges contre 45 au Sénat et 245 contre 188 à la Chambre des représentants.

1947

☐ **8 janv.** George C. Marshall devient secrétaire d'État.

☐ **21 mars** Le président instaure un « programme de loyauté » : enquête sera faite sur tout employé du gouvernement ou tout postulant à un tel service. La peur du communisme grandit dans le pays.

☐ **26 juill.** Loi sur la sécurité nationale *(National Security Act)*, créant le Conseil national de sécurité *(National Security Council, NSC)*. Les forces armées sont réunies en un seul corps, dirigé par le secrétaire à la Défense. Le premier, James V. Forrestal, ancien secrétaire à la Marine, occupe ce poste. La loi prévoit la création de l'Agence centrale de renseignements, la CIA.

☐ **18 oct.** Enquête de l'HUAC *(House Un-American Activities Committee)* sur l'influence du communisme dans le milieu du cinéma.

Politique extérieure

1945

☐ **17 août** Les Alliés divisent la Corée au 38e parallèle. Les troupes américaines s'installent dans le secteur sud, les troupes soviétiques occupent le Nord.

☐ **21 août** Fin de la loi prêt-bail.

☐ **29 août** MacArthur commandant en chef des forces alliées au Japon.

☐ **30 août** Début de l'occupation du Japon.

☐ **2 sept.** Capitulation du Japon, signée à bord du cuirassé *Missouri,* dans la baie de Tokyo.

☐ **19 nov.** Eisenhower succède à Marshall comme chef d'état-major des armées.

☐ **15 déc.** Marshall nommé ambassadeur spécial en Chine.

1946

☐ **10 janv.** Première réunion de l'Assemblée générale des Nations unies à Londres. À la tête de la délégation américaine, le secrétaire d'État, James F. Byrnes.

☐ **Févr.** Après les protestations du secrétariat d'État et un message personnel de Truman à Staline, l'U.R.S.S. retire ses troupes en occupation en Iran du Nord.

☐ **5 mars** Winston Churchill en visite aux États-Unis ; discours de Fulton (Missouri), où il parle d'un « rideau de fer ».

☐ **14 juin** Bernard Baruch, délégué à la Commission sur l'énergie atomique aux Nations unies, propose le contrôle international de l'énergie atomique. Veto de l'U.R.S.S.

☐ **1er juill.** Tests atomiques à Bikini, aux îles Marshall.

☐ **4 juill.** Le président proclame l'indépendance de la République des Philippines.

☐ **1er oct.** Déclaration du sous-secrétaire d'État, Dean Acheson : « Les États-Unis resteront en Corée jusqu'à la réunification du pays. »

☐ **23 oct.** New York : ouverture de la 2e session de l'Assemblée générale des Nations unies. L'O.N.U. accepte le don de 8 500 000 dollars de John D. Rockefeller pour l'achat d'un terrain à New York, où s'élèvera son siège permanent.

☐ **4 nov.-12 déc.** Mise au point des traités de paix avec les alliés de l'Allemagne nazie.

☐ **31 déc.** Le président proclame officiellement la fin des hostilités.

1947

☐ **12 mars** Le président demande au Congrès une allocation budgétaire de 400 millions de dollars, pour aider la Grèce et la Turquie dans leur effort de reconstruction et de résistance aux infiltrations communistes. C'est la « Doctrine Truman ».

☐ **12 avr.** Les Nations unies désignent les États-Unis pour administrer les îles du Pacifique, auparavant sous contrôle japonais.

☐ **22 mai** Loi établissant le programme d'aide à la Grèce et à la Turquie, approuvée par le Congrès le 15 mai.

☐ **31 mai** Le président affecte 350 millions de dollars pour aider les États dévastés par la guerre.

☐ **5 juin** Dans un discours à l'université Harvard, le secrétaire d'État, George Marshall, propose son plan d'aide aux États européens.

☐ **14 juin** Traités de paix entre États-Unis et Italie, Roumanie, Bulgarie, Hongrie ratifiés par le Sénat et signés par le président.

☐ **12 juill.-22 sept.** Conférence internationale à Paris, pour étudier les demandes européennes aux États-Unis dans le cadre du plan Marshall.

☐ **2 sept.** Conférence interaméricaine au Brésil sur la défense. Pacte de défense mutuelle, signé par Truman.

☐ **17 sept.** Les États-Unis en appellent à l'O.N.U. à propos de l'indépendance de la Corée. Des élections libres y auront lieu dès que possible.

☐ **9 oct.** Le président se prononce en faveur d'une proposition des Nations unies pour la création de deux États indépendants, juif et arabe, en Palestine. Résolution de l'O.N.U. adoptée le 29 novembre 1947.

☐ **25 nov.** Londres : réunion du Conseil des ministres des Affaires étrangères en vue de la réorganisation politique et économique de l'Allemagne.

☐ **19 déc.** Le président demande l'approbation du Congrès pour libérer la première tranche de l'allocation budgétaire (total de 17 milliards), pour financer la reconstruction de l'Europe, prévue sur quatre ans.

Économie et société

1945

☐ **18 août** Le président donne l'ordre de relancer la production des biens de consommation, de revenir à la concurrence libre des marchés et à une activité syndicale normale.

☐ **20 août** Le WPB supprime tout contrôle sur 210 produits de consommation.

☐ **30 oct.** Fin du rationnement sur les chaussures.

☐ **21 nov.** Le syndicat des ouvriers de l'industrie automobile décide la grève dans toutes les usines de General Motors (jusqu'au 13 mars 1946).

☐ **23 nov.** Fin du rationnement de viande et de beurre.

☐ **20 déc.** Fin du rationnement de pneus de voiture.

☐ **31 déc.** Fermeture du Bureau du travail en temps de guerre, remplacé par le Bureau pour la stabilité des salaires *(Wage Stabilization Board)*.

1946

☐ **9 janv.** Grève de 7 700 employés du téléphone de la compagnie Western Electric (jusqu'au 7 avril 1947).

☐ **15 janv.** Grève des électriciens spécialisés dans la radio.

☐ **21 janv.** Le syndicat des ouvriers métallurgistes lance un mot d'ordre de

La loi Taft-Hartley

Proposée par le sénateur républicain de l'Ohio, Robert Taft, et le représentant républicain du New Jersey, Fred Hartley, la loi entre en vigueur le 23 juin 1947, malgré le veto du président et après de longs débats.

Désormais, une grève ne pourra plus être déclenchée sans préavis. Une période de « refroidissement » de 80 jours sera ménagée pour permettre la conciliation ; lorsque le président estimera qu'elle risquerait de mettre en péril la sécurité nationale, il pourra arrêter la grève par injonction. En outre, le personnel d'encadrement, les fonctionnaires à tous les niveaux, les employés de maison et les ouvriers agricoles n'ont pas le droit de faire grève, ni de former un syndicat. Les organisations syndicales n'ont plus le privilège de l'embauche (closed shop). Les salariés, une fois embauchés, doivent s'inscrire au syndicat de l'entreprise, si leur contrat le précise et si l'État ne l'interdit pas (union shop).

Plusieurs pratiques syndicales sont désormais interdites – grèves de sympathie, boycottages secondaires, refus de négocier une convention collective, cotisations excessives, grèves dirigées contre le gouvernement, etc.

Enfin, « tous les responsables (d'un syndicat) sont tenus d'attester qu'ils ne sont pas communistes, qu'ils ne sont pas sympathisants, ni membres ou sympathisants de groupes qui croient au renversement du gouvernement par la force, la violence ou autres moyens illégaux, ou l'enseignent ». Sinon le syndicat n'est plus reconnu par la loi et ne bénéficie plus de la protection du Bureau national des relations avec le monde du travail.

Surnommée « loi du travail-esclavage » par les syndicalistes, cette loi suscita l'indignation des libéraux. Mais les démocrates, à nouveau majoritaires en 1949, ne l'abrogèrent pas.

grève et stoppe pratiquement toute la production. Les aciéries doivent fermer.

☐ **25 janv.** John L. Lewis est élu vice-président de l'AFL, ce qui met fin à la querelle entre Lewis et son CIO et l'AFL.

☐ **20 févr.** Loi sur l'emploi *(Employment Act)*, créant un conseil pour l'économie et prévoyant un rapport annuel sur l'économie.

☐ **21 févr.** Création du Bureau pour la stabilisation de l'économie, qui contrôlera la reconversion de l'économie.

☐ **1er avr.-30 mai** Grève de 400 000 mineurs, pour l'augmentation des salaires et un plan de protection sociale. Les revendications seront satisfaites.

☐ **23 mai** Grève des cheminots.

☐ **3 juin** Par décision de la Cour suprême, les services d'autobus doivent permettre à leurs passagers de s'asseoir, quelle que soit leur race ou leur couleur.

☐ **16 oct.** Fin du contrôle des prix sur la viande.

☐ **9 nov.** Fin du contrôle des prix sur la plupart des produits de première nécessité, riz, sucre et loyers exceptés.

1947

Grâce à la loi de 1944 sur la réinsertion des recrues, un million d'anciens combattants de la Seconde Guerre mondiale s'inscrivent à l'université, sur un total de 2,5 millions d'étudiants.

☐ **11 juin** Fin du rationnement du sucre.

☐ **23 juin** Loi Taft-Hartley : nouvelles limitations sur la vie syndicale.

Sciences et technologie

1945 Nouveau record dans l'aviation commerciale : un « Constellation » relie Paris à New York en 12 h 57 min.

1946

☐ **15 févr.** ENIAC, le premier ordinateur électronique : 30 tonnes.
Dans le Tennessee : construction de la première centrale atomique pour utilisation à des fins pacifiques.

☐ **17 juin** Vol inaugural du premier avion commercial autour du monde. Retour prévu à New York le 30 juin.

☐ **5 oct.** La télévision utilisée pour la première fois par un président pour s'adresser à la nation : Truman parle du problème de la faim dans le monde.

☐ **19 oct.** Le capitaine Charles Yeager franchit le mur du son à la base aérienne de Muroc (Californie).
Premier ordinateur à mémoire.
Première machine à calculer entièrement électronique.
Libby développe le radiocarbone (carbone 14), comme méthode de datation.

Civilisation et culture

1947 *Le Journal d'Anne Frank,* en traduction anglaise ☐ Débuts de la cantatrice Margaret Truman, fille du président, avec l'Orchestre symphonique de Detroit ☐ Première grande exposition Jean Dubuffet à New York ☐ Le joueur de base-ball Jackie Robinson acheté par les Dodgers de Brooklyn : premier Noir appartenant à une grande équipe nationale.

☐ **3 déc.** Première à New York de la pièce de Tennessee Williams : *Un tramway nommé Désir ;* prix Pulitzer en 1948.

Biographies

Truman, Harry S. (1884-1972). Né dans le Missouri dans une famille de fermiers, Harry, trop pauvre pour entreprendre des études, est obligé de chercher du travail à Kansas City, la grande ville voisine ; il sera employé de bureau, puis vendeur dans un magasin pour hommes. Pendant la Première Guerre mondiale, il sert dans l'artillerie. Il entre ensuite dans la politique, au début des années 20. Réputé pour son honnêteté absolue, il devient sénateur démocrate en 1934. C'est un newdealer loyal. Pendant la Seconde Guerre mondiale, il est chargé de mener une enquête sur la corruption dans les tractations des contrats militaires. En 1944, Truman est le colistier de Roosevelt ; la forte personnalité du président le laisse un peu en retrait et la mort soudaine de ce dernier fait de lui un président inattendu. Après avoir pris la responsabilité d'accélérer la fin de la guerre par l'utilisation de la bombe atomique contre le Japon, il devient l'homme de la Guerre froide contre l'U.R.S.S. Il sera élu en 1948. Il se prononce clairement contre le maccarthysme. Le talent politique et la fermeté marquent son mandat. En 1952, il quitte la scène politique pour mener la vie d'un simple citoyen jusqu'à sa mort, en 1972.

Harriman, W. Averell (1891-1986). Né à New York, ce financier et homme politique a étudié à l'université Yale jusqu'en 1913, avant de suivre une brillante carrière dans les chemins de fer, la construction navale et la banque. D'abord républicain, puis démocrate, il entre dans la politique en 1934. De 1934 à 1935, il travaille pour la NRA. Il sert ensuite au secrétariat au Commerce, puis à l'OPM, de 1937 à 1940. En 1941, il représente le président en Grande-Bretagne et en U.R.S.S. à propos de l'aide américaine à ces deux nations. Ambassadeur en U.R.S.S. de 1943 à 1946, en Grande-Bretagne en 1946 – pendant 6 mois –, il est secrétaire au Commerce de 1946 à 1948. Revenu à la diplomatie, il représente les États-Unis en Europe jusqu'en 1950, au titre de la loi de coopération économique de 1948. Puis il dirige l'Agence de sécurité mutuelle, de 1951 à 1953. L'année suivante, il est élu gouverneur de l'État de New York. Il ne parviendra pas à être élu candidat de son parti aux présidentielles de 1956. En 1961, John Kennedy le nomme sous-secrétaire d'État aux Affaires d'Extrême-Orient et, en 1963, sous-secrétaire d'État aux Affaires politiques, poste qu'il occupe jusqu'en 1965. Il remplit, jusqu'en 1969, de nombreuses missions diplomatiques – il est à la tête de la délégation américaine pendant les négociations sur le Viêt-nam à Paris, en 1968-1969. Puis il se retire de la vie publique et des affaires.

Bibliographie

C. Julien, *le Nouveau Nouveau Monde* (Julliard, 1960).

P. Barral, *Il y a trente ans, la Guerre froide* (Armand Colin, 1984).

P. Mélandri, *la Politique extérieure des États-Unis* (PUF, 1982).

Chapitre XXIII 1948 - 1952

La Guerre froide

> *Je ne peux pas, je ne veux pas accommoder ma conscience à la mode de cette année.*
>
> Lillian Hellman, témoignant en 1952 devant l'HUAC.

La crainte qu'inspire la Guerre froide et la peur du communisme, à l'intérieur et à l'extérieur du pays, dominent cette période. Harry Truman est élu aux présidentielles de 1948 avec 24 100 000 voix contre 21 970 000 pour Thomas Dewey, et 303 mandats du collège électoral contre 189.

Libérer le pays et surtout l'administration des influences et des infiltrations communistes devient une obsession. L'HUAC intensifie son activité, et le sénateur Joseph McCarthy, ennemi juré du communisme, entreprend une véritable chasse aux sorcières.

Sur le plan international, climat instable : des conflits éclatent en Europe, avec le blocus de Berlin par les forces soviétiques et les poussées communistes dans les pays de l'Europe de l'Est. La Guerre froide s'étend aussi en Asie, avec la guerre de Corée. Les Américains renforcent le bloc occidental par la création de l'O.T.A.N. et installent des bases militaires autour de l'U.R.S.S., qui devient, elle aussi, puissance atomique en 1949.

Les élections présidentielles de 1952 voient le retour des républicains après 20 ans. Eisenhower, le militaire, le héros charismatique, est élu avec 33 935 000 voix, contre 27 315 000 pour Adlai Stevenson, et 442 mandats contre 89. L'Amérique se fie à sa connaissance des problèmes internationaux. Sa campagne électorale a été claire : dans le conflit de la Guerre froide, « Ike » entend aller au-delà du *containment*. À propos de la Corée, il blâme l'administration précédente, qui n'a su ni gagner la guerre ni négocier un armistice ; il s'engage à se rendre sur place afin de trouver une solution rapide.

Vie politique et institutionnelle

1948

☐ **19 mai** Loi proposée par Mundt et Nixon, obligeant les membres du parti communiste à se faire recenser.

☐ **24 mai** Nouvelle loi sur le service militaire : tous les hommes de 18 à 25 ans doivent s'inscrire sur des listes d'incorporation. Le nombre des incorporés est fixé à 837 000 pour l'armée de terre, à 666 882 pour la marine et les *Marines*, et à 502 000 pour l'aviation.

☐ **20 juill.** 12 leaders du parti communiste américain condamnés pour avoir préconisé le renversement du gouvernement.

☐ **3 août** Whittaker Chambers, ancien membre du P.C., accuse Alger Hiss, fonctionnaire du département d'État de 1937 à 1938, d'avoir été communiste et d'avoir communiqué des documents secrets à l'U.R.S.S.

☐ **2 nov.** Élections présidentielles : Harry Truman élu.

☐ **6 déc.** Richard Nixon, membre de l'HUAC, accuse le gouvernement Truman d'avoir caché la vérité dans l'affaire Hiss.

☐ **15 déc.** Un grand jury fédéral prononce Alger Hiss coupable de faux témoignage.

1949

☐ **20 janv.** Entrée en fonction de Harry Truman ; Alben Barkley, vice-président.

☐ **10 août** Comme prévu par la loi sur la sécurité nationale de 1947, passage de la seconde loi *(Second National Security Act)* pour la création d'un département de la Défense.

☐ **14 oct.** 11 communistes jugés coupables, selon la loi Smith de 1940, de conspiration contre le gouvernement.

☐ **9 déc.** Le directeur de l'HUAC, J. Parnell Thomas, emprisonné pour corruption.

1950

☐ **21 janv.** Alger Hiss condamné à 5 ans de prison.

☐ **9 févr.** Joseph McCarthy, s'adressant à un club féminin à Wheeling (Virginie-Occ.), accuse le département d'État d'employer des communistes : 205, selon une liste qu'il détiendrait.

☐ **20 févr.** McCarthy fait état d'une seconde liste.

☐ **7 mars** Valentin Gubitchev, fonctionnaire au consulat soviétique, expulsé pour conspiration et espionnage.

☐ **8 mai** Décision de la Cour suprême : la déclaration de non-appartenance au communisme requise par la loi Taft-Hartley n'est pas contraire à la Constitution.

☐ **23 sept.** Loi McCarran sur la sécurité intérieure ; désormais, les communistes devront se déclarer au gouvernement et seront incarcérés en cas de situation d'urgence. Création d'un Bureau de contrôle des activités subversives.

☐ **1er nov.** Tentative d'assassinat contre le président Truman, par deux nationalistes portoricains.

1951

☐ **27 févr.** 22e amendement à la Constitution : le président ne pourra être réélu qu'une seule fois. Si le vice-président doit assumer les fonctions de président pour plus de la moitié d'un mandat, il ne pourra ensuite être élu qu'à un seul mandat.

☐ **21 mars** Le secrétaire à la Défense George Marshall annonce l'ampleur des forces armées : 2 900 000 hommes, deux fois plus qu'au début de la guerre de Corée.

☐ **5 avr.** Fin du procès des époux Rosenberg : condamnés à mort pour espionnage au profit de l'U.R.S.S.

☐ **19 juin** Loi sur l'incorporation prolongée jusqu'au 1er juillet 1955. L'âge d'incorporation est porté à 18 ans et demi, la durée du service militaire à deux ans ; obligation du service militaire pour tous.

1952

☐ **2 mars** Décision de la Cour suprême : toute personne accusée de subversion ne pourra enseigner dans les établissements publics.

☐ **18 mars** Le sénateur William Benton, du Connecticut, accuse McCarthy d'utiliser des tactiques nazies dans ses enquêtes.

☐ **27 juin** Loi sur l'immigration (seconde loi McCarran) de 1952 : système de quotas déterminant un nombre d'immigrants par nation.

☐ **23 oct.** À New York, 8 enseignants renvoyés pour activités au sein du parti communiste.

☐ **4 nov.** Dwight D. Eisenhower élu à la présidence.

Politique extérieure

1948

☐ **3 avr.** Loi sur l'aide internationale. Prévoit un budget sur un an dans le cadre du plan Marshall, une aide militaire à la Grèce et à la Turquie, une aide militaire et économique à la Chine nationaliste et un apport au Fonds pour l'enfance de l'O.N.U.

☐ **24 juin** Début du blocus de Berlin par l'U.R.S.S.

☐ **26 juin** Pont aérien, proposé par le général Lucius Clay, commandant des forces américaines en Allemagne, pour ravitailler la ville.

☐ **24 oct.** Devant un comité sénatorial, Bernard Baruch parle de la Guerre froide « qui est en train de chauffer ».

1949

☐ **20 janv.** Discours présidentiel d'entrée en fonction de H. Truman, insistant sur l'importance de l'aide américaine pour le développement technologique et économique des nations alliées. Programme d'aide en quatre points pour préserver la paix dans le monde. Le point 4, le plus célèbre, est un plan d'aide aux pays sous-développés.

☐ **4 avr.** Signature du pacte de l'Atlantique Nord par les États-Unis, la Grande-Bretagne, la France et le Canada.

☐ **12 mai** Fin du blocus de Berlin.

☐ **29 juin** Rapatriement des forces américaines de Corée. Restent 500 conseillers.

☐ **21 sept.** Loi pour l'assistance à la défense mutuelle *(Mutual Defense Assistance Act)*, créant un budget pour la participation américaine à l'O.T.A.N.

☐ **23 sept.** Le président annonce que l'U.R.S.S. possède l'arme atomique et a procédé à sa première explosion nucléaire.

☐ **1er oct.** Les États-Unis refusent de reconnaître le gouvernement communiste chinois de Mao Tsé-toung.

☐ **24 oct.** New York : inauguration des Nations unies, au siège permanent.

☐ **8 déc.** Tchang Kaï-chek s'enfuit à Formose.

1950

☐ **Janv.** Le secrétaire d'État, Dean Acheson, définit le périmètre de défense des États-Unis ; la Corée en est exclue.

☐ **31 janv.** Le président autorise la fabrication d'une bombe à hydrogène.

☐ **5 juin** *International Development Act,* pour établir un plan d'aide aux pays sous-développés.

☐ **8 sept.** Loi sur la production pour la Défense *(Defense Production Act)* autorisant le contrôle des prix et des salaires.

☐ **19 déc.** Le général Eisenhower est nommé commandant suprême des forces de défense de l'Europe de l'Ouest par le Conseil de l'Atlantique Nord. Les États-Unis reconnaissent le nouvel État du Viêt-nam ; ils y envoient des conseillers militaires.

1951

☐ **2 avr.** Eisenhower installe son P.C. à Fontainebleau.

☐ **30 août** Les États-Unis signent avec les Philippines un pacte commercial valable jusqu'en 1954.

☐ **1er sept.** Accord entre États-Unis, Australie et Nouvelle-Zélande pour une défense mutuelle.

☐ **8 sept.** Signature du traité de paix avec le Japon à San Francisco. Les États-Unis y installeront des bases militaires.

☐ **10 oct.** Loi de sécurité mutuelle *(Mutual Security Act)* prévoyant un budget de 7 milliards d'aide aux pays alliés. Création de l'Agence de sécurité mutuelle.

1952

☐ **5 janv.** À Washington, rencontres Truman-Churchill, réélu Premier ministre en 1951, pour renforcer les liens entre leurs deux pays et définir une politique commune pour l'Alliance occidentale.

☐ **8 janv.** Les États-Unis s'engagent à ne pas lancer d'attaque atomique en Europe de l'Est sans l'accord des Britanniques.

☐ **25 juill.** Porto Rico devient un commonwealth sous la juridiction des États-Unis.

☐ **2 août** Fin de l'occupation militaire de la République fédérale d'Allemagne. Cependant les troupes alliées stationneront en R.F.A. au titre de forces de l'O.T.A.N.

☐ **1er nov.** Explosion d'une bombe à hydrogène à Eniwetok.

Faits de guerre

1950

☐ **25 juin** Les troupes nord-coréennes franchissent le 38e parallèle.

☐ **26 juin** Le président autorise l'aviation et la marine à porter aide aux troupes sud-coréennes.

☐ **27 juin** Résolution du Conseil de sécurité de l'O.N.U. pour une intervention armée en Corée, « afin d'assurer la paix et la sécurité dans la région ». L'aide militaire sera essentiellement américaine.

☐ **30 juin** Le président envoie l'infanterie en Corée du Sud et ordonne à la marine de bloquer les côtes coréennes.

☐ **8 juill.** Le général MacArthur, commandant des troupes de l'O.N.U. en Corée du Sud.

☐ **4 août** L'armée appelle 62 000 réservistes au service actif pendant 21 mois.

☐ **15 sept.** Les Américains débarquent à Inchon, et se dirigent vers Séoul, qui a capitulé le 28 juin.

☐ **26 sept.** Séoul reprise par les Américains.

☐ **29 sept.** Les troupes sud-coréennes, aidées des troupes américaines, atteignent le 38e parallèle.

☐ **7 oct.** Les troupes américaines franchissent le 38e parallèle.

☐ **11 oct.** Protestations et menaces de la Chine communiste.

☐ **15 oct.** Rencontre Truman-MacArthur sur l'île de Wake pour définir une stratégie.

☐ **20 oct.** Capitulation de Pyongyang, capitale de la Corée du Nord.

☐ **6 nov.** Des troupes communistes chinoises se joignent aux Nord-Coréens.

☐ **20 nov.** L'armée américaine atteint

la rivière Yahu au point frontière avec la Mandchourie.

□ **29 nov.** Les Américains doivent reculer devant les unités chinoises.

□ **5 déc.** Abandon de Pyongyang par les Américains.

□ **8 déc.** Truman annonce l'arrêt des envois de marchandises à la Chine communiste.

□ **16 déc.** Le président déclare l'état d'urgence.

□ **29 déc.** MacArthur préconise l'attaque de la Chine communiste par l'armée américaine pour mettre un terme au conflit.

1951

□ **1er janv.** Les troupes chinoises franchissent le périmètre de défense autour de Séoul, prennent Inchon et l'aéroport de Kimpo.

□ **14 mars** Les troupes américaines reprennent Séoul.

□ **11 avr.** MacArthur limogé par le président ; le général Matthew Ridgway le remplace.

□ **10 juill.** Réunion à Kaesong, sur le 38e parallèle, en vue de la signature d'un armistice entre les représentants des Nations unies, des États-Unis, de la Corée et de la Chine communiste.

1952

□ **21 janv.** Déclaration des négociateurs de l'O.N.U. à Tokyo : les pourparlers de paix en Corée sont bloqués.

□ **5 déc.** Le président Eisenhower en Corée.

Économie et société

1948

□ **8 mars** Décision de la Cour suprême : l'éducation religieuse dans les écoles publiques viole le 1er amendement à la Constitution.

□ **15 mars-12 avr.** 200 000 mineurs, en grève pour un meilleur plan de retraite, obtiennent un compromis satisfaisant.

□ **25 mai** Accord de la General Motors avec le syndicat des ouvriers de l'industrie automobile : les salaires seront indexés sur le coût de la vie.

□ **26 juill.** Par ordre exécutif, toute forme de ségrégation dans l'armée et l'administration est interdite.

1949

□ **20 janv.** Discours d'entrée en fonction du président Truman. Son programme économique, le *Fair Deal :* soutien des prix agricoles, expansion du programme social, davantage de logements sociaux à des prix accessibles, législation plus importante des droits civiques.

□ **25 févr.** La General Motors annonce une baisse sur le prix de ses voitures, la première depuis la Seconde Guerre mondiale.

□ **15 juill.** Loi sur le logement *(Housing Act)*, allouant un budget pour la construction de logements bon marché.

□ **1er oct.-11 nov.** Grève de 500 000 ouvriers de la sidérurgie réclamant un plan de retraite.

□ **26 oct.** Amendement à la loi sur les salaires, qui passeront de 50 à 75 cents l'heure à compter de janvier 1950.

□ **31 oct.** Walter Reuther, président du syndicat des ouvriers de l'industrie automobile, veut chasser les communistes de la CIO.

1950

Les États-Unis comptent 150 697 361 habitants.
L'analphabétisme est à son niveau le

plus bas : 3,2 % ; 1 % de moins qu'en 1940, 16,8 % de moins qu'en 1870.

□ **28 août** Amendements à la loi sur la sécurité sociale, prévoyant une meilleure couverture sociale.

1951

□ **1er janv.** Vote du Congrès : le président peut geler les prix.

1952

□ **8 avr.** Le président nationalise les usines sidérurgiques à l'annonce d'une grève générale.

□ **2 juin** La Cour suprême juge contraire à la Constitution l'action du président dans le conflit avec les ouvriers de la sidérurgie. Plus de 600 000 ouvriers se mettent immédiatement en grève. Le 24 juillet, accord à la Maison-Blanche mettant fin à la grève.

□ **16 juill.** Loi sur la réadaptation des recrues de la guerre de Corée *(Korean GI Bill of Rights)*. À compter (rétroactivement) du 27 juillet 1950, ils bénéficieront des mêmes avantages que ceux de la Seconde Guerre mondiale.

□ **25 nov.** George Meany devient président de l'AFL.

□ **4 déc.** Walter Reuther prend les commandes de la CIO.

Sciences et technologie

1948 Fabrication du premier disque 33 tours.
Invention du transistor.

□ **3 juin** Inauguration du plus grand télescope à réflecteur à l'observatoire du mont Palomar, en Californie.

1949 Binac, ordinateur automatique binaire réalisé par John Mauch et J. Prosper Eckert, calcule 12 000 fois plus vite que le cerveau humain.
La Commission à l'énergie atomique construit le premier surgénérateur atomique.

□ **2 mars** Un bombardier B-50 effectue le premier vol non-stop autour du monde, se réapprovisionnant 4 fois en vol.

1950 Première transplantation d'un rein par le Dr Richard Lowler.

1951 Une équipe de chercheurs, dirigée par Edward Teller, effectue la première réaction thermonucléaire.

□ **14 juin** Commercialisation du premier ordinateur digital électronique, UNIVAC.

□ **25 juin** Premier programme de télévision en couleurs, pendant 4 heures. Les postes récepteurs ne sont pas encore commercialisés.

□ **4 sept.** Premier programme de télévision transcontinental : retransmission, par 94 stations, du discours du président (depuis Washington), adressé à la conférence de San Francisco, pour la signature du traité de paix avec le Japon.

□ **10 nov.** Premier appel téléphonique transcontinental direct, du New Jersey à la Californie.

□ **20 déc.** Dans l'Idaho, des chercheurs fabriquent pour la première fois de l'électricité à partir d'énergie nucléaire.

1952 Premiers tests de la bombe H, thermonucléaire, par Teller.
Le Dr Jonas Salk, de l'université de Pittsburgh, teste son nouveau vaccin contre la poliomyélite.

□ **8 mai** Le département de la Défense annonce la construction d'un canon atomique.

□ **14 juin** Inauguration, par le président Truman, du premier sous-marin nucléaire à Groton (Connecticut).

Civilisation et culture

1949 Sortie du film *le Troisième Homme,* de Carol Reed □ La station de radio de l'Europe libre, *Radio Free Europe,* émet ses bulletins d'information au-delà du rideau de fer.

1950

□ **11 oct.** La CBS *(Columbia Broadcasting Company)*, reçoit le feu vert de la FCC pour émettre des programmes de télévision en couleurs.

□ **10 nov.** William Faulkner reçoit le prix Nobel de littérature pour 1949 (aucun écrivain ne l'a obtenu en 1949).

1951 Sortie du film *Un Américain à Paris,* de Vincente Minelli.

1952 Ernest Hemingway, *le Vieil Homme et la mer.* John Steinbeck, *À l'est d'Eden* □ Sortie des films *l'Homme tranquille,* de John Ford, *Chantons sous la pluie,* de Gene Kelly et Stanley Donen, *le Train sifflera trois fois,* de Fred Zinneman.

Biographies

McCarthy, Joseph (1908-1957). Il connut une notoriété fulgurante et de très courte durée. Né dans la zone rurale du Wisconsin, il a une enfance solitaire. Il étudie le droit. Pendant la Seconde Guerre mondiale, il sert dans le Pacifique, dans les *Marines*, puis, la guerre terminée, exerce la profession d'avocat. La politique l'attire, il devient sénateur républicain du Wisconsin. C'est un homme bourru, agressif, arrogant, un peu mis à l'écart par ses pairs à cause de son mépris des règles et du protocole. En pleine Guerre froide, la cause de l'anticommunisme le propulse au premier plan de l'actualité. Il devient instantanément célèbre le 9 février 1950, avec le discours qu'il prononce à Wheeling (Virginie-Occidentale) : il y dénonce la mainmise des communistes sur le département d'État et menace ces ennemis de la patrie, faisant référence à une mystérieuse liste de 205 noms, qu'il ne produira jamais. Le voilà chef de la croisade contre le communisme aux États-Unis. Violent jusqu'à l'hystérie, il se livre à une impitoyable chasse aux sorcières. En 1952, à la tête d'un sous-comité sénatorial, il mène plus de 150 enquêtes sur les activités communistes aux États-Unis. Deux ans plus tard, il dénonce des infiltrations communistes jusque dans l'armée, ce qui donnera lieu à des enquêtes télévisées – 187 heures d'antenne sur plus d'un mois. Quand ces émissions prennent fin, le 17 juin 1954, le public américain a découvert l'homme fanatique qu'est McCarthy et ses méthodes d'investigation peu orthodoxes. Dans une Amérique où la peur du communisme est un peu retombée, il apparaît comme un fou dangereux, peu digne de confiance. Le Sénat décide, par 67 voix contre 22, de le censurer. Il tombe alors dans l'oubli presque aussi vite qu'il avait connu la gloire. Il meurt à Bethesda, Maryland.

Hammett, Dashiell Samuel (1894-1961). Né dans le Maryland, où son père, fermier, fait de la politique, il est d'abord détective, de 1919 à 1921, année de son mariage. Tuberculeux, Hammett ne peut plus travailler. Il écrit, milite dans des groupes de gauche et pour les droits civiques, adhère, en 1937, au parti communiste. Il rédige des articles de journaux, écrit des nouvelles, des scénarios de films, des romans, dont le plus célèbre, *le Faucon maltais,* paraît en 1930. Il crée avec succès le roman policier noir et le personnage du privé. Dans les années 30, il rencontre l'écrivain Lillian Hellman avec qui il vivra jusqu'à sa mort. Pendant le maccarthysme, il refuse de témoigner contre des suspects, ce qui lui vaut 6 mois de prison en 1957. Harcelé par le fisc, il devra payer jusqu'à sa mort. Il meurt d'un cancer des poumons à New York, le 10 janvier 1961.

Stevenson, Adlai E. (1900-1965), est né à Los Angeles dans une famille démocrate venue de l'Illinois. Son grand-père fut le vice-président de Grover Cleveland de 1893 à 1897, et son arrière-grand-père, l'un des proches du président Lincoln. Après des études à Princeton et Harvard, il choisit le barreau (avocat en 1927), s'engage très tôt dans la vie politique, devient assistant du secrétaire d'État James Byrnes (1945), travaille à l'élaboration des Nations unies. En 1946-1947, il représente les États-Unis auprès de la nouvelle organisation. Élu gouverneur de l'Illinois en 1948, il est ensuite élu par son parti candidat aux présidentielles en 1952. Il mène une remarquable campagne, mais présente une image trop intellectuelle face au charisme d'Eisenhower. Il perd à nouveau les élections en 1956, mais demeure le leader incontesté du parti démocrate jusqu'à la montée de John Kennedy. En 1961, le président Kennedy le nomme ambassadeur aux Nations unies, poste qu'il occupe jusqu'à sa mort, le 14 juillet 1965.

Bibliographie

P. Mélandri, *les États-Unis face à l'unification de l'Europe, 1945-1954* (Paris, Pédone, 1980).

A. Kaspi, « Maccarthysme : la peur américaine », in *l'Histoire* (n° 27, octobre 1980).

Chapitre XXIV **1953 - 1960**

Ike, l'homme tranquille

> *Nos écoles sont en très mauvais état... Ce qui a longtemps été un problème matériel dont on se désintéressait, est devenu, grâce au Spoutnik, une crise reconnue. En U.R.S.S., le système à la spartiate produit un grand nombre d'étudiants mieux équipés pour faire face à la technicité de l'ère spatiale.*
>
> Extrait d'un éditorial de *Life*, 1958.

L'arrivée d'Eisenhower à la Maison-Blanche n'apporte pas de vrai changement. Le premier fait marquant est la signature de l'armistice en Corée. Dans un pays où la prospérité domine malgré les menaces d'inflation et de récession, les tensions raciales et idéologiques constituent le problème essentiel. La population noire prend conscience de la force qu'elle représente et organise la revendication de ses droits civiques. Les décisions de la Cour suprême, puis les efforts du gouvernement pour mettre fin à la ségrégation rencontrent une forte résistance, surtout dans le Sud. À la fin du premier mandat, en 1956, les excès du maccarthysme appartiennent au passé, et le pays commence à apporter des solutions aux problèmes raciaux.
Eisenhower est réélu aux présidentielles de 1956, à une très large majorité ; 35 590 472 voix, contre 26 022 752 pour Adlai Stevenson, et 457 mandats au collège électoral contre 73. Cette période est marquée par d'énormes progrès en matière de Défense, dus à l'étroite collaboration entre l'industrie privée et le complexe militaire et à l'application de découvertes scientifiques dans la fabrication des armes.
La Guerre froide se généralise. Les États-Unis adoptent, vis-à-vis de l'U.R.S.S., une politique plus ferme par « représailles massives ». Après une tentative de rapprochement, l'antagonisme s'accentue en 1960, avec l'incident de l'U-2 capturé en territoire soviétique. Dans les deux camps, on entame une course aux armements nucléaires et à la conquête de l'espace, où l'U.R.S.S. prend l'avantage, avec Spoutnik 1, premier satellite de l'espace, lancé le 4 octobre 1957.
Autre sujet d'inquiétude, au plan international : le communisme en Extrême-Orient, surtout après le départ des Français d'Indochine. Eisenhower craint son expansion, dans des pays qu'il compare à des rangées de dominos susceptibles de tomber les uns après les autres, la chute de l'un entraînant celle des suivants.
Aux présidentielles de 1960, le jeune sénateur démocrate du

Massachusetts, John Kennedy, l'emporte devant Richard Nixon, avec 34 227 096 voix contre 34 108 546, la plus courte majorité jamais obtenue depuis 1888, et 303 mandats du collège électoral contre 219. Nouveauté de ces élections : la série de 4 débats télévisés qui firent probablement pencher la balance en faveur du démocrate. Kennedy annonce la fin d'une ère, l'Amérique de l'après-guerre.

Vie politique et institutionnelle

1953

□ **20 janv.** Entrée en fonction du président ; Richard Nixon, vice-président.

□ **21 janv.** À New York, un jury fédéral accuse 13 leaders communistes de conspiration contre le gouvernement.

□ **13 févr.** Discours de McCarthy : la politique extérieure d'Eisenhower est « sabotée » par la station de radio « la Voix de l'Amérique ».

□ **1er avr.** Création du secrétariat à la Santé, à l'Enseignement et aux Affaires sociales *(Department of Health, Education and Welfare, HEW).*

□ **20 avr.** Le parti communiste américain reçoit l'ordre de s'inscrire auprès du secrétariat à la Justice comme organisation contrôlée et dirigée par l'U.R.S.S.

□ **14 juin** Discours d'Eisenhower à l'université Dartmouth : attention à « ceux qui brûlent les livres » et tentent de contrôler les esprits !

□ **19 juin** Exécution de Julius et Ethel Rosenberg, premiers Américains exécutés pour trahison en temps de paix.

□ **5 oct.** Earl Warren devient chef de la Cour suprême.

□ **9 déc.** La General Electric licenciera tout employé affilié au parti communiste.

1954

□ **22 avr.-17 juin** Audition des témoins au Sénat, à propos des accusations de McCarthy contre l'armée. La presse et la télévision couvrent l'événement ; l'image du sénateur en sort brisée.

□ **24 mai** Décision de la Cour suprême : l'appartenance au parti communiste est désormais raison suffisante pour déporter tout étranger.

□ **2 juin** McCarthy déclare la CIA victime d'infiltrations communistes.

□ **30 juill.** Un comité sénatorial vote la censure de McCarthy.

□ **24 août** Loi pour le contrôle des communistes *(Communist Control Act)*, enlevant tout privilège et immunité au P.C. et le soumettant à des représailles en raison de la loi McCarran sur la sécurité intérieure.

□ **3 sept.** Loi sur l'espionnage et le sabotage : désormais passibles de peine de mort, même en temps de paix.

□ **2 nov.** Aux élections législatives, les démocrates reprennent la majorité au Sénat et à la Chambre des représentants.

□ **2 déc.** McCarthy formellement condamné par ses pairs. Fin du maccarthysme.

1955

□ **3 janv.** Renvoi de 3 002 fonctionnaires, du 28 mai 1953 au 30 septembre 1954, suspects de présenter des risques pour la sécurité.

□ **14 janv.** Le Sénat vote à l'unanimité la poursuite des enquêtes sur les infiltrations communistes chez les fonctionnaires.

☐ **19 janv.** 1re conférence de presse télévisée du président.

1956

☐ **6 nov.** Élections présidentielles. Eisenhower réélu. Aux législatives, les démocrates conservent la majorité au Sénat et à la Chambre des représentants.

1957

☐ **20 janv.** Début du second mandat d'Eisenhower.

☐ **9-12 févr.** Convention du parti communiste américain à New York : il affirme son indépendance par rapport au contrôle soviétique ; tout membre accusé de complot contre le gouvernement sera exclu.

☐ **16 juill.** Le secrétaire à la Défense, Charles Wilson, réduit les forces armées de 100 000 hommes ; décision effective fin 1957.

1958

☐ **29 juill.** Loi pour l'établissement d'un programme spatial. Création de l'Administration nationale pour l'aéronautique et l'espace, la NASA.

☐ **4 nov.** Grande victoire démocrate aux élections législatives de mi-parcours.

1959

☐ **3 janv.** L'Alaska devient le 49e État de l'Union.

☐ **15 avr.** Atteint d'un cancer, le secrétaire d'État John Foster Dulles se retire. Remplacé par Christian Herter.

☐ **21 août** Hawaii devient le 50e État de l'Union.

1960

☐ **4 juill.** Le nouveau drapeau a 50 étoiles.

☐ **8 nov.** Élections présidentielles. John F. Kennedy élu à la suite d'une première : 4 débats télévisés – le 26 septembre et les 7, 13 et 21 octobre.

Politique extérieure

1953

☐ **26 mars** Entretien avec le Premier ministre français, René Mayer : les États-Unis aideront la France dans la guerre contre l'Indochine ; engagement confirmé le 7 avril 1954.

☐ **20 avr.** Première bombe thermonucléaire de l'U.R.S.S.

☐ **27 juill.** Armistice de Panmunjom, en Corée. Pertes dans les rangs américains : 54 246 morts, 103 284 blessés.

☐ **26 sept.** Les États-Unis aideront l'Espagne au plan économique et militaire, en échange de bases aériennes et navales en territoire espagnol.

☐ **4 déc.** Aux Bermudes, conférence des trois Grands, États-Unis, Grande-Bretagne, France. Ordre du jour : l'échange d'informations sur les armes nucléaires.

☐ **8 déc.** Eisenhower présente son programme « Atomes pour la Paix » à l'O.N.U.

1954

☐ **7 janv.** Message présidentiel sur l'état de l'Union. Eisenhower propose de diminuer les dépenses militaires.

☐ **12 janv.** John Foster Dulles présente la nouvelle politique des États-Unis vis-à-vis de l'U.R.S.S. : des « représailles massives » *(massive retaliation)*.

☐ **23 janv.** Ouverture de la conférence des quatre Grands à Berlin, avec les ministres des Affaires étrangères des États-Unis, de Grande-Bretagne, de France et d'U.R.S.S.

☐ **1er mars** Conférence des États américains à Caracas. Ordre du jour : la menace communiste dans les États membres de l'OAS, organisation des États américains.
Essai thermonucléaire de Bikini.

☐ **8 mars** Traité de défense mutuelle avec le Japon.

☐ **7 mai** Indochine : défaite de l'armée française à Diên Biên Phu. Les États-Unis se préparent à une intervention militaire limitée.

☐ **Mai-juin** Intervention au Guatemala de forces soutenues par la CIA.

☐ **8 sept.** Traité de défense mutuelle en Asie du Sud-Est : crée l'OTASE, qui regroupe Australie, Nouvelle-Zélande, Pakistan, Philippines, Thaïlande, Grande-Bretagne et États-Unis, ces derniers uniquement dans le cas d'une agression communiste.

☐ **2 déc.** Traité de défense mutuelle avec Taiwan.

1955

☐ **1er janv.** Début d'un programme d'aide au Cambodge, au Laos et au Viêt-nam.

☐ **29 janv.** Par décision du Congrès, le président pourra mobiliser des troupes en cas d'attaque de Taiwan par la Chine communiste.

☐ **10 mars** Déclaration d'Eisenhower : dans l'éventualité d'une guerre, les États-Unis auraient recours à l'arme nucléaire.

☐ **15 mai** Conférence des quatre Grands à Vienne. Traité de paix avec l'Autriche, qui retrouve ses frontières d'avant 1938. Retrait des forces d'occupation.

☐ **18 juill.** Conférence de Genève, la première depuis 1945, réunissant Eisenhower, Eden, Faure, Boulganine et Khrouchtchev. Ordre du jour : la réunification de l'Allemagne, la sécurité en Europe, le désarmement, les relations est-ouest. « L'esprit de Genève » est à la coopération.

☐ **8 août** Conférence internationale de Genève sur l'utilisation pacifique de l'énergie atomique.

☐ **17 déc.** Les États-Unis s'engagent à prêter 56 millions de dollars à l'Égypte pour la construction du barrage d'Assouan.

1956

☐ **7 mars** Refus d'Eisenhower d'expédier des armes à Israël, bien que l'Égypte soit aidée militairement par l'U.R.S.S.

☐ **19 juill.** John Foster Dulles annule l'offre de prêt à l'Égypte du 17 déc. 1955.

☐ **22 juill.** Déclaration de Panama, signée par 18 États américains, leur garantissant l'utilisation du canal de Panama.

☐ **26 juill.** Nationalisation du canal de Suez par le président égyptien, Gamal Abdel Nasser.

☐ **26 oct.** Signature à New York de la charte de l'Agence internationale à l'énergie atomique, par les représentants de 70 nations.

☐ **Oct.-nov.** Eisenhower stoppe l'intervention anglo-française au canal de Suez.

1957

☐ **5 janv.** Discours du président au Congrès : à toute nation du Moyen-Orient menacée par le communisme, les États-Unis s'engagent à envoyer des armes. C'est la « Doctrine Eisenhower ».

☐ **14 janv.** Selon John Foster Dulles, parlant au Sénat, la menace du communisme au Moyen-Orient est à son point le plus critique.

☐ **8 févr.** Accord avec l'Arabie Saoudite. Les États-Unis continueront leur aide militaire en échange d'un bail sur le terrain d'aviation de Dharan.

☐ **11 mai** À Washington, rencontre entre Eisenhower et Ngô Dinh Diêm, président du Viêt-nam du Sud.

☐ **26-28 mai** Rencontre entre Eisenhower et le chancelier allemand Konrad Adenauer, à propos du désarmement et de l'unification de l'Allemagne.

☐ **7 juin** Accord avec la Pologne en vue de prêts pour le développement de son agriculture et de son sous-sol.

☐ **16 déc.** Départ pour Paris du président et de son secrétaire d'État, pour une rencontre au sommet des forces de l'O.T.A.N.

1958

☐ **27 janv.** Pacte avec l'U.R.S.S., en vue d'échanges dans les domaines de l'éducation, de la culture, des sports, de la technologie.

☐ **31 mars** L'U.R.S.S. puis les États-Unis suspendent leurs essais nucléaires.

☐ **12 mai** Les États-Unis et le Canada constituent le NORAD *(North American Air Defense Command)*, plan de défense aérienne nord-américain.

☐ **13 mai** En visite en Amérique du Sud, le vice-président Nixon rencontre une violente hostilité à Caracas.

☐ **14 mai** La VIe flotte double sa puissance en Méditerranée. Les États-Unis envoient des armes au Liban pour garantir son indépendance.

☐ **15 juill.** Crise au Moyen-Orient : les *Marines* de la VIe flotte débarquent au Liban, à la demande du gouvernement libanais.

☐ **13 août** Les *Marines* quittent le Liban : évacuation effective le 25 octobre.

☐ **31 oct.** Conférence sur la suspension des essais nucléaires, entre États-Unis, Grande-Bretagne et U.R.S.S.

☐ **15 nov.** Le gouvernement américain rejette la proposition soviétique de suspension permanente des essais nucléaires.

1959

☐ **5 mars** Signature de pactes de défense bilatéraux entre les États-Unis et l'Iran, le Pakistan et la Turquie.

☐ **9 juill.** Deux soldats américains tués par les communistes à Biên Hoa (Viêt-nam du Sud).

☐ **23 juill.** Moscou : arrivée du vice-président Nixon, en visite pour 2 semaines en U.R.S.S. et en Pologne. Débat télévisé Nixon-Khrouchtchev... dans la cuisine modèle de l'exposition américaine.

☐ **26 août** L'arrêt des essais nucléaires prolongé de 2 mois, jusqu'au 31 décembre 1959.

☐ **27 août** L'aide en armement au Laos sera intensifiée.

☐ **13 sept.** Une fusée spatiale soviétique non habitée atteint la Lune.

☐ **15-27 sept.** Visite de Khrouchtchev, premier secrétaire du parti communiste soviétique, aux États-Unis.

☐ **21 nov.** Accord d'échange avec l'U.R.S.S. pour les sciences, la culture et les sports.

1960

☐ **19 janv.** Second traité de défense mutuelle avec le Japon.

☐ **5 mai** Déclaration de Nikita Khrouchtchev : un avion américain de type U-2 en mission d'espionnage a été abattu en territoire soviétique le 1er mai ; le pilote a été fait prisonnier.

☐ **7 mai** Les États-Unis reconnaissent que l'avion U-2 était en mission d'espionnage.

☐ **11 mai** Dans un discours, Eisenhower admet que les États-Unis ont mené, depuis 4 ans, des missions de reconnaissance au-dessus du territoire soviétique.

☐ **16 mai** Khrouchtchev annule la conférence au sommet prévue à Paris et l'invitation faite au président Eisenhower de se rendre en U.R.S.S.

☐ **12 juin** Eisenhower part pour l'Asie – les Philippines, Taiwan, la Corée – et l'Alaska.

☐ **6 juill.** Devant l'attitude de plus en plus hostile de Fidel Castro, les États-Unis diminuent de 95 % leurs importations de sucre de Cuba.

☐ **19 août** Jugement du pilote de l'avion U-2, prisonnier en U.R.S.S. : condamné à 10 ans d'incarcération. Il sera libéré le 10 février 1962.

☐ **20 oct.** Embargo sur les exportations vers Cuba.

Économie et société

1953

☐ **6 févr.** Suppression des contrôles sur les salaires.

☐ **17 mars** Suppression des contrôles sur tous les prix.

☐ **7 août** Loi sur l'aide aux réfugiés *(Refugee Relief Act)* : permet l'entrée de 214 000 réfugiés aux États-Unis.

☐ **1er oct.** Le président a recours à la loi Taft-Hartley pour empêcher une grève des dockers.

1954

☐ **3 mars** Grève des dockers new-yorkais, jusqu'au 2 avril.

☐ **17 mai** Arrêt de la Cour suprême dans l'affaire Brown contre l'administration scolaire de Topeka (Kansas). La doctrine « séparés mais égaux à l'école » est déclarée illégale.

☐ **2 août** Loi sur le logement *(Housing Act)* : construction de 35 000 nouveaux logements.

☐ **30 août** Loi sur l'énergie atomique : des sociétés privées pourront construire des centrales pour la production d'énergie. La loi prévoit également le libre échange de l'information sur les armes nucléaires avec les alliés européens.

☐ **1er sept.** Amendement à la loi sur la sécurité sociale étendant la couverture sociale à 7 millions d'individus de plus, fermiers et exploitants agricoles pour la plupart.

☐ **31 déc.** À la Bourse de New York, cotes à leur maximum depuis 1929.

1955

Une augmentation rapide de la population provoque un manque de 140 000 enseignants et de 300 000 salles de classes.

☐ **31 mai** Décret de la Cour suprême : la déségrégation dans les écoles doit s'effectuer « dans les délais les plus brefs. »

☐ **2 août** Le Congrès approuve une allocation budgétaire pour 45 000 nouveaux logements, à livrer le 31 juillet 1956.

☐ **12 août** Loi sur l'augmentation du salaire horaire minimal ; il passera à 1 dollar de l'heure au 1er mars 1956.

☐ **26 sept.** La Bourse de New York connaît, en une journée, les pertes les plus lourdes de toute son histoire : 44 milliards de dollars.

☐ **25 nov.** La commission au Commerce entre États interdit toute forme de ségrégation dans les trains et autobus circulant entre les États.

☐ **1er déc.** Montgomery (Alabama) : Rosa Parks refuse de céder sa place à un passager blanc dans un autobus. Elle est emprisonnée. Action à l'origine du boycottage des autobus.

☐ **5 déc.** Fusion de l'AFL et de la CIO en une seule organisation syndicale, l'AFL-CIO ; à sa tête, George Meany, ancien président de l'AFL.

1956

☐ **6 févr.** Une étudiante noire, la première, à l'université d'Alabama : Autherine Lucy. Renvoyée, après trois jours de violences.

☐ **20 mars** Fin d'une grève de 156 jours, la plus longue en 20 ans, à la Westinghouse Electric Corporation.

☐ **2 mai** L'Église méthodiste lance un appel contre toute ségrégation raciale en son sein.

☐ **28 mai** Loi sur l'agriculture. Aide aux cultivateurs pour qu'ils laissent leurs terres en jachère, afin de réduire les surplus et de maintenir les prix.

☐ **1er août** Allocation budgétaire pour la construction de 70 000 logements.

1957

☐ **12 juill.** Loi sur le logement *(Housing Act)*, facilitant les prêts hypothécaires et ouvrant des logements sociaux pour personnes âgées.

☐ **29 août** Loi sur les droits civiques *(Civil Rights Act)*, première loi pour la protection des droits des Noirs depuis 1868 : toute violation au droit de vote sera punie. Création de la Commission aux droits civiques.

☐ **4 sept.** À Little Rock (Arkansas), la milice de l'État interdit l'entrée du lycée (Central High School) aux élèves noirs. Le gouverneur, Orval Faubus, fait appel à la garde nationale de l'Arkansas pour empêcher la déségrégation.

☐ **14 sept.** Entretien Eisenhower-Faubus.

☐ **20 sept.** En réponse à un ordre fédéral, Faubus retire ses troupes du lycée.

☐ **23 sept.** À la suite de violences, les élèves noirs quittent le lycée Central High School.

☐ **25 sept.** Eisenhower envoie 1 000 paras à Little Rock pour protéger 9 lycéens noirs et leur permettre de suivre les cours.

☐ **16 oct.** Visite de la reine Élisabeth et du prince Philip à Jamestown (Virginie), pour la célébration du 350e anniversaire de l'installation de la première colonie britannique.

1958

☐ **1er avr.** Loi d'urgence sur le logement, pour encourager la construction et stimuler l'économie.

☐ **29 juin** À Birmingham (Alabama), une bombe explose près d'une église baptiste. Le pasteur est un des chefs du mouvement pour les droits civiques.

☐ **4 sept.** La Cour suprême intervient à Columbus (Géorgie), dans des cas de violation du droit de vote.

☐ **12 sept.** La Cour suprême refuse tout délai pour la déségrégation à la Central High School de Little Rock.

☐ **29 sept.** À l'unanimité, la Cour suprême interdit « les plans évasifs » de déségrégation dans les écoles.

☐ **30 sept.** Little Rock : Faubus ferme 4 lycées.

1959

☐ **25 avr.** Inauguration du canal du Saint-Laurent, projet entrepris en coopération avec le Canada.

☐ **15 juill.** Grève des ouvriers de la métallurgie. Les 28 sociétés qui produisent 95 % de l'acier du pays sont touchées. Jusqu'au 4 janvier 1960 : grève la plus longue de ce secteur.

☐ **12 août** Les lycées de Little Rock sont réouverts, dans le respect de la déségrégation. Environ 250 manifestants ségrégationnistes sont maintenus à distance par la police.

□ **4 sept.** Loi sur la réforme du travail, restreignant le pouvoir des syndicats.

□ **9 oct.** Pour arrêter la grève des métallurgistes, Eisenhower invoque la loi Taft-Hartley.

□ **7 nov.** Les métallurgistes reçoivent l'injonction, soutenue par la Cour suprême, de reprendre le travail.

1960

Le nombre des femmes travaillant à l'extérieur est passé de 25 % en 1940 à 34 %.
États dont la population augmente le plus vite : le Nevada, la Floride, l'Alaska, l'Arizona et la Californie.

□ **1er févr.** 1er sit-in par 4 étudiants noirs, à Greensboro (Caroline du Nord). Début d'une vague de sit-in.

□ **24 févr.** La population est passée à 179 245 000 habitants.

□ **9 avr.** Selon le magazine *Southern School News,* depuis la décision de 1954 de la Cour suprême, à peine 6 % des écoles publiques des États du Sud ont suivi l'ordre de déségrégation.

□ **6 mai** Loi sur les droits civiques : des arbitres seront désignés pour assurer le droit de vote de tout citoyen.

□ **16 nov.** Pour ralentir les fuites de l'or vers d'autres pays et diminuer ainsi le déficit, Eisenhower demande aux Américains de réduire au minimum leurs dépenses à l'étranger.

□ **17 nov.** Violence raciale à La Nouvelle-Orléans : 200 arrestations.

Sciences et technologie

1953

□ **25 mai** Test du premier obus atomique dans le Nevada.

□ **16 sept.** Sortie de *la Tunique*, premier film en Cinémascope.

□ **16 déc.** Nouveau record de vitesse en vol, par le major Charles Yeager : 2 560 km/h.

1954 Premiers tests du Boeing 707.

□ **21 janv.** Lancement du premier sous-marin nucléaire américain, le *Nautilus.*

1956 Première utilisation de tubes de plastique pour remplacer des vaisseaux sanguins en chirurgie cardiaque.
Premier vol transcontinental non-stop d'un hélicoptère, en 37 heures.

□ **24 sept.** Installation du premier câble téléphonique sous l'Atlantique : de l'Écosse à Terre-Neuve, 3 600 km.

1957 Le major John Glenn établit un nouveau record de vitesse pour la traversée du pays : 3 h et 23 min.

□ **18 janv.** Trois jets de l'aviation militaire font le tour du monde sans escale : moyenne supérieure à 800 km/h.

□ **19 sept.** Premiers essais nucléaires souterrains dans le Nevada.

□ **12 déc.** Nouveau record de vitesse à bord d'un jet : 1 932 km/h.

□ **15 déc.** L'armée de l'air teste son premier missile balistique intercontinental Atlas (ICBM).

1958 Fabrication des premiers disques en stéréo.

□ **31 janv.** Lancement du 1er satellite Explorer I par l'armée.

□ **28 avr.** Essais nucléaires aux îles Marshall.

□ **27 juin** Nouveau record de vitesse : New York-Londres en 5 h et 27 min.

□ **5 août** Le sous-marin *Nautilus* traverse le pôle Nord pour la première fois.

□ **10 déc.** Premiers vols commerciaux en Boeing 707.

1959

□ **28 févr.** Lancement de Discoverer I, satellite de recherche militaire.

□ **7 août** Lancement d'Explorer IV, premier satellite construit et lancé par la NASA.

□ **10 oct.** Début des vols commerciaux autour du monde.

1960 Commercialisation de la « pilule », premier contraceptif oral. Invention du LASER, *light amplification by stimulated emission of radiation,* par Théodore Maiman.
À l'observatoire du mont Palomar, détection des quasars, QSO *(quasi stellar objects).*

Civilisation et culture

1953 Sortie du premier numéro du magazine *Playboy* □ Maureen Connolly, 19 ans, est la première femme qui remporte un grand chelem de tennis.

□ **22 janv.** Au théâtre, à New York : première des *Sorcières de Salem,* d'Arthur Miller.

1954 60 % des foyers américains possèdent un poste de télévision □ Premier festival de jazz à Newport.

□ **28 oct.** Le prix Nobel de littérature à Ernest Hemingway.

1955 Sortie des films *À l'est d'Eden,* d'Elia Kazan, *la Fureur de vivre,* de Nicholas Ray, *Graine de violence,* de Richard Brooks □ La première cantatrice noire au Metropolitan Opera, Marian Anderson.

□ **17 juin** Inauguration, à Anaheim (Californie), du parc d'attractions Disneyland.

1956 Sortie du film *les Dix Commandements,* de Cecil B. De Mille.

□ **29 juin** Mariage du dramaturge Arthur Miller avec l'actrice Marilyn Monroe.

1957 Sortie du film *le Pont de la rivière Kwai,* de David Lean.

□ **26 sept.** Première de la comédie musicale *West Side Story,* à New York.

1958

□ **11 avr.** Le pianiste texan Van Cliburn, 23 ans, lauréat du concours Tchaïkovski à Moscou.

□ **14 avr.** Première des ballets Moïsseïev au Metropolitan Opera, puis tournée de trois semaines.

1959 Publication aux États-Unis du roman de D.H. Lawrence, *l'Amant de lady Chatterley,* après 30 ans d'interdiction □ Sortie du film *Ben Hur,* de William Wyler.

□ **22 mai** Premier Noir promu général : Benjamin O. Davis Jr, de l'armée de l'air.

□ **21 oct.** Inauguration du musée Solomon-Guggenheim, à New York.

1960

□ **18-28 févr.** Jeux Olympiques d'hiver à Squaw Valley (Californie).

Biographies

Eisenhower, Dwight (1890-1969). Né au Texas, dans une famille extrêmement modeste, il fait des études à West Point jusqu'en 1911. Il suit une carrière militaire exemplaire, entre à l'état-major général en 1925. Il est, dans les années 30, chef d'état-major du général MacArthur, en poste aux Philippines de 1935 à 1939. En décembre 1941, le général Marshall le fait venir dans son état-major. Commandant des forces américaines en Europe en 1942, il dirige le débarquement allié en Afrique du Nord, puis les opérations en Italie, avant d'être commandant en chef des armées en Europe, à la fin de 1943. Il prépare et conduit le débarquement en Normandie et la campagne qui aboutit à la capitulation de la Wehrmacht en 1945. Cinq ans plus tard, il est nommé commandant en chef des forces alliées du pacte de l'Atlantique Nord en Europe et s'installe à Paris. Il n'a pas d'allégeance politique particulière, mais c'est un héros national, que le parti républicain choisit pour candidat aux présidentielles de 1952. Une forte majorité l'élit, et il sera président de 1953 à 1960. C'est avant tout l'homme de la mesure, qui incarne un certain conservatisme. En 1960, il se retire dans sa ferme de Pennsylvanie, où il se consacre à l'écriture (*Mémoires de guerre,* 1948 ; *Mes années à la Maison-Blanche,* 1965).

Dulles, John Foster (1888-1959). Né à Washington, le 25 février 1888, dans une famille de tradition républicaine qui a déjà donné plusieurs ministres et deux secrétaires d'État, J. F. Dulles fait des études de droit, devient spécialiste du droit international et conseiller financier. En 1919, c'est l'un des principaux experts à la conférence de Versailles. Pendant les années 20 et 30, il participe à plusieurs conférences internationales sur la paix et la finance. Profondément religieux, il conçoit la lutte contre le communisme et les Soviétiques comme une croisade. À la fin des années 40, il est délégué à l'O.N.U., et sera conseiller du département d'État en 1950. Il mène, en 1951, les négociations de paix avec le Japon. En 1953, Eisenhower le nomme secrétaire d'État (1953) et lui laisse une grande liberté d'action : il est le véritable responsable de la diplomatie jusqu'en 1959. Il contribue au développement de la Guerre froide, par la doctrine des « représailles massives », selon laquelle « le pays doit aller jusqu'au gouffre de la guerre » si nécessaire, pour atteindre son but contre le communisme. Le soutien inconditionnel à la Chine nationaliste, aux forces sud-vietnamiennes, à presque tous les gouvernements qui s'opposent au communisme, c'est l'œuvre de Foster Dulles. Toute sa vie, c'est un partisan convaincu de la Guerre froide. Atteint d'un cancer, il se retire le 15 avril 1959. Le 20 mai, le président Eisenhower le décore de la médaille de la Liberté, la plus haute récompense civile. Il meurt le 24 mai 1959 à Washington, où il est enterré avec les honneurs militaires.

Ives, Charles (1874-1954), né dans le Connecticut. Son père, George, chef de la fanfare, et grand amateur d'expériences musicales, invente instruments et harmonies. En 1894, Charles s'inscrit à Yale pour y étudier la musique, mais, convaincu que le genre de musique qu'il aime ne plaît pas au public, il entre (1898) dans une compagnie d'assurances de New York ; en 15 ans, il constitue le plus gros cabinet américain. Parallèlement, il mène une carrière de compositeur. La consécration lui vient en 1939, avec la *Concord Sonata*, interprétée pour la première fois en public à New York (4 mouvements : Emerson, Hawthorne, les Alcott et Thoreau). Membre de l'Institut National des Arts et des Lettres en 1945 ; prix Pulitzer en 1947 pour sa 3e Symphonie (1911). Pionnier du langage musical contemporain, Ives a écrit 4 symphonies, 2 quatuors, 2 sonates pour piano.

Bibliographie

C. Delmas, *la Bombe atomique* (Bruxelles, Complexe, 1985).

Chapitre XXV **1961-1963**

J.F.K., ou le Renouveau du rêve américain

> *Quelle journée ! Je ne sais que dire d'une journée pendant laquelle j'ai vu quatre merveilleux couchers de soleil... C'est pour le moins extraordinaire, il me semble.*
>
> John Glenn, après son vol orbital, en 1962.

Quand John Kennedy prend le pouvoir, il a 43 ans. Il est le plus jeune président jamais élu, le premier catholique, le premier né au XXe siècle. Il suscite l'enthousiasme, des jeunes en particulier, en évoquant une « nouvelle frontière » dans son discours d'entrée en fonction. Il demande aux Américains de se surpasser dans tous les domaines. Kennedy se met au travail pour relancer l'économie, lutter contre les inégalités sociales, améliorer la qualité de la vie. Il propose au Congrès des projets de loi pour mettre en place son programme. Certaines de ces lois n'entreront en vigueur qu'après sa mort. Il souhaite supprimer la discrimination raciale et entame une politique de réforme dans le domaine des droits civiques. Les Noirs sont plus activement engagés dans la revendication de leur égalité, et, dans le Sud, la violence éclate souvent. Kennedy désire faire briller la culture américaine et crée des programmes pour soutenir la vie artistique sous toutes ses formes. Il lance un vaste programme spatial de dix ans, dont l'objectif est d'envoyer un homme sur la Lune. Sur le plan militaire, Kennedy veut doter l'Amérique d'une armée efficace et d'un armement moderne. En moins de trois ans les États-Unis prennent dans ce domaine une grande avance sur l'U.R.S.S.

Bien que Kennedy ne voie plus la Guerre froide comme une guerre de religions mais d'une façon plus réaliste, et bien qu'il croie en une « coexistence pacifique », la Guerre froide va s'intensifier, au moins jusqu'en 1962. Les points sensibles sont Berlin, puis Cuba. Après le face-à-face avec l'U.R.S.S. à propos des fusées nucléaires envoyées par cette dernière à Cuba, les États-Unis ont, dans le conflit Est-Ouest, une position renforcée.

La situation en Extrême-Orient est de plus en plus inquiétante. Kennedy augmente le nombre des conseillers au Viêt-nam. En fait, il place son pays dans l'engrenage inexorable qui mène à la guerre. En matière de défense, on abandonne la stratégie des « représailles massives », jugée impossible, pour celle de la « riposte graduée » :

selon la gravité de la menace, les États-Unis auront recours à la guerre conventionnelle, subversive ou nucléaire.
Kennedy s'emploie à resserrer les liens avec les nations alliées. Il souhaite une Europe forte. Avec les États d'Amérique latine, il crée l'Alliance pour le progrès, vaste programme d'aide et d'échanges. Il veut aussi aider les pays sous-développés.
Sa vie se termine brutalement le 22 novembre 1963, à Dallas. Il est assassiné par un homme de 24 ans, Lee Harvey Oswald. Le pays est en état de choc. L'historien Arthur Schlesinger écrit qu'avec lui, « tous les hommes ont perdu un leader, un ami, un frère ».

Vie politique et institutionnelle

1961

☐ **20 janv.** Entrée en fonction de John Kennedy ; Lyndon B. Johnson, vice-président.

☐ **25 janv.** Conférence de presse du président, pour la première fois en direct à la télévision.

☐ **1er mars** Création du Corps de la paix *(Peace Corps)*, formé de jeunes volontaires, pour le développement et la formation du tiers-monde.

☐ **29 mars** 23e amendement à la Constitution : donne le droit de vote aux citoyens du district où se tient le siège du gouvernement *(District of Columbia)*.

1963

☐ **22 nov.** Dallas (Texas) : assassinat de Kennedy par Lee Harvey Oswald, qui est immédiatement arrêté. Le décès est prononcé à 13 heures. À 14 h 30, Lyndon Johnson prête serment.

☐ **24 nov.** Assassinat de Lee Harvey Oswald par Jack Ruby.

☐ **25 nov.** Enterrement du président au cimetière national d'Arlington.

☐ **29 nov.** Johnson forme la Commission Warren pour faire enquêter sur l'assassinat.

Politique extérieure

1961

☐ **3 janv.** Rupture des relations diplomatiques avec Cuba.

☐ **26 mars** Key West (Floride) : rencontre entre Kennedy et le Premier ministre britannique, Harold MacMillan, au sujet du Laos, où les troupes communistes ne cessent d'augmenter.

☐ **Printemps** Visite d'observation de Johnson au Viêt-nam du Sud.

☐ **17 avr.** Débarquement anticastriste dans la baie des Cochons, à Cuba. En 48 heures, c'est l'échec et la débâcle pour les 1200 Cubains réfugiés aux États-Unis et formés par la CIA.

☐ **Mai** Kennedy dépêche des forces spéciales au Viêt-nam.

☐ **16 mai** Kennedy à Ottawa.

☐ **27 mai** Loi établissant l'Alliance pour le progrès, prévue pour 10 ans.

☐ **31 mai** Kennedy à Paris ; rencontre avec De Gaulle.

☐ **3-4 juin** Kennedy à Vienne : rencontre avec Khrouchtchev pendant 2 jours. Aucun accord sur Berlin. C'est la seule rencontre au sommet entre les deux hommes.

☐ **2 août** À l'O.N.U., les États-Unis

renouvellent leur accord pour l'adhésion de la Chine nationaliste à l'Organisation et leur opposition à celle de la Chine communiste.

□ **13 août** Construction du mur de Berlin.

□ **17 août** Première réunion de l'Alliance pour le progrès, en Uruguay. Signature d'une charte définissant l'aide pour l'économie et le développement des différents États.

□ **4 sept.** Loi sur l'aide aux pays étrangers *(Foreign Assistance Act)* : établit l'Agence pour le développement international *(Agency for International Development)*, pour la gestion de programmes d'aide économique et militaire.

□ **15 sept.** Rencontre à Washington des ministres des Affaires étrangères des quatre Grands à propos de Berlin.

□ **Déc.** Promesse d'aide au Viêt-nam du Sud.

□ **15 déc.** Visite officielle du président en Colombie, à Porto Rico et au Venezuela.

□ **21 déc.** Rencontre Kennedy-MacMillan, aux Bermudes.

□ **22 déc.** Premier Américain tué par le Viêt-cong.

1962

□ **29 janv.** Ajournement de la conférence de Genève entre États-Unis, Union soviétique et Grande-Bretagne sur l'arrêt des essais nucléaires. Inaugurée trois ans plus tôt, elle achoppe sur la gestion du contrôle international.

□ **3 févr.** Interruption des échanges commerciaux avec Cuba.

□ **12 mai** Des unités de terre et de mer partent pour le Laos. De même, des unités de terre et de mer, et des *Marines,* gagnent la Thaïlande, en prévision d'une éventuelle attaque des forces communistes du Laos. Le 29 mai, 5 000 soldats américains sont en place ; ils resteront jusqu'au 27 juillet.

□ **16 juin** Deux officiers américains tués dans une embuscade au nord de Saigon. Les troupes en mission de formation au Viêt-nam reçoivent l'ordre de tirer sur l'ennemi en cas d'attaque.

□ **29 juin** Les Kennedy en visite officielle au Mexique.

□ **22 oct.** Dans un discours à la télévision, le président annonce que l'U.R.S.S. installe des bases nucléaires à Cuba.

□ **24 oct.** La marine fait le blocus de Cuba pour empêcher les navires soviétiques de décharger les fusées.

□ **27 oct.** Khrouchtchev propose de démanteler les bases soviétiques de Cuba sous le contrôle des Nations unies, à condition que les États-Unis retirent leurs bases de Turquie. Un avion de reconnaissance U2 abattu au-dessus de Cuba.

□ **28 oct.** Démantèlement des bases soviétiques de Cuba. Les États-Unis s'engagent à ne pas attaquer l'île et à se retirer de Turquie.

□ **2 nov.** Kennedy annonce la fin du blocus de Cuba.

□ **21 déc.** Nassau : rencontre Kennedy-MacMillan, en vue de la construction d'un arsenal nucléaire au sein de l'O.T.A.N.

□ **23 déc.** Cuba annonce la libération de 1 113 hommes faits prisonniers lors de l'invasion de la baie des Cochons ; en retour, les États-Unis enverront nourriture et médicaments.

1963

□ **19 mars** Déclaration de San José. Accord entre les États-Unis, le Costa Rica, le Guatemala, le Honduras, le Nicaragua, le Panama et le Salvador, dans l'éventualité d'une attaque soviétique.

□ **20 juin** Accord avec l'U.R.S.S. pour l'installation d'un télétype rouge entre Washington et Moscou, à partir du 30 août 1963.

□ **23 juin** Kennedy en Allemagne de l'Ouest ; visite de 10 jours en Europe. Le 26 juin à Berlin-Ouest, il fait un discours devant le « mur », et prononce la phrase restée célèbre : « Ich bin ein Berliner. »

□ **5 août** Traité de suspension des essais nucléaires pour les États-Unis, l'U.R.S.S. et la Grande-Bretagne, à l'issue d'une conférence à Moscou : interdit les essais nucléaires non souterrains. Prendra effet le 10 octobre.

□ **9 oct.** Vente de 4 millions de tonnes de blé à l'U.R.S.S..

□ **1er nov.** Saigon : assassinat du président Ngô Dinh Diêm.

□ **Déc.** 16 300 soldats américains au Viêt-nam.

Économie et société

1961

□ **30 janv.** Dans son message sur l'état de l'Union, le président insiste sur la crise de l'enseignement, notant le manque de professeurs qualifiés.

□ **5 mai** Loi sur les conditions de travail *(Fair Labor Standards Act)* : le salaire horaire minimal passera à 1,15 dollar de l'heure en septembre 1961, à 1,25 dollar en septembre 1963.

□ **30 juin** Loi sur le logement, pour la construction de logements à bon marché.

1962

□ **26 févr.** Décision de la Cour suprême : toute loi imposant la ségrégation dans les transports en commun est anticonstitutionnelle.

□ **10 avr.** Le président condamne une augmentation d'environ 3,5 % sur le prix de l'acier, à la suite d'accords passés entre l'industrie et le syndicat. Augmentation annulée quelques jours plus tard.

□ **25 mai** George Meany, président de l'AFL-CIO, lance une campagne nationale pour la semaine de 35 heures.

□ **28 mai** New York : chute de la Bourse, la plus importante depuis le 29 octobre 1929, 21 milliards de dollars de perte ; remontera assez vite.

□ **15 août** La dette nationale dépasse 300 milliards.

□ **28 août** Marche sur Washington en faveur des droits civiques : 200 000 participants et de nombreux leaders. Martin Luther King prononce le discours *« I have a dream ».*

□ **15 sept.** Loi sur les travaux publics, pour la réalisation de projets dans les régions défavorisées.
Birmingham (Alabama) : attaque à la bombe d'une église baptiste ; quatre jeunes filles noires trouvent la mort. Début d'une vague de violence dans cette ville.

□ **20 sept.** Le gouverneur du Mississippi refuse l'entrée à l'université de cet État d'un étudiant noir, James Meredith.

□ **21 sept.** Le département de la Défense annonce la vente de matériel militaire à l'Allemagne de l'Ouest, à la France et à l'Italie, pour augmenter les réserves en or.

□ **28 sept.** Le gouverneur du Mississippi, accusé d'outrage à la loi, reçoit l'ordre de cesser toute obstruction à la déségrégation sous peine d'emprisonnement.

□ **30 sept.** James Meredith entre à l'université sous escorte fédérale. Manifestations de protestation : 2 morts.

□ **11 oct.** Loi sur l'expansion du commerce *(Trade Expansion Act)* :

baisse de certains tarifs douaniers pour relancer le commerce international.

□ **20 nov.** Kennedy ordonne l'arrêt de toute forme de ségrégation dans les logements financés par l'État.

1963

□ **12 avr.** Martin Luther King arrêté à Birmingham au cours d'une manifestation.

□ **2 mai** Birmingham : plusieurs centaines d'arrestations de Noirs, dont des enfants, au cours d'une manifestation non-violente.

□ **10 mai** Birmingham : après plusieurs jours de violence, et l'arrestation de plusieurs centaines de manifestants, l'attorney général Robert Kennedy contraint la police de la ville à suspendre momentanément son activité.

□ **12 juin** Medgar Evers, leader noir dans la lutte pour l'égalité raciale, assassiné dans l'État du Mississippi.

□ **1er juill.** L'organisation syndicale des charpentiers, la plus importante dans la construction, interdit la ségrégation dans ses locaux.

Sciences et technologie

1961

□ **31 janv.** Projet *Mercury :* un chimpanzé, lancé dans l'espace pour un vol d'essai, fait deux fois le tour de la Terre.

□ **12 avr.** Premier vol dans l'espace du cosmonaute soviétique Iouri Gagarine.

□ **5 mai** Alan Shepard, premier Américain dans l'espace pour un vol d'un quart d'heure.

□ **25 mai** Kennedy propose un programme spatial pour l'envoi d'un homme sur la Lune à la fin des années 60.

1962

□ **20 févr.** John Glenn envoyé sur orbite ; fait trois fois le tour de la Terre.

□ **25 avr.** Les États-Unis reprennent les essais nucléaires dans l'atmosphère, après un moratorium de 3 ans.

□ **24 mai** Scott Carpenter envoyé sur orbite ; fait trois fois le tour de la Terre.

□ **3 oct.** Walter Schirra envoyé sur orbite ; fait près de 6 fois le tour de la Terre.

1963

□ **15-16 mai** L'astronaute Gordon Cooper fait 22 fois le tour de la Terre.

Civilisation et culture

1961 Henry Miller : *Tropique du Cancer,* publié en France en 1934 et condamné alors aux États-Unis pour obscénité □ Sortie du film *West Side Story,* de Jerome Robbins et Robert Wise.

□ **9 mai** Le président de la FCC qualifie la télévision américaine de « vaste désert culturel ».

1962 Henry Miller : *Tropique du Capricorne,* publié en France en 1939 □ Débuts aux États-Unis du danseur soviétique Rudolf Noureiev.

□ **14 févr.** Visite de la Maison-Blanche présentée à la télévision ; Jacqueline Kennedy en est le guide.

□ **8 mai** Accord avec l'U.R.S.S. pour des échanges culturels, scientifiques, techniques et éducatifs.

□ **5 août** Mort de l'actrice Marilyn Monroe.

□ **23 sept.** New York : inauguration du *Philharmonic Hall,* salle de concert et premier bâtiment du *Lincoln Center,* centre des arts du spectacle.

□ **25 oct.** John Steinbeck, prix Nobel de littérature.

1963 Sortie des films *Cléopâtre,* de Joseph Mankiewicz, et *la Conquête de l'Ouest,* de John Ford, Henry Hathaway et George Marshall.

□ **8 janv.-4 mars** La *Joconde,* prêtée par le Louvre, exposée à New York, puis à Washington.

□ **Mars-juin** Première grande exposition de « pop art » au musée Guggenheim de New York.

Biographies

Le « clan » Kennedy. Son aventure américaine commence vers 1850, quand Patrick Kennedy, chassé par la misère, quitte l'Irlande et s'installe à Boston. Il a 4 enfants dont Patrick J., qui amorce l'ascension sociale du « clan ». Cabaretier dans le quartier irlandais d'East Boston, Patrick est d'abord délégué local du parti démocrate, puis occupe différentes fonctions municipales et enfin siège au Congrès de l'État du Massachusetts. En octobre 1914, son fils Joseph épouse Rose Fitzgerald, d'origine irlandaise. La famille de Rose a immigré avant la guerre de Sécession ; son père, John, surnommé « Honest Fitz », est une personnalité notoire du parti démocrate local. Joseph va construire la fortune des Kennedy et leur donner la force qui fait d'eux un clan. Diplômé de Harvard, il est d'abord inspecteur de banque, puis président d'une banque dans East Boston. Joseph et Rose s'installent à Brookline, faubourg de Boston, où naissent leurs 9 enfants : Joseph Jr, John Fitzgerald, le 29 mai 1917, Rosemary, une enfant retardée, Kathleen, Eunice, Patricia, Robert en 1925, une fille, Jean, et Edward, en 1932. Dans cette famille unie, le respect de la religion catholique est très fort. Les enfants reçoivent la meilleure éducation, collège religieux pour les filles, laïque pour les garçons. Tous recevront à leur majorité un million de dollars.
En 1917, Joseph Kennedy a la responsabilité des constructions navales à la Bethlehem Steel, et rencontre le jeune secrétaire adjoint à la Marine, Franklin Roosevelt. Après la guerre 1914-1918, revenu à la banque, il spécule dans l'immobilier. Il s'intéresse au cinéma, achète 31 salles, devient producteur. Il contrôle bientôt 3 studios et fusionne avec la Radio Corporation of America pour former la RKO. Malgré le krach de 1929, il réussit à sauvegarder ses biens. En 1932, il fait un don de 15 000 dollars au candidat démocrate Roosevelt et lui prête 50 000 dollars. Roosevelt élu, il sait que la Prohibition va prendre fin. Il devient distributeur exclusif aux États-Unis du whisky Dewar et du gin Gordon (jusqu'en 1946). En 1934, il est président de la Commission fédérale sur les opérations boursières. Lors de la campagne de 1936, il rédige une brochure intitulée « Je suis pour Roosevelt ». L'année suivante, Roosevelt le nomme président de la Commission fédérale de la marine marchande. En décembre 1937, il est ambassadeur en Grande-Bretagne : les Kennedy s'installent à Londres pour deux ans. À la veille de la guerre, Joseph est partisan de la politique d'*appeasement.* Sans vraiment le vouloir, il se fait une réputation d'antisémite. Il est neutraliste convaincu, peu satisfait de la loi prêt-bail. En 1939, sa carrière politique s'achève ; ses opinions font de lui un bon représentant de la droite traditionnelle. Paralysé en 1961, il meurt le 18 novembre 1969. Ses 4 fils feront carrière dans la politique. Joseph Jr, élu à la Convention nationale du parti démocrate au sein de la délégation du Massachusetts, sera tué pendant la Seconde Guerre mondiale. John F. s'engage dans la

marine pendant la guerre de 1939-1945. Son courage lui vaut 2 médailles, la *Navy and Marine Corps Medal* et le *Purple Heart.* En 1957, il obtient le prix Pulitzer pour son livre *Profiles in Courage.* Il est élu 35e président des États-Unis en 1961. Il est assassiné à Dallas. Robert, attorney général de 1961 à 1964, puis sénateur de l'État de New York, se porte candidat à la présidence en 1968. Il est assassiné à Los Angeles. Enfin, Edward, « Ted », est sénateur démocrate du Massachusetts depuis 1962.

Cabot Lodge, Henry (1902-1985) ; né dans le Massachusetts, il est d'une famille qui a toujours exercé le pouvoir dans l'État ; son père était sénateur. Il commence sa carrière politique en devenant, lui aussi, sénateur en 1936. Au moment de la Seconde Guerre mondiale, il démissionne pour s'engager ; il est le premier sénateur à agir ainsi depuis la guerre de Sécession. Il devient major général, mais le secrétaire d'État le rappelle et le réinstalle dans ses fonctions antérieures. Après la guerre, il dirige la campagne présidentielle d'Eisenhower. Il perd les sénatoriales devant John Kennedy en 1952. Le président Eisenhower le nomme ambassadeur aux Nations unies de 1953 à 1960. Bon diplomate, il défend les positions des États-Unis pendant la crise de Suez, puis à propos du Liban et de la répression soviétique en Hongrie. En 1960, il est colistier de Richard Nixon aux présidentielles. Le président Kennedy le nomme ambassadeur au Viêt-nam du Sud. Il y reste jusqu'à la guerre et devient alors ambassadeur extraordinaire. Lors des pourparlers de paix à propos de l'Extrême-Orient, qui ont lieu à Paris en 1969, il est le chef de la délégation diplomatique américaine : pendant un an, il représente son pays à la table des négociations. Il met ensuite un terme à sa vie publique pour se consacrer à ses affaires personnelles.

Glenn, John (né dans l'Ohio, le 18 juillet 1921). Après des études traditionnelles et conservatrices, il devient pilote, et s'engage, pendant la Seconde Guerre mondiale dans le corps des *Marines* de l'armée de l'air. Il combat dans le Pacifique. Son courage lui vaut deux fois la *Distinguished Flying Cross.* Lors de la guerre de Corée, il reçoit à nouveau par deux fois la *Distinguished Flying Cross.* Il reste ensuite dans l'armée de l'air, comme pilote d'essai. Il effectuera le premier vol supersonique transcontinental. En 1959, il fait partie du groupe des 7 astronautes de la première génération. En 1962, à bord du Friendship VII, il reste 5 heures dans l'espace au cours du premier vol sur orbite. Après la mort de J.F. Kennedy, il met un terme à sa mission et se lance dans la politique. Il se présente deux fois sans succès aux élections sénatoriales de l'Ohio, en 1964 et 1970. Il est élu sénateur démocrate en 1974 ; il a fait sa campagne sur le slogan : « Un homme que vos enfants pourront respecter ». Démocrate à tendance libérale, il se bat pour une réforme fiscale, un plan de sécurité sociale nationale, une politique de l'énergie, la transparence sur le financement des campagnes électorales. En 1976, à la convention nationale du parti démocrate, ses interventions retiennent l'attention. Il est l'une des personnalités fortes du parti démocrate.

Meany, George (1894-1980), né à New York. George quitte l'école à 16 ans et devient plombier comme son père. Sa vie est entièrement dédiée au syndicalisme. En 1934, il a gravi tous les échelons de la hiérarchie. Il est président de l'organisation syndicale de la Fédération du Travail de New York, qui compte 1 million de membres ; c'est un personnage puissant, qui obtient l'adoption de certains projets de loi en faveur des ouvriers, en particulier la loi prévoyant une assurance pour les chômeurs.

En 1939, il est secrétaire-trésorier de l'AFL et, pendant la Seconde Guerre mondiale, sert auprès de l'organisme de médiation pour la défense nationale, *National Defense Mediation Board.* Lorsque John L. Lewis et ses amis quittent l'AFL pour former la CIO, en 1941, il s'emploie à rapprocher les deux organisations. En 1952, il devient président de l'AFL. C'est un anticommuniste passionné. Son engagement syndical s'explique par le désir d'apporter, à l'intérieur du système capitaliste, « la dignité économique » aux travailleurs. Cet homme intègre combat la corruption dans l'organisation syndicale. C'est la raison pour laquelle, il décide d'exclure de l'AFL-CIO le groupe syndical des camionneurs. Il quitte la présidence de l'AFL-CIO en 1979.

Bibliographie

P. Collier & D. Horowitz, *les Kennedy* (Payot, 1985).

A. Kaspi, *Kennedy* (Masson, 1978).

Chapitre XXVI 1964-1968

La « Grande Société », l'Amérique en crise

Nous avons cessé de perdre la guerre.

Général Westmoreland, 1966.

Lyndon Johnson est un homme politique expérimenté, par nature attiré par les problèmes intérieurs plus que par les affaires internationales. Il poursuit l'œuvre de John Kennedy. Les réformes vont se succéder dans un esprit de libéralisme. Aux présidentielles de 1964, il fait campagne avec un programme social ambitieux : la « Grande Société ». Il s'agit de faire la guerre à la pauvreté et de lutter contre toutes les formes de discrimination. Il gagne ces élections à une très forte majorité, 43 128 958 voix contre 27 176 873 pour le républicain Barry Goldwater, et 486 mandats des grands électeurs, contre 52.

Malgré l'énorme budget qu'elle exige, la « Grande Société » reçoit la faveur du Congrès et de l'opinion publique. Des lois sont votées qui mettent en place de vastes programmes et des réformes sociales importantes.

On assiste, à partir de 1966, à un durcissement du militantisme des Noirs, et à son orientation vers la gauche. Des émeutes éclatent un peu partout. Cette époque voit aussi les débuts de la contre-culture. L'action des Noirs sert de modèle à différents mouvements de contestation : celui des étudiants, des femmes, des Indiens.

En politique extérieure, l'engagement des États-Unis au Viêt-nam répond à des motivations politiques et idéologiques, les nations non communistes d'Asie sont jugées incapables de résister à la volonté expansionniste des communistes. On entre dans la phase d'américanisation de la guerre. L'Administration sera peu à peu contrainte de sacrifier le beurre aux canons, la « Grande Société » à la guerre. Dans le climat de contestation qui sévit en Amérique, ce conflit, suivi à la télévision, est mal compris. Voilà dans quelle atmosphère commence la campagne pour les présidentielles de 1968, auxquelles Johnson ne veut pas se représenter. Le printemps est marqué par les assassinats de Martin Luther King et de Robert Kennedy.

Le républicain Richard Nixon est élu président avec la plus courte majorité jamais obtenue : 31 785 480 voix, soit 43,4 %, contre 31 275 166 voix, soit 42,7 %, à Hubert Humphrey, et 302 mandats du collège électoral contre 191. George Wallace, candidat au nom du parti américain indépendant, remporte 9 906 473 voix, soit 13 % et 46 mandats. Ces résultats montrent combien l'opinion est divisée. Nixon l'emporte : il a promis la paix au Viêt-nam, mais « ni la paix à tout prix, ni une défaite déguisée ». Il se fait fort de rétabir l'ordre et le respect de la loi dans le pays. Il s'engage à être à l'écoute de la majorité silencieuse. Un programme qui rassure, ce dont l'Amérique a grand besoin.

Vie politique et institutionnelle

1964

☐ **23 janv.** 24e amendement à la Constitution : supprime la taxe sur les élections fédérales.

☐ **14 mars** Jack Ruby, jugé coupable du meurtre de Lee Harvey Oswald à Dallas, est condamné à mort.

☐ **15 juin** Par décision de la Cour suprême, la clause de la loi de 1950 sur la sécurité intérieure *(Internal Security Act)*, interdisant l'obtention d'un passeport américain à tout citoyen appartenant au parti communiste, est déclarée inconstitutionnelle.

☐ **27 sept.** Rapport de la Commission Warren sur l'assassinat du président Kennedy : Oswald a agi seul, il n'y a pas eu conspiration ; Jack Ruby ne le connaissait pas avant de le tuer.

☐ **3 nov.** Élections présidentielles : Johnson élu.

1965

☐ **20 janv.** Entrée en fonction de Lyndon Johnson ; Hubert Humphrey, vice-président.

☐ **8 mars** Décision de la Cour suprême : les objecteurs de conscience seront dispensés d'entraînement au combat et de service militaire actif.

☐ **9 sept.** Création du secrétariat à l'Habitat et au Développement urbain.

☐ **15 nov.** Par décision de la Cour suprême, l'inscription obligatoire des communistes sur des listes est déclarée inconstitutionnelle.

1966

☐ **17 janv.** Robert C. Weaver, nommé secrétaire à l'Habitat et au Développement urbain, est le premier Noir membre du Cabinet.

☐ **13 juin** Décision de la Cour suprême dans le procès *Miranda* contre l'État d'Arizona : tout suspect doit être informé de ses droits avant interrogatoire par la police.

☐ **5 oct.** La sentence contre Jack Ruby révoquée par la cour d'appel du Texas.

1967

☐ **10 févr.** 25e amendement à la Constitution : prévoit la succession du président en cas de décès, destitution ou démission.

☐ **1er avr.** Création du secrétariat aux Transports.

☐ **Juin** Nomination à la Cour suprême du premier juge noir, Thurgood Marshall.

☐ **12 juin** Décision de la Cour suprême : les lois des États interdisant les mariages interraciaux déclarées anticonstitutionnelles.

1968

☐ **25 janv.** John W. Gardner démissionne du secrétariat à la Santé, à l'Éducation et aux Affaires sociales, pour divergence de vues à propos de la guerre.

☐ **17 juin** Décision de la Cour suprême : toute discrimination dans la vente ou la location d'une propriété est illégale.

☐ **26 août** Ouverture de la Convention nationale du parti démocrate à Chicago. Violentes manifestations contre la guerre ; des centaines de blessés.

☐ **5 nov.** Élections présidentielles : Richard M. Nixon élu. Mais, au Sénat et à la Chambre des représentants, les démocrates conservent la majorité.

Faits de guerre

1964

☐ **2-5 août** Attaque vietnamienne du destroyer américain *Maddox* dans les eaux internationales du golfe du Tonkin.

☐ **7 août** Le Congrès vote la résolution dite « du golfe du Tonkin » : le président pourra « prendre toutes les mesures nécessaires pour repousser toute attaque armée contre les forces des États-Unis et empêcher d'autres agressions ».

☐ **Déc.** 23 300 soldats américains au Viêt-nam.

1965

☐ **6 févr.** Attaque viêt-cong sur la base américaine de Pleiku : 8 morts, 126 blessés.

☐ **7 févr.** Ordre de bombardement du Viêt-nam du Nord : Opération *Rolling Thunder.*

☐ **8-9 mars** 3 500 *Marines* à la base aérienne de Danang ; c'est la première unité de combat.

☐ **2 avr.** Conférence du président et de ses conseillers militaires : l'aide militaire et économique au Viêt-nam sera augmentée.

☐ **7 avr.** Les États-Unis prêts à participer à des pourparlers de paix avec Hanoi.

☐ **26 avr.** Le secrétaire à la Défense, Robert McNamara, publie une estimation du coût de la guerre : un milliard et demi de dollars –300 millions en aide économique, 70 millions en aide alimentaire et matériel agricole, 330 millions en assistance militaire, 800 millions pour les troupes américaines sur place.

☐ **17 juin** Premier raid aérien contre le Viêt-cong à 50 km de Saigon par des B-52 venus de la base de Guam. (Première intervention de ces avions depuis leur arrivée, en 1952.)

☐ **4 août** Le président demande au Congrès un budget supplémentaire de 1 milliard 700 millions de dollars pour la guerre.

☐ **20 nov.** Après une semaine de combat dans la vallée de Iadrang : 240 morts, 470 blessés, 6 disparus.

☐ **Déc.** 184 300 soldats américains au Viêt-nam.

1966

☐ **31 janv.** Le président annonce la reprise (effective le 21 févr.) des bombardements sur le Viêt-nam du Nord, interrompus depuis le 24 décembre 1965.

☐ **22 févr.** Opération *White Wing :* plus de 20 000 hommes – Américains, Sud-Vietnamiens et Sud-Coréens – quadrillent pendant un mois la province de Quang Ngai (Viêt-nam du Sud).

☐ **1er mai** Premiers combats contre des troupes cambodgiennes le long de la rivière Cai bac.

☐ **30 mai** 300 bombardiers sur le Viêt-nam du Nord.

☐ **31 mai** Important arsenal nord-vietnamien presque entièrement détruit.

☐ **3-13 juin** Importante bataille dans la province de Kontum : aucun compte rendu d'état-major.

□ **29 juin** Premiers bombardements américains sur les environs de Hanoi et Haiphong, en réponse à l'infiltration nord-vietnamienne qui s'intensifie dans le Sud. Environ deux tiers des réserves en pétrole du Viêt-nam du Nord détruits en une semaine.

□ **30 juill.** Les avions américains bombardent, pour la première fois, la zone démilitarisée, *DMZ,* séparant le Nord du Sud.

□ **23 sept.** Entreprise de défoliation par l'aviation américaine au sud de la *DMZ*.

□ **13 oct.** Raid aérien sur le Nord : 173 bombardiers.

□ **14 oct.** Raid aérien sur le Nord : 175 bombardiers.

□ **Déc.** 385 300 soldats américains au Viêt-nam.

1967

□ **8-19 janv.** Opération *Cedar Falls,* dans le « Triangle de fer », à 40 km au nord-ouest de Saigon : 16 000 soldats américains, 14 000 soldats vietnamiens lancés dans la plus grande offensive contre les positions ennemies.

□ **4 avr.** L'aviation américaine a perdu 500 appareils depuis le début des bombardements.

□ **20 avr.** Bombardement du port de Haiphong ; deux centrales électriques détruites.

□ **19 mai** Bombardement sur le centre d'Hanoi.

□ **2-7 juill.** Pertes importantes des *Marines* stationnés à Côn Thien lors d'une attaque nord-vietnamienne.

□ **3 sept.** Le général Thiêu élu président du Viêt-nam du Sud.

□ **22 nov.** L'armée américaine prend la colline 875 près de Dak Tô, après 19 jours de combats.

□ **Déc.** 485 600 soldats américains au Viêt-nam.

1968

□ **21 janv.-5 avr.** Attaque et siège de la base de Khe Sanh par le Viêt-cong.

□ **30 janv.-24 févr.** Offensive communiste du Têt, nouvel an lunaire, sur les capitales des 44 provinces du Viêt-nam du Sud.

□ **22 mars** Le général Westmoreland nommé chef d'état-major.

□ **31 mars** Johnson annonce l'arrêt des bombardements américains au nord du 20e parallèle.

□ **8 avr.** Début de l'opération *Complete Victory.* 100 000 soldats alliés tentent de repousser l'ennemi hors des provinces entourant Saigon.

□ **10 mai** Paris : ouverture des pourparlers de paix.

□ **31 oct.** Le président ordonne l'arrêt des bombardements sur l'ensemble du Viêt-nam.

□ **Déc.** 536 000 soldats américains au Viêt-nam.

Politique extérieure

1964

□ **9 janv.** Suspension des relations diplomatiques avec le Panama, à cause d'émeutes dans la zone du canal.

□ **3 avr.** Reprise des relations avec le Panama.

1965

□ **28 avr.** Coup d'État en république Dominicaine : Johnson envoie un contingent de *Marines.*

□ **2 mai** Le président déclare que le mouvement populaire dominicain est contrôlé par « une bande de conspirateurs communistes ». Il envoie 22 000 *Marines* sans consulter l'Organisation des États américains.

□ **4 sept.** Gouvernement provisoire en

république Dominicaine, reconnu par les États-Unis.

1966

☐ **17 oct.** Départ du président pour une tournée de 17 jours en Extrême-Orient.

1967

☐ **12-14 avr.** Conférence des États américains à Punta del Este, en Uruguay. Décisions des 18 chefs d'État : établir un marché commun latino-américain pour 1970, améliorer les moyens de communication et réduire les dépenses militaires.

☐ **23 et 25 juin** Rencontre Johnson-Kossyguine dans le New Jersey.

☐ **23 juill.** Par référendum, Porto Rico décide de conserver son statut de commonwealth des États-Unis.

1968

☐ **23 janv.** Incident du *Pueblo,* bâtiment des services de renseignements de la marine, saisi dans les eaux territoriales nord-coréennes. L'équipage sera libéré le 23 décembre.

☐ **1er juill.** Traité de non-prolifération nucléaire signé par 61 nations, dont les États-Unis et l'U.R.S.S., au terme de 4 ans de négociations.

Économie et société

1964

☐ **13 févr.** Selon le secrétaire au Trésor, pour la première fois les États-Unis devront emprunter au FMI.

☐ **11 avr.** Loi sur l'agriculture *(Agricultural Act)*, pour contrôler les surplus de production, pour permettre aux agriculteurs de laisser des terres en jachère et d'obtenir de justes prix.

☐ **22 mai** Discours du président à l'université du Michigan : il parle pour la première fois de son programme social, la « Grande Société ».

☐ **2 juill.** Signature, télévisée en direct, de la loi sur les droits civiques *(Civil Rights Act)* par Johnson, qui la présente comme « un défi à tous les Américains, pour que les ordres dictés par nos lois deviennent les coutumes de notre pays ». Commission pour la défense de l'égalité des chances dans le travail *(Equal Employment Opportunity Commission)*.

☐ **30 août** Loi sur l'égalité des chances *(Economic Opportunity Act) :* avec un budget de 947 500 000 dollars, elle créera des programmes d'éducation et de formation et accordera des prêts pour la création de petites entreprises. Une nouvelle agence gouvernementale *(Office of Economic Opportunity)* assurera l'organisation de ces programmes.

☐ **14 oct.** Martin Luther King reçoit le prix Nobel de la paix.

1965

Taux de chômage en baisse : 4,2 %. P.N.B. de 672 milliards.

☐ **21 févr.** Assassinat de Malcolm X, ancien chef des Musulmans noirs, par des membres de ce groupe, à New York.

☐ **23 févr.** Incendies criminels du quartier général des Musulmans noirs, à New York et San Francisco.

☐ **11 mars** Meurtre du révérend noir James Reeb, à Selma (Alabama).

☐ **21 mars** Marche de 5 jours pour les droits civiques, de Selma à Montgomery (Alabama) : 3 200 participants, derrière Martin Luther King ; ils seront 25 000 à l'arrivée.

☐ **30 juill.** Loi sur le *Medicare,* plan d'assistance médicale pour les vieillards et les handicapés. Entrera en vigueur le 1er juillet 1966.

☐ **6 août** Loi sur le droit de vote *(Voting Rights Act) :* supprime tous les tests qualifiant les électeurs.

☐ **11-16 août** Émeutes dans le quartier noir de Watts, à Los Angeles. Incendies, pillage de magasins ; 34 morts.

☐ **24 sept.** Le président promulgue un *executive order* recommandant aux entreprises et institutions qui reçoivent des fonds fédéraux de réserver un pourcentage des emplois vacants aux minorités non blanches et aux femmes.

☐ **3 oct.** Loi sur l'immigration *(Immigration Act) :* abolit le système des quotas selon les nationalités.

☐ **15-16 oct.** Manifestations, un peu partout, contre la guerre au Viêt-nam. Des appelés brûlent leur avis d'incorporation.

☐ **19 oct.** L'HUAC ouvre une enquête sur le Ku Klux Klan.

☐ **9-10 nov.** Panne d'électricité sur New York, la Nouvelle-Angleterre, une partie du New Jersey et de la Pennsylvanie. Durée : 13 heures dans certains secteurs ; affecte 30 millions d'usagers.

☐ **27 nov.** Washington : manifestation contre la guerre.

☐ **5 déc.** Le Bureau des réserves fédérales *(Federal Reserve Board)* augmente son taux d'intérêt pour stabiliser les prix et éviter l'inflation ; il passe de 4 % à 4,5 % : taux le plus élevé en 35 ans.

1966

☐ **1er janv.** New York, transports en commun : grève des chauffeurs adhérant à l'AFL-CIO ; la ville est paralysée pendant 13 jours. Ils obtiennent une augmentation de salaire de 15 %.

☐ **12 janv.** Dans son message sur l'état de l'Union, Johnson répète son engagement à la « Grande Société », tout en en reconnaissant un autre : celui de la guerre.

☐ **3 mars** Loi de réinsertion des recrues de la Guerre froide *(Cold War GI Bill of Rights)*, en faveur des recrues ayant passé 180 jours au moins sous les drapeaux depuis le 31 janvier 1955. Vise avant tout les anciens combattants du Viêt-nam.

☐ **25-26 mars** Manifestations contre la guerre à San Francisco, Chicago, Boston, Philadelphie et Washington.

☐ **6 avr.** Première victoire des ouvriers agricoles groupés autour de Cesar Chavez. Après une grève, commencée le 8 septembre 1965, contre les propriétaires de vignes de Californie, l'un de ceux-ci reconnaît cette association comme syndicat ; d'autres l'imiteront.

☐ **15 mai** Manifestation contre la guerre à Washington.

☐ **12 juill.** Émeutes dans le quartier noir du *West Side* à Chicago, puis dans plusieurs autres villes.

☐ **6 août** Manifestations contre la guerre à Washington et à New York, à l'occasion de l'anniversaire du bombardement atomique d'Hiroshima.

☐ **6-7 sept.** Émeutes raciales à Atlanta (Géorgie).

☐ **20 oct.** Loi pour la restauration des centres urbains.

1967

☐ **15 avr.** Manifestations contre la guerre à San Francisco et à New York.

☐ **30 juin** À Genève, signature de l'accord général sur les tarifs douaniers et le commerce *(General Agreement on Tariffs and Trade, GATT)*, par 40 pays développés, 3 pays socialistes et quelques pays sous-développés, pour stimuler le commerce international par le libre-échange généralisé. En vigueur le 1er juillet 1968.

☐ **12-17 juill.** Émeutes raciales à Newark (New Jersey) ; 26 morts, 1 300 blessés.

☐ **23-30 juill.** Émeutes raciales à Detroit ; 41 morts, 2 000 blessés, des dégâts matériels importants.

☐ **25 juill.** Manifestation noire à Cambridge (Maryland), après le discours de

H. Rap Brown, militant pour le Pouvoir des Noirs. Brown est arrêté et condamné pour incitation à la violence (il avait encouragé la foule à brûler la ville).

☐ **17 août** Le leader noir Stokely Carmichael appelle la population noire à la révolution générale.

☐ **21-22 oct.** Washington : manifestations contre la guerre qui dégénèrent en émeutes devant le Pentagone.

☐ **14 nov.** Loi sur la qualité de l'air *(Air Quality Act)*, contre la pollution atmosphérique : budget de 430 millions sur 3 ans.

☐ **20 nov.** La population atteint 200 millions d'individus, malgré le taux de natalité le plus bas : 17,8 ‰ en 1967.

☐ **29-30 nov.** Manifestations à l'université de Californie, à Berkeley.

☐ **4-8 déc.** New York : manifestations contre la guerre. Émeutes ; 585 arrestations. Autres manifestations les jours suivants dans les grandes villes.

1968

☐ **17 janv.** Dans son discours sur l'état de l'Union, le président demande une augmentation de 10 % des impôts pour réduire le déficit budgétaire et l'inflation.

☐ **4-8 févr.** Émeutes raciales d'étudiants à Orangeburg (Caroline du Sud). Trois étudiants noirs trouvent la mort.

☐ **17 mars** Négociations à Washington entre les États-Unis et 6 États européens. Création d'un système à deux niveaux concernant le prix de l'or : toutes les transactions entre gouvernements se feront au prix officiel de 35 dollars l'once d'or, mais le marché privé pourra fluctuer. Les banques centrales s'engagent à ne plus demander la conversion de leurs dollars en or. C'est l'apparition d'un système monétaire international différent de celui qui avait été institué par les accords de Bretton Woods en 1944.

Inscription des électeurs noirs aux listes électorales avant et après la loi sur le droit de vote de 1965

État	1960	1966
Alabama	66 000	250 000
Arkansas	73 000	115 000
Floride	183 000	303 000
Géorgie	180 000	300 000
Louisiane	159 000	243 000
Mississippi	22 000	175 000
Caroline du N.	210 000	282 000
Caroline du S.	58 000	191 000
Tennessee	185 000	225 000
Texas	227 000	400 000
Virginie	100 000	205 000

D'après : *U.S. Bureau of the Census, 1982-83*

☐ **28 mars** Memphis (Tennessee) : manifestations lors d'un défilé mené par Martin Luther King ; un manifestant tué.

☐ **4 avr.** Memphis : assassinat de Martin Luther King par James Earl Ray. Suivi de violentes émeutes dans les quartiers noirs des grandes villes.

☐ **10 avr.** Nouvelle loi sur les droits civiques (*Civil Rights Act*), rendant illégale toute discrimination en matière de logement.

☐ **15 avr.** Le maire de Chicago, Richard Daley, donne l'ordre à la police de tirer en cas d'émeutes.

☐ **23 avr.** New York : manifestation à l'université Columbia, contre la participation de cet établissement à la recherche liée à la guerre. Les étudiants s'emparent de 5 bâtiments ; la plupart d'entre eux appartiennent à l'organisation des étudiants pour une société démocratique, *Students for a Democratic Society, SDS.*

☐ **24 avr.** Révolte des étudiants noirs,

à l'université de Boston. Ils réclament un programme d'études sur la culture afro-américaine et une aide financière plus grande.

□ **2 mai** Marche des pauvres sur Washington, prévue par Martin Luther King et menée par le révérend Ralph Abernathy.

□ **6 juin** Los Angeles : décès de Robert Kennedy, victime d'un attentat le 5 juin, après sa victoire aux primaires démocrates en Californie ; le coupable est un Jordanien, Sirhan B. Sirhan, condamné à mort le 23 avril 1969, gracié en 1972.

□ **8 juin** James Earl Ray, accusé du meurtre de Martin Luther King, est arrêté à Londres. Condamné, le 10 mars 1969, à 99 ans de prison.

□ **15 juill.** Premiers vols commerciaux directs New-York-Moscou, dans les deux sens.

□ **7 août** Miami : émeutes dans le quartier noir ; 3 morts, plusieurs centaines de blessés.

□ **11 déc.** Taux national de chômage : 3,3 %.

Sciences et technologie

Début de la puce dans les ordinateurs.

1964

□ **25 janv.** Lancement du satellite Echo 2, premier programme réalisé en coopération avec l'U.R.S.S.

□ **31 juill.** La sonde lunaire Ranger 7 transmet les premières photos de la surface de la Lune avant de se détruire.

1965

□ **6 avr.** Early Bird, premier satellite de communication à usage commercial, est mis sur orbite par la NASA.

□ **3 juin** Lancement de Gemini 4. Le major Edward White est le premier Américain à marcher dans l'espace.

□ **15 juill.** Premières photos de la planète Mars, prises par Mariner 4 (dans l'espace depuis novembre 1964).

□ **15 déc.** Premier rendez-vous dans l'espace, entre Gemini 6 et Gemini 7.

1966

□ **2 juin** Surveyor 1 réussit le premier alunissage.

1967 R.M. Dolby invente un système d'enregistrement permettant d'éliminer tout parasite.
Construction des premiers missiles à têtes multiples *(Multiple Independent Reentry Vehicles, MIRV)*, permettant le lancement simultané de missiles distincts.

□ **27 janv.** Incendie sur la rampe de lancement de la mission Apollo : mort des 3 astronautes, Virgil « Gus » Grisom, Edward White et Roger Chaffee.

1968 Découverte en Alaska des plus grands gisements de pétrole d'Amérique du Nord.
Première transplantation cardiaque aux États-Unis, par le Dr Denton Cooley.
Lancement du premier *Poseidon,* missile stratégique propulsé par un sous-marin.

□ **22 janv.** Lancement d'Apollo 5 : vol non accompagné, pour tester le module d'excursion lunaire *(Lunar Excursion Module, LEM).*

Civilisation et culture

1964

□ **7 févr.** Les Beatles à l'aéroport John-Kennedy : première tournée américaine.

□ **19 avr.** Arrivée à New York de la *Pietà* de Michel-Ange, qui sera exposée au pavillon du Vatican de la Foire de New York.

☐ **31 août** La Californie est l'État le plus peuplé de l'Union. New York passe au second rang.

☐ **21 nov.** Inauguration du pont Verrazano, reliant Brooklyn à Staten Island.

1965
Inauguration de l'Institut Salk, pour la recherche biologique, à la Jolla, en Californie ; Louis Kahn architecte ☐ Ouverture de l'exposition « The Responsive Eye », sur l'Op Art, au musée d'Art moderne de New York.

☐ **30 mars** Inauguration du County Art Museum, à Los Angeles.

☐ **9 avr.** Inauguration de l'Astrodome de Houston, au Texas.

☐ **30 sept.** Loi sur l'aide fédérale aux arts *(Federal Aid To The Arts Act)* : établit la Fondation nationale pour les arts et les humanités.

1966
☐ **6 août** Mariage de Luci Baines Johnson, fille du président.

☐ **28 sept.** Inauguration du musée Whitney, à New York, conçu par l'architecte Marcel Breuer.

1967 Sortie des films *Bonnie and Clyde,* d'Arthur Penn, *le Lauréat,* de Mike Nichols ☐ John Kenneth Galbraith : *le Nouvel État industriel.*

☐ **14 févr.** Rétrospective de l'œuvre peint d'Andrew Wyeth, au nouveau musée Whitney, à New York.

☐ **28 févr.** Mort de Henry R. Luce, fondateur des magazines *Time* et *Life.*

☐ **21 avr.** Arrivée à New York de Svetlana Aliluyeva, fille de Joseph Staline, qui a reçu l'asile politique.

☐ **9 déc.** Mariage de Lynda Byrd Johnson, fille aînée du président.

1968 Publication des œuvres complètes du poète E.E. Cummings, mort en 1962.
Sortie des films *la Planète des singes,* de Franklin Shaffner, *2001 : Odyssée de l'espace,* de Stanley Kubrick ☐ Débuts américains du ténor italien Luciano Pavarotti, au Metropolitan Opera, dans *la Bohème.*

☐ **22 déc.** Mariage de Julie Nixon, fille cadette du président, avec Dwight David Eisenhower II, petit-fils de l'ancien président, à New York.

Biographies

Johnson, Lyndon Baines (1908-1973). Né le 27 août 1908 au Texas, Lyndon Johnson ne se défera jamais de ses origines rurales. D'abord instituteur dans le Texas, il devient, en 1931, assistant parlementaire d'un représentant au Congrès fédéral et part pour Washington. Il épouse en 1934 Claudia Taylor, surnommée Lady Bird (2 filles, Luci et Lynda). En 1935, il est directeur pour le Texas de la *National Youth Administration.* En 1937, il est élu représentant au Congrès fédéral. Six ans plus tard, les Johnson achètent, à Austin, une petite station de radio qui fera de ses propriétaires des millionnaires. En novembre 1948, Johnson est élu sénateur du Texas. Newdealer convaincu, il devient l'un des ténors du parti démocrate. Travailleur infatigable, il a, en 1955, une crise cardiaque, dont il se remet rapidement. Le parti démocrate le désigne comme colistier de John Kennedy en 1960. Ce dernier lui confie de nombreuses missions : présidence du comité sur l'égalité dans l'embauche, présidence du comité de la NASA, missions dans 33 pays, dont le Viêt-nam du Sud et Israël. À la mort de J.F. Kennedy, Johnson se lance dans son programme de la « Grande Société » pour améliorer la qualité de la vie, supprimer la pauvreté et la discrimination raciale, protéger l'environnement, amplifiant ainsi l'œuvre commencée par Kennedy. Il veut « être le représentant du peuple, tout le peuple, pas seulement ceux qui ont de l'argent et de l'influence ». Aux présidentielles de 1964, il prouve sa grande popularité. Après son élection, le Congrès approuve une série de lois de réforme, qui vont améliorer le sort des minorités et des plus pauvres. Face aux difficultés de la guerre au Viêt-nam, il adopte une attitude de plus en plus ferme, qui suscite une vague de protestation. Le 31 mars 1968, au plus bas de sa popularité, il annonce au pays qu'il ne se représentera pas. Il se retire dans son ranch, à Austin, et écrit ses Mémoires. Victime d'une autre crise cardiaque en avril 1972, il meurt le 22 janvier 1973, au Texas.

Hoover, J. Edgar (1895-1972), né à Washington, D.C. Un trait domine la vie de cet homme de droit : l'action menée pour augmenter l'efficacité du système légal et l'obéissance à la loi. En 1924 il prend la direction du FBI *(Federal Bureau of Investigation)*. Pendant la Grande Dépression, le FBI poursuit les gangsters. Hoover développe des techniques spécifiques : il établit des bureaux locaux, utilise les empreintes digitales, les analyses scientifiques, établit un fichier et crée un centre de formation pour ses futurs agents. Il devient l'informateur des administrations et fait des enquêtes sur des personnalités jugées trop « libérales ». Roosevelt lui confie la lutte contre l'espionnage, le sabotage et la violation des lois de neutralité. C'est le début de la toute-puissance d'Hoover, qui n'hésitera pas à transgresser les lois. Il dresse des listes de ceux qui manifestent de la sympathie pour l'Allemagne, l'Italie et le communisme. Plus tard, dans sa lutte contre les éventuels ennemis du gouvernement, il établit une censure sélective du courrier, installe des micros clandestins ou des tables d'écoute sans autorisation préalable. La loi sur la Sécurité intérieure de 1950 étend les pouvoirs du FBI. En 1960, le Bureau emploie 16 000 personnes. Hoover se montre particulièrement actif pendant la période d'agitation politique et sociale de la fin des années 60 et du début des années 70. L'attorney général lui demande alors de cesser ses pratiques d'écoute, d'effraction et de saisie de courrier. Il gardera néanmoins la même attitude de rigorisme jusqu'à la fin de sa vie. Le président Nixon le maintient à son poste jusqu'à sa mort, survenue le 2 mai 1972.

Le mouvement des Noirs À la fin du XIXe siècle, des voix isolées s'élèvent. On retient surtout celle de Booker T. Washington, qui fonde une école en Alabama en 1881, le Tuskegee Institute, pour les Noirs. Au début du XXe siècle, William E. B. Du Bois, diplômé d'histoire de l'université Harvard, réclame l'égalité politique et économique pour les Noirs. Une première organisation, l'Association nationale pour l'avancement des gens de couleur *(National Association for the Advancement of Colored People, NAACP),* est fondée en 1910 par le groupe de W.E.B. Du Bois et plusieurs Blancs. Ses objectifs : l'abolition de toute forme de ségrégation et l'égalité des chances grâce à une meilleure éducation. Le travail de la NAACP se fait dans la stricte légalité. Il consiste en campagnes d'information, de propagande, de pression, et en services juridiques, et sera très actif pendant la Première Guerre mondiale. En 1919, pendant la conférence de paix, W.E.B. Du Bois organise à Paris un congrès pan-africain pour faire connaître la condition des Noirs dans le monde.
Un Jamaïcain, Marcus Garvey, fonde en 1914 une autre association *(The Universal Negro Improvement Association)*. Établi à New York en 1916, il enseigne la fierté de la race et de la culture noire et prône le retour en Afrique. Il est condamné à la détention en 1923, et son groupe, pourtant très nombreux, se

désintègre alors. Dans les années 30 apparaît le premier mouvement des Musulmans noirs *(Nation of Islam)*. Puis, A. Philip Randolph fait, au début des années 40, de nombreux adeptes de la contestation pacifique, inspirée de Gandhi. De cette action naît le *Congress of Racial Equality, CORE.*
La fin de la Seconde Guerre mondiale marque le début de revendications plus impératives. Avec les années 50 naît le militantisme. Des groupes se forment autour de pasteurs, dont le plus célèbre est Martin Luther King. Son organisation, créée en janvier 1957, la *Southern Christian Leadership Conference,* entreprend des actions pacifiques, des boycotts, des sit-in et des campagnes de pression ou d'information, pour faire reculer la ségrégation. Avec les années 60 commence la *Black Revolution.* Le *Student Non Violent Coordinating Committee, SNCC,* créé en avril 1960 et plus à gauche que Martin Luther King, est bientôt contrôlé par un groupe de jeunes militants, à qui l'action menée par King ou par le CORE semble insuffisante. *Nation of Islam* prend un nouvel essor sous le nom de *Black Muslims.* Sous la direction d'Elijah Muhammad, les Musulmans noirs élaborent un programme de séparatisme, d'autodéfense et d'autodiscipline. Malcolm X sera un certain temps l'un des leaders de ce mouvement. Puis il s'en éloigne pour tenter de trouver une forme de coopération entre Blancs et Noirs, en fondant l'*Organization of Afro-American Unity.* Il est assassiné le 21 février 1965 par des Musulmans noirs.
Les Noirs des villes se radicalisent. Le tournant se situe sans doute pendant l'été 1966. Stokely Carmichael, alors président du SNCC, et Floyd McKissick, du CORE, énoncent la doctrine du *Black Power,* le Pouvoir noir. Ce pouvoir est porteur de violence. À la même époque, à Oakland (Californie), Bobby Seale fonde le *Black Panther Party for Self-Defense,* organisation paramilitaire. Huey Newton en est le ministre de la Défense, Eldridge Cleaver, le ministre de l'Information. D'autre part, H. Rap Brown, devenu président du SNCC en 1967, appelle à la révolution armée.
Le mouvement noir se politise aussi. Angela Davis, ancienne étudiante du philosophe Herbert Marcuse, professeur assistant à l'université de Californie, à Los Angeles, prône le communisme et la révolution. La *League of Revolutionary Black Workers,* fondée à Detroit par des ouvriers noirs syndiqués, se bat contre les pratiques racistes dans l'industrie et à l'intérieur même des syndicats.
Les Noirs étudient la culture afro-américaine, dans un retour culturel aux sources de leur négritude qui leur apportent force et unité.
Avec les progrès réalisés, pendant les années 70, dans les conditions de travail, à l'école, dans la société en général, l'intégration devient peu à peu une réalité. Aujourd'hui, le mouvement des Noirs s'est apaisé.

Disney, Walter Elias (Walt) [1901-1966]. Né à Chicago, d'abord caricaturiste, Disney se lance dans l'industrie nouvelle de la publicité comme dessinateur. Dès 1921, il s'intéresse à la technique du dessin animé et met au point une caméra multiplane. En 1928, installé à Hollywood, il présente son personnage le plus célèbre, Mickey Mouse, dans le premier dessin animé produit par la firme Disney Productions, fondée en 1926. De 1928 à 1939, il produit plus de 400 courts métrages et crée de nombreux personnages. Puis il passe au long métrage, où, très tôt, se distingue un style Disney : *Blanche-Neige et les sept nains,* le premier, lui vaut un oscar en 1938. Il obtiendra plusieurs oscars. Parallèlement, il réalise des films documentaires sur la nature, et produit un programme de télévision. Il ouvre le parc d'attractions Disneyland, à Anaheim, en Californie, le 17 juin 1955. Lorsque Khrouchtchev, en visite officielle (septembre 1959), demande à visiter Disneyland, c'est la consécration. Il meurt à Hollywood le 15 décembre 1966.

Bibliographie

A. Kaspi, *Viêt-nam : le Cancer américain* (in *l'Histoire,* n° 42, févr. 1982) ; *États-Unis 68* (Bruxelles, Éd. Complexe, 1988).

R. Ertel, G. Fabre, É. Marienstras, *En marge, les minorités aux États-Unis* (Paris, Maspero, 1971).

M.-C. Granjon, *l'Amérique de la contestation ; les années 60 aux États-Unis* (Paris, Presses de la Fondation nationale des sciences politiques, 1985).

M. Herr, *Putain de mort* (rééd., le Livre de poche, 1981).

Chapitre XXVII 1969-8 août 1974

Nixon et le désengagement au Viêt-nam

> *On veut savoir si le président est un escroc ou non. Eh bien ! je ne suis pas un escroc.*
>
> Nixon, le 17 novembre 1973, à la télévision.

Période sombre pour les États-Unis. Pourtant, en 1969, un événement exceptionnel : un homme marche sur la Lune, et il est américain.
Sur le plan économique, l'inflation grandit tandis que s'amorce une récession, phénomène que les spécialistes appellent « stagflation » : inflation plus stagnation. Le chômage augmente. Richard Nixon lance un plan de redressement économique qui semble porter ses fruits en 1972. Mais l'embargo sur le pétrole décidé par les pays de l'O.P.E.P., en octobre 1973, et l'augmentation du prix du pétrole qui s'ensuit portent un nouveau coup à l'économie.
Pour les programmes sociaux et la gestion du pays, Nixon, fidèle aux grands choix républicains, souhaite une moindre intervention de l'État. Sa doctrine, le « Nouveau Fédéralisme », se fonde sur le partage des revenus de l'État : États et municipalités recevront des fonds pour établir leurs propres programmes.
À l'école, le principe du *busing,* qui consiste à conduire en classe un certain nombre d'élèves blancs dans un quartier noir et vice versa, doit forcer et accélérer l'intégration. Mais Nixon, peu favorable au *busing*, décide d'en ralentir la réalisation.
Le tissu social s'effrite. De nombreux groupes revendiquent, mais c'est la guerre qui suscite le plus de protestations. Il faut quatre ans pour effectuer le désengagement complet du Viêt-nam. Les G.I. commencent à rentrer, et la guerre passe dans sa phase de vietnamisation. Mais l'intensification des bombardements par l'aviation américaine et la nouvelle de l'invasion du Cambodge par les États-Unis provoquent l'indignation et donnent lieu à des manifestations souvent sanglantes. En 1971, la publication des *Papiers du Pentagone* révèle au public les dessous de l'intervention américaine au Viêt-nam ; la colère est à son comble.
C'est néanmoins en politique extérieure que Nixon connaît ses plus beaux succès : meilleures relations avec l'Europe, détente avec l'U.R.S.S., reconnaissance de la Chine communiste – visite dans ces

deux pays en 1972 –, accords SALT pour la limitation des armes stratégiques, cessez-le-feu au Viêt-nam. Ces réussites permettent d'espérer de meilleures relations Est-Ouest, et Henry Kissinger, conseiller spécial pour la Sécurité nationale, puis secrétaire d'État, se révèle un assistant précieux.
Porté par ces succès, Nixon est réélu avec une majorité impressionnante : 46 millions de voix, soit 60,8 %, et 520 mandats du collège électoral, contre 28 millions et demi de voix et 17 mandats au démocrate George McGovern. Pendant son second mandat, tout est mis en veilleuse par l'affaire du Watergate : des scandales viennent entacher la réputation des plus hauts fonctionnaires de l'État. L'opinion publique se retourne irrémédiablement contre un président qui a failli à la confiance placée en lui, qui s'est coupé de la nation et du pouvoir législatif, qui a érigé une présidence « impériale ». Devançant de peu la procédure d'*impeachment*, la destitution, Nixon annonce sa démission le 8 août 1974.

Vie politique et institutionnelle

1969

☐ **20 janv.** Entrée en fonction de Richard Nixon ; Spiro T. Agnew, vice-président.

☐ **23 juin** Earl Warren, président de la Cour suprême, prend sa retraite. Warren Burger le remplace.

1970

☐ **3 nov.** Élections législatives. Les démocrates conservent la majorité.

☐ **2 déc.** Ouverture de l'agence gouvernementale pour la protection de l'environnement *(Environmental Protection Agency, EPA)*.

1971

☐ **22 janv.** Message présidentiel sur l'état de l'Union. Nixon présente son projet de partage des revenus de l'État *(revenue sharing)*.

☐ **5 juill.** 26e amendement à la Constitution. Droit de vote à 18 ans.

1972

☐ **20 oct.** La loi pour l'aide fiscale aux États et aux municipalités *(State and Local Fiscal Assistance Act)* crée un budget pour le *revenue sharing*.

☐ **7 nov.** Élections présidentielles : Richard Nixon réélu. Les démocrates conservent la majorité au Sénat et à la Chambre des représentants.

1973

☐ **20 janv.** Début du second mandat de Richard Nixon.

☐ **29 juin** Création du Bureau fédéral de l'énergie *(Federal Energy Office)*, pour encourager les économies d'énergie et développer la recherche d'autres sources d'énergie.

☐ **10 oct.** Démission du vice-président Agnew, mêlé au scandale du Watergate.

☐ **7 nov.** *War Powers Act,* loi limitant l'initiative du président en cas d'intervention armée : il ne pourra plus envoyer de troupes sans l'accord du Congrès.

☐ **6 déc.** Gerald Ford prend ses fonctions de vice-président.

1974

☐ **12 juill.** *Congressional Budget and Impoundment Control Act,* loi donnant au Congrès pouvoir de contrôle sur le budget et les mises en réserve de fonds effectuées par le président. Établit un comité de contrôle du budget dans chaque Chambre.

L'affaire du Watergate

1972

☐ **15 févr.** L'attorney général John Mitchell démissionne pour assumer les fonctions de directeur du Comité pour la réélection du président (CRP).

☐ **17 juin** La police arrête 5 hommes au quartier général des démocrates dans l'immeuble du Watergate, à Washington. Parmi eux, James McCord, ancien agent de la CIA, au service du CRP. Ils tentaient de s'emparer de documents concernant le parti démocrate. Deux autres membres du CRP sont arrêtés, G. Gordon Liddy et E. Howard Hunt. Une enquête est ouverte.

☐ **29 août** Conférence de presse du président : la Maison-Blanche vient d'ouvrir une enquête, sous la direction de John Mitchell, conseiller du président. Nixon déclare que « personne de son équipe ou de son administration, actuellement en poste, n'est impliqué dans cet incident très bizarre ».

☐ **15 sept.** Inculpation des 5 « plombiers » et de Liddy et Hunt.

☐ **10 oct.** Le *Washington Post* révèle que le CRP a financé un réseau d'espionnage politique contrôlé par John Mitchell.

1973

☐ **8 janv.** Début du procès des 7 inculpés du Watergate.

☐ **7 févr.** Le Sénat vote à l'unanimité la création d'une commission d'enquête sur la campagne présidentielle, « Commission du Watergate ». Président, le sénateur Sam Ervin.

☐ **23 mars** Le juge Sirica condamne à des peines de prison allant de 6 à 40 ans 6 des 7 inculpés du Watergate. Le verdict concernant James McCord est reporté.

☐ **5 avr.** Nixon retire la candidature de Patrick Gray au poste de directeur du FBI.

☐ **20 avr.** Patrick Gray reconnaît avoir détruit des documents ayant trait au Watergate, qui lui avaient été remis par John Dean. Il dit avoir agi sur le conseil des aides de Nixon.

☐ **30 avr.** À la télévision, Nixon annonce qu'il a accepté la démission de Haldeman, Ehrlichman, Dean, et de l'attorney général Kleindeinst. Il affirme ne pas avoir été au courant de l'affaire.

☐ **10 mai** Inculpation de John Mitchell et Maurice Stans, ancien secrétaire au Commerce, pour avoir accepté une contribution clandestine au fonds électoral de Nixon.

☐ **17 mai** Première audition de la Commission Ervin.

☐ **22 mai** Nixon admet que la Maison-Blanche a dissimulé sa participation à l'affaire du Watergate, à l'insu du président.

☐ **25 mai** Nomination d'un procureur spécial, Archibald Cox.

☐ **25-29 juin** Déposition de John Dean devant la Commission Ervin : Haldeman, Ehrlichman, Mitchell et Nixon impliqués.

☐ **16 juill.** Alexander Butterfield, ancien assistant de Nixon, décrit le système d'enregistrement installé dans le bureau présidentiel.

☐ **23 juill.** Nixon refuse de livrer les bandes enregistrées.

☐ **3 août** Patrick Gray avoue avoir détruit des papiers compromettants ayant appartenu à Hunt.

☐ **12 oct.** Nixon désigne Gerald Ford comme nouveau vice-président.

☐ **20 oct.** « Massacre du samedi

soir ». Le procureur spécial Cox renvoyé pour avoir refusé le résumé des enregistrements que la Maison-Blanche a préparé. Démission de l'attorney général Richardson et de son adjoint, Ruckelshaus.

□ **23 oct.** Nixon annonce qu'il s'apprête à remettre les enregistrements. Le Congrès envisage la procédure *d'impeachment.*

□ **1er nov.** Nomination d'un nouveau procureur spécial, Leon Jaworski.

□ **17 nov.** Nixon nie toute participation dans l'affaire.

□ **21 nov.** Le juge Sirica apprend qu'il manque 18 minutes d'enregistrement sur l'une des bandes magnétiques, celle qui contient la conversation entre Nixon et Haldeman.

1974

□ **2 janv.** L'administration fiscale, IRS, étudie les déclarations de revenus de Nixon.

□ **4 janv.** Nixon refuse de remettre 500 enregistrements et documents à la commission d'enquête.

□ **30 janv.** Dans son message sur l'état de l'Union, Nixon déclare n'avoir nullement l'intention de démissionner.

□ **19 févr.** La Commission Ervin met fin à ses travaux.

□ **1er mars** Inculpation de 7 anciens adjoints de Nixon, dont Mitchell, Haldeman, Ehrlichman et Colson.

□ **9 mai** La Commission des affaires judiciaires de la Chambre commence ses auditions sur la procédure d'*impeachment.*

□ **15 mai** La commission demande à Nixon les bandes magnétiques.

□ **22 mai** Refus du président.

□ **24 mai** Le procureur spécial fait appel à la Cour suprême pour obtenir enregistrements et documents.

□ **30 mai** Nouvelle demande de la Commission des affaires judiciaires.

□ **10 juin** Refus du président.

□ **24 juill.** La Cour suprême, à l'unanimité, donne raison au procureur spécial.

□ **27 juill.** La Commission des affaires judiciaires adopte le 1er article d'*impeachment.*

□ **29 juill.** Adoption du 2e article.

□ **30 juill.** Adoption du 3e article.

□ **5 août** Nixon reconnaît avoir tout fait pour entraver l'enquête.

□ **8 août** Dans un discours télévisé, Nixon annonce sa démission, effective le lendemain à midi.

La guerre en Asie du Sud-Est

1969

□ **18 janv.** Pourparlers de paix, à Paris. Ils réunissent les délégations des États-Unis, du Viêt-nam du Sud, du Viêt-nam du Nord et du Viêt-cong.

□ **20 janv.** À Paris, Henry Cabot Lodge remplace A. Harriman.

□ **Mars-avr.** Bombardements américains sur le Cambodge.

□ **4 mars** Le secrétariat à la Défense reconnaît expédier régulièrement des gaz paralysants au Viêt-nam du Sud.

□ **24 avr.** Raid aérien près de la frontière cambodgienne au nord-ouest de Saigon : les B-52 lâchent 3 000 bombes.

□ **20 mai** Les troupes américaines et sud-vietnamiennes reprennent Hamburger Hill après 10 jours de combat.

□ **8 juin** À la suite d'une réunion avec Thiêu, Nixon annonce les premiers retraits de troupes américaines.

□ **Juill.** Doctrine Nixon sur la « vietnamisation » de la guerre.

□ **16 sept.** Retrait de 35 000 soldats américains.

□ **28 oct.** La Commission sénatoriale pour les Affaires étrangères, dirigée par le sénateur William Fulbright, dénonce la Maison-Blanche et le Pentagone pour guerre illégale contre le Laos à l'insu du Congrès.

□ **Déc.** 475 000 soldats américains au Viêt-nam.

1970

□ **Avr.** Les forces américaines envahissent le Cambodge.

□ **30 avr.** À la télévision, Nixon déclare que les troupes américaines et sud-vietnamiennes ont pénétré au Cambodge après le départ du prince Norodom Sihanouk et l'arrivée au pouvoir de Lon Nol. Ces opérations prendront fin le 29 juin 1970.

□ **10 juill.** Le Sénat vote l'abrogation de la résolution du Tonkin.

□ **12 nov.** Le lieutenant William Calley Jr. passe en conseil de guerre pour les massacres commis dans le village de My Lai, au Viêt-nam du Sud, le 16 mars 1968, et révélés par les médias.

□ **Déc.** 334 600 soldats américains au Viêt-nam.

1971

□ **8 févr.** L'armée sud-vietnamienne attaque le Laos, protégée par l'aviation américaine.

□ **29 mars** Calley condamné à la prison à vie. Son supérieur, le capitaine Ernest Medina, déclaré non coupable. Réaction d'indignation de l'opinion publique. Nixon révise l'affaire. Le 20 août, la peine de Calley est ramenée à 20 ans. En 1974, le jugement sera annulé et Calley libéré.

□ **13 juin** Parution, dans le *New York Times,* du premier article des *Papiers du Pentagone,* document secret du Départ^t^. de la Défense révélant les dessous de l'intervention américaine au Viêt-nam. Le 28 juin, Daniel Ellsberg, qui a travaillé au secrétariat à la Défense, avoue être à l'origine de cette publication. La Cour suprême interdit la publication, puis annule sa décision le 30 juin.

□ **16 juin** Le Sénat rejette, par 55 voix contre 42, un amendement qui interdirait tout financement des opérations militaires au Viêt-nam à compter du 31 décembre 1971.

□ **17 juin** La Chambre des représentants repousse le même amendement par 255 voix contre 158.

□ **22 juin** Le Sénat adopte un amendement pour le retrait des troupes américaines du Viêt-nam dans les 9 mois.

□ **3 oct.** Réélection du président Thiêu.

□ **Déc.** 156 800 soldats américains au Viêt-nam.

□ **26-30 déc.** Bombardements américains sur le Viêt-nam du Nord, les plus violents depuis 1968.

1972

□ **25 janv.** Présentation par Nixon d'une proposition de paix en 8 points en vue de la réunion du 3 février à Paris : cessez-le-feu et libération de tous les prisonniers américains en échange du retrait des troupes américaines au Viêt-nam du Sud. Nixon révèle que des négociations secrètes ont lieu entre Kissinger et les communistes depuis juin.

□ **30 mars** Les Nord-Vietnamiens franchissent la DMZ. En 5 semaines de combat, ils avancent de 35 km. Reprise des raids américains sur le Viêt-nam du Nord, interrompus depuis 3 ans.

□ **9 mai** Le président donne l'ordre de bombarder Hanoi et de miner les ports du Viêt-nam du Nord, surtout Haiphong.

□ **27 juin** La Chambre des représentants refuse, par 244 voix contre 152, de supprimer les crédits de guerre à compter du 1er septembre 1972.

□ **12 août** Départ des dernières unités de combat américaines.

□ **26 oct.** De retour du Viêt-nam du Sud, Kissinger déclare, à 2 semaines des élections, que la paix est « à portée de la main ».

☐ **1er nov.** Thiêu dénonce le projet d'accord de cessez-le-feu envisagé par Kissinger et le Viêt-nam du Nord comme « une reddition du Viêt-nam du Sud entre les mains des communistes ».

☐ **Déc.** 24 200 soldats américains au Viêt-nam.

☐ **4 déc.** Kissinger et Lê Duc Tho reprennent leurs pourparlers.

☐ **18-30 déc.** Bombardements aériens américains au nord du 20e parallèle et minage des ports nord-vietnamiens.

1973

☐ **27 janv.** Signature des accords de cessez-le-feu à Paris : les troupes américaines devront se retirer sous 60 jours. Tous les prisonniers de guerre devront être libérés. Nord et Sud seront réunifiés. Le gouvernement du Sud restera en place jusqu'aux prochaines élections. Bombardements sur le Cambodge jusqu'au 14 août.

☐ **29 mars** Libération des derniers prisonniers de guerre américains. Retrait des 2 500 soldats américains encore au Viêt-nam.

☐ **11 mai** Interruption du procès contre Daniel Ellsberg. Des « plombiers » se sont introduits dans le bureau de son psychiatre afin d'y trouver des documents pouvant le compromettre. Il y a eu tentative de corruption du juge par la Maison-Blanche.

☐ **16 oct.** Henry Kissinger et Lê Duc Tho reçoivent le prix Nobel de la paix. Lê Duc Tho refuse cette récompense jusqu'à ce que la paix soit rétablie.

1974

☐ **7 mars** Inculpation d'Ehrlichman, Colson et Liddy pour avoir violé les droits du psychiatre de d'Ellsberg.

☐ **16 avr.** Le Viêt-nam du Sud rompt les pourparlers avec le Viêt-cong, pour violation du cessez-le-feu.

☐ **26 juin** Début du procès sur l'effraction du cabinet du psychiatre de Daniel Ellsberg.

☐ **30 juill.** Le Congrès vote une aide militaire d'un milliard de dollars au Viêt-nam du Sud.

Politique extérieure

1969

☐ **14 mars** Nixon annonce un projet de construction de missiles antibalistiques, ABM.

☐ **26 juill.-3 août** Visite présidentielle en Asie et en Roumanie. Nixon précise la nouvelle politique américaine : en Asie, les nations alliées doivent désormais assurer protection et développement économique ; aux pays communistes, Richard Nixon affirme son désir de négocier dans le respect mutuel.

☐ **17 nov.-22 déc.** Helsinki : ouverture de pourparlers avec l'U.R.S.S. en vue des accords SALT, sur la limitation des armes stratégiques.

☐ **24 nov.** Signature du traité des Nations unies sur la non-prolifération nucléaire. Signé par les États-Unis et l'U.R.S.S.

1971

☐ **10 juin** Fin de l'embargo contre la Chine qui durait depuis 21 ans.

☐ **15 juill.** Nixon annonce qu'il a accepté « avec plaisir » une invitation de la Chine.

☐ **12 oct.** Nixon annonce son voyage à Moscou pour 1972.

☐ **25 oct.** Admission de la Chine populaire à l'O.N.U., avec l'appui des États-Unis.

☐ **5 nov.** Vente de céréales à l'U.R.S.S. pour 136 millions de dollars.

1972

☐ **21-28 févr.** Nixon à Pékin. Déclaration sino-américaine de normalisation des relations entre les deux États.

☐ **22-30 mai** Nixon à Moscou. Première visite d'un président américain depuis la Seconde Guerre mondiale. Accord pour une mission spatiale russo-américaine en 1975.

☐ **26 mai** Brejnev et Nixon signent le traité de limitation des armes stratégiques (SALT), maintenant l'arsenal nucléaire à son niveau présent.

☐ **8 juill.** Accord avec l'U.R.S.S. sur une vente de céréales de 750 millions de dollars.

1973

☐ **16-25 juin** Leonid Brejnev à Washington.

☐ **22 sept.** Henry Kissinger nommé secrétaire d'État.

☐ **6 oct.** Début de la guerre israëlo-arabe du Kippour.

☐ **7 oct.** Reprise des relations diplomatiques avec l'Égypte, interrompues en 1967.

☐ **15 oct.** Washington annonce le prochain envoi d'équipement militaire à Israël.

☐ **20 oct.** Début de l'embargo sur le pétrole et diminution de la production de 10 % jusqu'au 18 mars 1974.

1974

☐ **12 juin** Visite de Nixon au Moyen-Orient.

☐ **27 juin** Visite de Nixon en U.R.S.S.

Économie et société

1969

☐ **9 avr.** Manifestation des « Étudiants pour une Société Démocratique », à Harvard ; 45 blessés, 184 arrestations.

☐ **23 juill.** L'indice des prix augmenté de 6,4 % depuis le 1er janvier, la plus forte hausse depuis 1951.

☐ **15 oct.** Première journée moratoire contre la guerre au Viêt-nam. Prières et défilés silencieux. Le 19, le vice-président Agnew traite les participants de snobs décadents et insolents.

☐ **29 oct.** Décision de la Cour suprême : la déségrégation dans les écoles doit se faire immédiatement.

☐ **11 nov.** Manifestation en faveur de la politique menée à propos de la guerre au Viêt-nam.

☐ **14 nov.** 2e journée moratoire contre la guerre au Viêt-nam.

☐ **15 nov.** Grandes manifestations contre la guerre.

☐ **20 nov.** 78 militants indiens s'emparent de la prison d'Alcatraz, dans la baie de San Francisco. Ils demandent que l'îlot soit donné aux Indiens.

☐ **30 déc.** Loi de réforme du système fiscal : 9 millions de citoyens, les plus pauvres, sont dispensés de l'impôt, diminué d'environ 5 %.

1970

☐ **4 mai** Manifestation contre la guerre à l'université de Kent State (Ohio). La garde nationale intervient ; 4 étudiants tués, 9 blessés. Vague de manifestations.

☐ **9 mai** Manifestation contre la guerre à Washington.

☐ **14-15 mai** Manifestation contre la guerre à l'université Jackson State College (Mississippi) ; 2 étudiants tués, 12 blessés.

☐ **13 juin** Le président désigne une commission d'enquête sur les troubles dans les universités.

☐ **12 août-11 nov.** 350 000 ouvriers de l'industrie automobile, membres de l'organisation syndicale *United Auto Workers,* en grève contre la General Motors aux États-Unis et au Canada. Grève la plus importante depuis 20 ans.

□ **31 déc.** Loi sur le contrôle de la qualité de l'air *(National Air Control Quality Act)*, qui renforce les contrôles sur l'atmosphère et prévoit une réduction de 90 % de la pollution par les gaz d'échappement pour 1975.

1971

□ **20 avr.** Le *busing* déclaré constitutionnel par décision unanime de la Cour suprême.

□ **23-24 avr.** Manifestations contre la guerre.

□ **3 mai** Grande manifestation contre la guerre, à Washington ; des milliers d'arrestations.

□ **15 août** Annonce de la phase I de la politique de redressement économique : gel des prix, des salaires et des loyers pour 90 jours, réduction des dépenses de l'État et augmentation temporaire de 10 % des taxes d'importation, à compter du 15 décembre 1971. Le dollar pourra flotter. La loi sur la stabilisation économique *(Economic Stabilization Act)* permet la mise en place de cette politique.

□ **9-13 sept.** Révolte des détenus de la prison d'Attica, dans l'État de New York : 43 morts ; 9 gardes, pris en otage, sont exécutés.

□ **14 nov.** Phase II du programme économique. Elle fixe des limites souples pour les prix et les salaires, afin de réduire l'inflation de 2,5 %.

□ **18 déc.** Dévaluation du dollar, d'environ 8,5 %.

1972

□ **17 mars** Nixon présente au Congrès un moratoire sur le *busing* et l'amélioration des conditions scolaires.

□ **8 juin** Loi sur l'enseignement : le *busing* est retardé de 18 mois ; un budget aidera les écoles dans la période de déségrégation et permettra d'attribuer des bourses.

□ **18 oct.** Loi sur le contrôle de la pollution des eaux *(Water Pollution Control Act)*.

□ **30 oct.** Amendement à la loi sur la sécurité sociale : affecte un budget plus important pour l'aide aux personnes âgées.

□ **8 nov.** Sit-in de 500 Indiens au Bureau des affaires indiennes : pour le respect des traités et l'annulation des décisions relatives aux ressources naturelles en territoire indien ; demandes rejetées en janvier 1973.

□ **14 nov.** L'indicateur boursier Dow Jones franchit 1 000.

□ **28 nov.** Réorganisation du cabinet présidentiel.

1973

Le taux d'inflation est de 6,2 %.

□ **11 janv.** Phase III du programme économique. Les contrôles sur les prix et les salaires sont levés, sauf pour les produits alimentaires et pharmaceutiques et pour les matériaux de construction.

□ **12 févr.** Seconde dévaluation du dollar, de 10 %.

□ **28 févr.** Occupation de Wounded Knee (Dakota du Sud), par des Indiens du mouvement *American Indian Movement (AIM)*. Le groupe se rend le 8 mai, sur la promesse que leurs revendications seront étudiées.

□ **1er mars** Taux de natalité au second semestre 1972 : 1,98 par couple ; 2,1 % équivaut à une croissance zéro de la population.

□ **13 juin** Gel des prix annoncé par Nixon.

□ **18 juill.** Phase IV du programme économique. Au 12 septembre, tous les contrôles de prix seront levés.

□ **16 oct.** Maynard Jackson élu maire d'Atlanta (Géorgie). C'est le premier Noir maire d'une grande ville du Sud.

□ **7 nov.** Nixon désire l'autonomie des

États-Unis en matière d'énergie pour 1980. Il annonce des restrictions sur l'électricité, l'essence, la vitesse sur les routes.

☐ **16 nov.** Loi pour la construction du pipeline d'Alaska. Opposition des écologistes.

1974
Le taux d'inflation atteint 11 %.

☐ **8 avr.** Loi qui permettra à 8 millions d'ouvriers supplémentaires de percevoir le salaire minimal, qui passe à 2,30 dollars de l'heure.

Sciences et technologie

1969

☐ **4 avr.** Première implantation d'un cœur entièrement artificiel, par le docteur Cooley. Le patient meurt le 8.

☐ **20 juill.** Neil Armstrong marche sur la Lune. Apollo 11, lancé le 16 juillet, revient sur Terre le 24.

☐ **2 déc.** Premier vol commercial du *Boeing 747,* de Seattle (État de Washington), à New York.

1971

☐ **26 juill.-7 août** Mission *Apollo 14,* 4e équipe sur la Lune : 50 kg de minéraux rapportés de la croûte lunaire. Une pierre, nommée *Genesis Rock,* est datée de 4 milliards d'années.

1972 Premières manipulations génétiques officielles.
L'acupuncture utilisée pour la première fois aux États-Unis pour anesthésier un patient en chirurgie.

☐ **5 janv.** Le président confie à la NASA le projet de construction d'une navette spatiale réutilisable.

☐ **23 juill.** Lancement du satellite ERTS 1 *(Earth Resources Technology Satellite),* qui enverra des informations photographiques sur les ressources de la planète.

1973

☐ **14 mai** Mise sur orbite de *Skylab 1,* première station spatiale américaine ; ses panneaux solaires sont endommagés.

☐ **3 nov.** Lancement de *Mariner 10,* première sonde américaine vers la planète Mars.

1974

☐ **12 juill.** Loi pour la recherche *(National Research Act) :* elle définit les limites de la recherche sur les êtres humains.

Civilisation et culture

1969 Publication du *Parrain,* de Mario Puzo.

☐ **27 mars** Inauguration de l'Académie noire des arts et des lettres *(Black Academy of Arts & Letters).*

☐ **18-20 oct.** Festival de musique de Woodstock (New York).

1970 Publication de *Love Story,* d'Erich Segal.

☐ **22 avr.** Journée de la Terre *(Earth Day).* Manifestations contre la pollution.

☐ **13 sept.** Premier marathon de New York.

1971

☐ **10-14 avr.** L'équipe américaine de ping-pong part en Chine.

1972 Sortie du film *le Parrain,* de Francis Ford Coppola.

1973

☐ **19 janv.** Contre-manifestation à la cérémonie d'entrée en fonction du président □ Leonard Bernstein dirige la *Missa In Tempore Belli* de Joseph Haydn, à Washington.

□ **12 sept.** L'Orchestre de Philadelphie part pour une tournée de 10 jours en Chine.

1974 Publication des *Hommes du président,* de Carl Bernstein et Robert Woodward.

Biographies

Nixon, Richard Milhous (9 janv. 1913). Né dans un faubourg de Los Angeles, dans une famille modeste et austère ; sa mère est une quaker rigoriste. Après des études de droit, il est avocat en 1937. Il épouse Patricia Ryan en 1940 (deux filles, Patricia et Julie). Il sert dans la marine pendant la Seconde Guerre mondiale, sans jamais combattre. Républicain, comme son père, obstiné, Richard Nixon est décidé à réussir. En 1946, il est élu représentant au Congrès fédéral pour la Californie du Nord. Anticommuniste vigoureux, il fait partie de l'HUAC. En 1950, il devient sénateur de Californie ; deux ans plus tard, aux présidentielles, il est colistier d'Eisenhower. Accusé d'avoir manipulé les fonds de sa campagne, il s'explique à la télévision dans un discours devenu célèbre sous le nom de *Checkers Speech.* Au poste de vice-président, il rencontre, pendant 8 ans, les plus hautes personnalités politiques et devient expert en relations extérieures. Il perd les présidentielles de 1960 devant John Kennedy, et, en 1962, il perd les élections au poste de gouverneur de Californie. Il effectue un brillant retour politique en 1968 : il est élu président. Il s'est présenté en défenseur de l'ordre et de la loi, et comme celui qui pourrait terminer la guerre au Viêt-nam. Il est réélu en 1972 sans difficulté. Le bilan de sa politique intérieure se solde par un malaise économique et social, une inflation et une dévaluation du dollar ; mais ses succès diplomatiques sont importants. Il doit démissionner à la suite du scandale du Watergate, le 8 août 1974. Le 8 septembre, le président Ford lui accorde officiellement le pardon.* Il se retire alors dans sa maison de San Clemente (Californie), où il écrit ses Mémoires. Il vit aujourd'hui dans le New Jersey.

Kissinger, Henry (1923). Né à Furth, en Allemagne, dans une famille juive, il arrive à New York en 1938. Il sert dans l'armée américaine pendant la Seconde Guerre mondiale. Il fait de brillantes études à Harvard, où il enseignera les sciences politiques. Il se fait remarquer par ses publications sur les relations internationales. Le gouverneur Nelson Rockefeller a recours à lui comme conseiller à titre officieux. Conseiller spécial pour la Sécurité nationale du président Nixon, il devient le théoricien et l'inspirateur de la politique extérieure. Moscou, Pékin, le Moyen-Orient et le Viêt-nam sont les pôles principaux de son action. En 1973, il est secrétaire d'État. La même année, il reçoit le prix Nobel de la paix pour les négociations du traité de Paris mettant fin à la guerre du Viêt-nam. En 1974, il épouse une ancienne assistante de Rockefeller. Il reste auprès du président Ford, puis, à l'arrivée de Jimmy Carter, il se retire. Il se consacre alors à l'enseignement et à l'écriture. En 1980, il reçoit le prix *American Book Award* pour l'ouvrage *la Maison-Blanche.*

Bibliographie

R. M. Nixon, *Mémoires* (Paris, Stanké, 1978).

H. Kissinger, *la Maison-Blanche* (Fayard, 1979).

A. Kaspi, *le Watergate* (Bruxelles, Éd. Complexe, 2e éd., 1986).

Chapitre XXVIII **9 août 1974-1980**

L'après-Watergate

> *La leçon du Viêt-nam, c'est qu'il faut nous débarrasser du rôle de gendarme du monde et limiter notre disponibilité aux zones où nos intérêts sont vraiment menacés.*
>
> Discours du sénateur Edward Kennedy en 1975.

Gerald Ford entre immédiatement en fonction le 9 août 1974. À Washington, il est apprécié de ses collègues pour son attitude ouverte, honnête, son tempérament conciliant. Dans la crise de confiance que traverse l'Amérique, sa mission primordiale est de rassurer l'opinion publique. Il désigne l'ancien gouverneur Nelson Rockefeller comme vice-président. Le Sénat donne son approbation. Le 8 septembre, il accorde à Richard Nixon son pardon officiel. Cette décision est contestée.

L'économie demeure le problème majeur, le taux d'inflation reste élevé. Malgré une légère baisse enregistrée en 1976, il est en constante augmentation. L'inflation s'accompagne de récession. Les prix montent, le déficit de la balance extérieure grandit. Le chômage se développe. Tout cela s'explique en partie par le montant de la facture pétrolière.

En politique extérieure, Henry Kissinger poursuit ses efforts pour établir la paix au Moyen Orient. Au Viêt-nam du Sud, les derniers Américains évacuent précipitamment Saigon, et le Viêt-nam du Nord envahit totalement le pays. Kissinger et Gerald Ford cherchent à rétablir un équilibre dans cette région par la normalisation des relations avec la Chine.

Aux élections de 1976, Ford est battu de justesse par le candidat démocrate Jimmy Carter, qui l'emporte par 40 828 929 voix et 297 mandats du collège électoral, contre 39 148 940 voix et 241 mandats. Carter, presque inconnu des Américains, s'est présenté pendant sa campagne comme un homme intègre, attaché à la morale et à Dieu : « Je ne vous mentirai jamais », a-t-il promis. Voulant consacrer plus d'efforts au respect des droits de l'homme, il correspond avec Sakharov et reçoit le dissident soviétique Vladimir Boukovsky ; par ailleurs, il réduit l'aide économique aux pays où la démocratie n'est pas respectée. Mais Jimmy Carter ne peut maintenir complètement cet engagement. Il en résulte un flou dans sa politique. Il obtient néanmoins de beaux succès en politique extérieure : accords de Camp David entre Israël et l'Égypte,

ratification des traités sur le canal de Panama, qui mettent fin à des années de conflit, consolidation de la nouvelle politique avec la Chine. Mais sa présidence est aussi marquée de crises : montée sandiniste au Nicaragua, invasion soviétique en Afghanistan, révolution islamique en Iran, avec prise d'otages à l'ambassade américaine de Téhéran.
Les échecs subis à la fin de son mandat expliquent l'importante victoire du candidat républicain en 1980 : Ronald Reagan, gouverneur de la Californie, est élu par 42 797 153 voix et 489 mandats, alors que Carter ne totalise que 34 434 100 voix et 49 mandats. Reagan l'a emporté dans 44 États. Carter, sans doute mal perçu et mal compris des Américains, fut aussi victime des turbulences de 1979 et 1980.

Vie politique et institutionnelle

1974

□ **9 août** Démission de Richard Nixon à midi. Gerald Ford prête serment devant le chef de la Cour suprême, Warren Burger.

□ **20 août** Ford désigne son vice-président : Nelson Rockefeller. Approbation du Sénat. N. Rockefeller prête serment le 19 décembre.

□ **15 oct.** *Federal Election Campaign Act,* loi limitant les dépenses des candidats aux présidentielles et aux législatives, les contributions privées et l'utilisation des médias.

□ **5 nov.** Élections de mi-parcours : progression de la majorité démocrate.

1975

□ **5 janv.** Le président désigne une commission placée sous la direction du vice-président pour enquêter sur la CIA.

□ **10 juin** La commission rapporte que la CIA a placé sous surveillance illégale 300 000 individus et sociétés.

1976

□ **4 juill.** Fête du bicentenaire des États-Unis.

□ **2 nov.** Élections présidentielles : James Earl Carter élu.

1977

□ **20 janv.** Entrée en fonction de J. Carter ; Walter Mondale, vice-président.

□ **1er mars** Carter reçoit le dissident soviétique Vladimir Boukovsky.

□ **16 mars** À Clinton (Massachusetts), Carter s'adresse aux habitants ; il est reçu par une famille pour la nuit.

□ **22 mai** Carter à l'université Notre-Dame. Définit 3 objectifs : défense des droits de l'homme, limitation des ventes d'armes à l'étranger, affirmation du rôle des États-Unis en Afrique noire.

□ **4 août** Création du Département de l'énergie.

1978

□ **6 juin** La Californie adopte la Proposition 13, qui réduit l'impôt foncier. Moins d'impôt, moins d'État.

1979

☐ **27 sept.** Création d'un secrétariat à l'Éducation.

1980

☐ **26 avr.** Démission du secrétaire d'État Cyrus Vance, contre la tentative de sauvetage des otages en Iran. Remplacé par le sénateur Edmund Muskie.

☐ **4 nov.** Élections présidentielles : Reagan élu.

Politique extérieure

1974

☐ **4 sept.** Début des relations diplomatiques avec la R.D.A.

☐ **23-24 nov.** Vladivostok : rencontre au sommet Ford-Brejnev. Signature d'un accord limitant les armes offensives jusqu'en 1985.

1975

☐ **16 avr.** Les Khmers rouges s'emparent de Phnom Penh.

☐ **28 avr.** Saigon : évacuation des derniers Américains.

☐ **29 avr.** Saigon se rend sans conditions aux communistes.

☐ **12 mai** Le navire marchand américain *Mayaguez* saisi par les forces cambodgiennes. Ford ordonne une opération de sauvetage : 15 morts et 50 blessés américains. Le navire est libéré le 14 mai. Cette décision du président a reçu l'approbation générale.

☐ **1er août** Accords d'Helsinki : reconnaissance des frontières existant à la fin de la Seconde Guerre mondiale.

☐ **Oct.** Visite de l'empereur Hirohito.

☐ **1-5 déc.** Visite présidentielle en Chine, Indonésie et Philippines.

☐ **7 déc.** À Honolulu, Ford énonce une nouvelle doctrine pour le Pacifique : réaffirmation de la présence américaine, le Japon devenant l'un des piliers de cette stratégie ; contacts plus étroits établis avec la Chine.

1976

☐ **26 mars** Reconduction pour 4 ans de l'accord militaire avec la Turquie : les bases américaines, fermées en juillet 1975, reprendront leurs activités. Les États-Unis s'engagent à fournir une aide militaire et économique.

☐ **28 mai** Accord avec l'U.R.S.S. limitant les essais nucléaires dans les deux pays, qui pourront réciproquement visiter leurs bases.

☐ **16 juin** Beyrouth : assassinat de l'ambassadeur américain.

☐ **27 juill.** Beyrouth : la marine évacue 160 Américains et 148 étrangers.

☐ **12 nov.** Paris : début de la conférence sur la normalisation des relations entre États-Unis et Viêt-nam.

☐ **15 nov.** Veto américain à l'entrée du Viêt-nam à l'O.N.U.

1977

☐ **24 févr.** Le secrétaire d'État Cyrus Vance annonce une réduction de l'aide aux pays violant les droits de l'homme ; visés : Argentine, Éthiopie, Uruguay.

☐ **4 mai** Les États-Unis ne s'opposent plus à l'entrée du Viêt-nam à l'O.N.U., mais refusent toute aide financière.

☐ **3 juin** Accord avec Cuba pour l'échange de missions diplomatiques.

☐ **7 sept.** Deux traités sur le canal de Panama : le contrôle de la zone du canal sera transféré à la république du Panama à la fin de 1999 ; le canal devra rester neutre et ouvert aux navires de tous pays. Approuvés par le Sénat les 16 mars et 18 avril 1978.

1978

☐ **8 févr.** Arrivée d'Anouar el-Sadate,

président de l'Égypte, pour une visite de 6 jours.

☐ **9 mars** Visite du maréchal Tito, président de Yougoslavie.

☐ **15 mai** Ventes controversées d'avions de combat à l'Égypte, à l'Arabie Saoudite et à Israël.

☐ **6-17 sept.** Rencontres de Camp David entre Carter, Sadate et Begin. Le 17 septembre, à la Maison-Blanche, signature d'un accord en vue d'un traité de paix dans les 3 mois.

☐ **27 nov.** Les États-Unis relèvent le quota d'accueil en ce qui concerne les réfugiés d'Asie du Sud-Est.

1979

☐ **1er janv.** Normalisation des relations diplomatiques avec la Chine populaire ; rupture des relations avec Taiwan.

☐ **8 févr.** Fin de l'aide militaire au Nicaragua en représailles contre Somoza.

☐ **14 févr.** L'ambassadeur des États-Unis à Kaboul (Afghanistan) est kidnappé. Il sera assassiné.

☐ **26 mars** Washington : signature du traité de paix entre l'Égypte et Israël.

☐ **27 avr.** Échange de prisonniers politiques entre les États-Unis et l'U.R.S.S. Libération du dissident Alexandre Ginzburg.

☐ **Juin-juill.** Mise au point des accords Salt II.

☐ **28 juin** Les pays de l'O.P.E.P. annoncent une hausse du prix du pétrole. En un an, il a augmenté de 50 %.

☐ **29 juin** Plan international de limitation des importations de pétrole jusqu'en 1985. Les États-Unis importeront au maximum 8 500 000 barils par jour.

☐ **4 nov.** Occupation de l'ambassade des États-Unis à Téhéran par des musulmans intégristes : 65 otages sont pris pour protester contre l'hospitalité donnée à l'ancien chah d'Iran par les États-Unis.

☐ **12 nov.** Carter interdit l'importation du pétrole iranien et gèle les fonds iraniens.

☐ **21 nov.** Attaque de l'ambassade américaine à Islamabad (Pakistan).

☐ **Déc.** Invasion soviétique de l'Afghanistan.

☐ **2 déc.** Attaque de l'ambassade américaine à Tripoli (Libye).

1980

☐ **4 janv.** Embargo sur les ventes de blé à l'U.R.S.S. pour protester contre l'invasion de l'Afghanistan.

☐ **23 janv.** Message présidentiel sur l'état de l'Union : si nécessaire, la route d'acheminement du pétrole dans le golfe Persique sera défendue par la force.

☐ **24 janv.** Carter annonce que le gouvernement est disposé à vendre des armes à la Chine.

☐ **17 mars** Loi sur les réfugiés *(Refugee Act)* : étend la notion de réfugiés aux individus originaires de tous pays et augmente le nombre annuel de réfugiés admissibles.

☐ **7 avr.** Rupture des relations diplomatiques avec l'Iran. Arrêt des exportations. Renvoi des diplomates iraniens.

☐ **24 avr.** Mission de sauvetage des otages américains en Iran. Échec total après décision d'annulation par Carter.

☐ **3 juin** Arrivée de plus de 100 000 réfugiés cubains.

Économie et société

1974

☐ **2 sept.** Loi sur la sécurité des revenus des retraités *(Employee Retire-*

ment Income Act), qui établit des critères pour la gestion de 300 000 plans de retraite par des sociétés privées.

□ **16 sept.** Amnistie des déserteurs de la guerre du Viêt-nam. Ils doivent prêter serment de fidélité au pays et travailler 2 ans dans un service public.

□ **8 oct.** Ford propose un plan de contrôle de l'inflation : économies volontaires d'énergie, hausse de 5 % sur les bénéfices des entreprises et les hauts revenus.

□ **18 déc.** Licenciements dans l'industrie automobile.

□ **31 déc.** Interdiction levée pour l'achat d'or par les particuliers.

1975

Le taux d'inflation atteint 9,1 %.

□ **4 janv.** Le taux de chômage est de 7,1 % ; en mai, il sera de 9,2 %, le plus fort depuis 33 ans.

□ **11 mars** La Commission aux droits civiques annonce que la proportion de Noirs dans les écoles à majorité blanche est plus élevée dans les États du Sud que dans ceux du Nord.

□ **30 juin** Loi étendant à 65 semaines l'aide sociale aux chômeurs.

1976

Le taux d'inflation atteint 5,8 %.

□ **8 janv.** Accords de la Jamaïque : création d'un nouveau Système monétaire international fondé sur des parités flexibles et le seul étalon dollar. L'étalon or définitivement abandonné. Fin des parités fixes entre les monnaies.

1977

Le taux d'inflation atteint 6,5 %.

□ **21 janv.** Carter amnistie tous les insoumis de la guerre du Viêt-nam.

□ **18 avr.** Appel de Carter pour les économies d'énergie.

Indicateurs économiques de 1975 à 1980

	1975	1976	1977	1978	1979	1980
PNB, en milliards de $ courants	1 549	1 718	1 918	2 164	2 408	2 633
Taux de croissance annuel	8,0	10,9	11,7	12,8	11,7	8,9
PNB, en milliards de $ constants, valeur 1972	1 232	1 298	1 370	1 439	1 479	1 474
Taux de croissance annuel	– 1,2	5,4	5,5	5,0	2,8	– 0,4
Revenus disponibles par tête, dollars 1972	4 057	4 158	4 262	4 405	4 494	4 473
Indice des prix à la consommation, base 100 = 1967	161,2	170,5	181,5	195,4	217,4	246,8
Taux d'inflation	9,1	5,8	6,5	7,7	11,3	13,5
Taux de chômage	8,5	7,7	7,9	6,1	5,8	7,1

D'après : A. Kaspi, *les Américains,* Paris, le Seuil, 1986.

☐ **30 avr.** Grande manifestation antinucléaire. Occupation du site prévu pour la construction d'une centrale à Seabrook (New Hampshire) : 1 400 arrestations.

☐ **1er nov.** Loi sur le salaire minimal, qui passera à 3,35 dollars de l'heure en 1981.

☐ **10 déc.** Grève nationale des exploitants agricoles.

1978

Le taux d'inflation atteint 7,7 %.

☐ **13 janv.** Accord avec le Japon, qui ouvrira plus largement ses frontières aux produits américains.

☐ **6 avr.** Loi permettant à la majorité des travailleurs de prendre leur retraite à 70 ans, au lieu de 65.

☐ **28 juin** La Cour suprême rend l'arrêt Bakke. Elle donne tort à l'université de Californie, qui avait refusé la candidature d'Allen Bakke, étudiant blanc, alors qu'elle acceptait celle d'étudiants de minorités raciales.

☐ **15 juill.** *The Longest Walk,* marche d'Alcatraz à Washington entreprise par les Indiens de l'*American Indian Movement (AIM),* fondé en 1968.

☐ **20 oct.** L'indice Dow Jones perd 59,08 points en une semaine.

☐ **31 oct.** Le système fédéral de réserve augmente le taux d'intérêt sur les prêts accordés aux banques : il passe à 9,5 %.

☐ **Nov.** Loi sur la réduction de la consommation d'énergie.

☐ **1er nov.** Carter annonce que les États-Unis vont vendre de l'or. Le dollar remonte. L'indice Dow Jones reprend 35,34 points en un seul jour.

1979

Le taux d'inflation atteint 11,3 %.
La consommation en produits pétroliers baisse de 1,8 % ; première baisse depuis 1975.

☐ **13 févr.** La Commission aux droits civiques annonce que, 25 ans après que la ségrégation a été déclarée inconstitutionnelle, 46 % des enfants de minorités raciales fréquentent des écoles pratiquant encore la ségrégation.

☐ **5 avr.** Carter donne l'ordre d'éliminer progressivement les contrôles sur le prix du pétrole.

☐ **6 oct.** Le taux d'intérêt du système fédéral de réserve passe à 12 %.

☐ **17-19 oct.** Émeutes à Boston contre le *busing.*

1980

Le taux d'inflation est de 13,5 %.
Baisse de 20 % des ventes de voitures américaines depuis le début de 1979.
Le système fédéral de réserve et son nouveau chef, Paul Volcker, augmentent le taux d'intérêt : 13 %.
Le taux du chômage atteint 7,1 %.

☐ **2 avr.** Loi sur l'imposition des bénéfices exceptionnels des compagnies pétrolières *(Crude Oil Windfall Profits Tax Act).*

☐ **Mai.** Afflux de réfugiés cubains.

☐ **17-19 mai** Miami : émeutes raciales, après l'acquittement, par un jury blanc, de 4 policiers blancs ayant lynché un Noir.

☐ **27 juin** Loi d'incorporation pour tous les hommes de 19 à 20 ans.

Sciences et technologie

1974 Développement de la technique de diagnostic par ultrasons.

1975

☐ **15-24 juill.** Mission américano-soviétique, Apollo Soyouz. Le 17 juillet, les 2 engins se rencontrent dans l'espace et tournent ensemble autour de la Terre pendant 2 jours.

☐ **20 août** Lancement de Viking 1, qui se posera sur la planète Mars le 20 juillet 1976.

Développement du scanner en médecine.

☐ **11 déc.** Loi pour la conversion volontaire au système métrique dans les 10 ans.

1976

☐ **24 mai** Inauguration des vols du Concorde, entre Londres ou Paris et Washington.

☐ Mission médicale américano-soviétique pour l'implantation d'un cœur artificiel sur des veaux.

1977 Mise au point de la bombe à neutrons.

☐ **28 juill.** Ouverture du pipeline trans-Alaska.

☐ **12 août** Premier vol de la navette spatiale Enterprise.

1978

☐ **16 janv.** La NASA sélectionne 35 futurs astronautes pour le programme de la navette spatiale. Parmi eux, 6 femmes, 3 Noirs et un Oriental.

☐ **7 avr.** Carter remet à plus tard la production de la bombe à neutrons.

☐ **6-10 juill.** Délégation scientifique américaine en Chine.

1979

☐ **28 mars** Accident à la centrale nucléaire de Three Mile Island (Penns.).

☐ **7 juin** Feu vert du président pour la construction du MX, système de missile guidé.

1980

☐ **14 févr.** Mise sur orbite d'une station d'observation du soleil : *Solar Maximum Observatory.*

Civilisation et culture

1975 Sortie du film *les Dents de la mer,* de Steven Spielberg ☐ Année internationale de la femme : les académies militaires américaines ouvrent leurs portes aux femmes. ☐ Première visite du Bolchoï aux États-Unis.

☐ **29 août** Accords avec l'U.R.S.S. sur l'échange d'œuvres d'art, de 1975 à 1980.

1976 Publication de *Racines,* d'Alex Haley.

☐ **22 avr.** Barbara Walters, première femme à présenter un journal télévisé.

☐ **21 oct.** Prix Nobel de littérature attribué à Saul Bellow.

1977 Publication de *Toilettes pour femmes,* de Marilyn French.

☐ **13-14 juill.** Panne d'électricité à New York, pendant 25 heures.

☐ **16 août** Mort du chanteur Elvis Presley.

☐ **18-21 nov.** Première Conférence nationale des femmes, la plus grande manifestation féministe depuis le congrès de Seneca Falls en 1848.

1979 Sortie du film *Apocalypse Now,* de Francis Ford Coppola.

☐ **Sept.** Séjour d'un mois du dalaï-lama, chef spirituel des bouddhistes tibétains.

☐ **1-7 oct.** Visite du pape Jean-Paul II.

1980 Exposition rétrospective de l'œuvre de Picasso au musée d'Art moderne de New York. La toile *Guernica* est ensuite léguée à l'Espagne, selon le désir de l'artiste.

☐ **20 janv.** Carter annonce que les athlètes américains boycotteront les jeux Olympiques d'été à Moscou, pour protester contre l'invasion soviétique de l'Afghanistan.

☐ **12-24 févr.** Jeux Olympiques d'hiver à Lake Placid, dans l'État de New York.

☐ **18 mai** Éruption du mont Saint Helens, volcan de l'État de Washington. La première depuis 1857.

Biographies

Carter, James (Jimmy) Earl (1924), né en Géorgie. Élève à l'École navale d'Annapolis, il sert ensuite dans la marine et commande le *Sea-Wolf,* deuxième sous-marin nucléaire. En 1953, Carter prend en main les affaires de la famille, une ferme, quelques entreprises, deux usines de traitement et de conditionnement du coton, une exploitation de cacahuètes. De 1963 à 1967, il est sénateur démocrate de son État. En 1966, il se présente sans succès au poste de gouverneur. Élu en 1970, il s'oppose au *busing* et à la déségrégation des écoles telle qu'elle est imposée par le gouvernement fédéral. Carter proclame la fin de la discrimination raciale. En 1976, sa simplicité, sa sincérité et la croyance qu'il affiche en des valeurs traditionnelles contribuent à le porter à la présidence. Il gagne les élections de très peu devant Gerald Ford. Mais, la libération des otages américains retenus en Iran se révélant impossible, il perd les présidentielles de 1980 face à Reagan. Il retourne alors aux affaires et au militantisme.

Hughes, Howard (1905-1976, né au Texas). À 19 ans, il succède à son père à la tête d'une entreprise de construction mécanique qui a le monopole des foreuses pétrolières, la *Hughes Tool Company.* En quelques années, il réalise des bénéfices considérables, qu'il investit dans l'industrie cinématographique, en plein essor. En 1931, Hughes fait construire la plus grande brasserie du sud des États-Unis : elle est prête à la fin de la Prohibition. Passionné d'aviation, il se lance dans la construction aéronautique et établit plusieurs records. En 1938, il fait le tour du monde sur un appareil de sa conception, en 3 jours et 19 heures, et reçoit le trophée Harmon des mains de Roosevelt. Pendant la Seconde Guerre mondiale, il fabrique des canons et des avions. Avec l'ingénieur Henry Kaiser, il construit un avion à 8 moteurs, capable de transporter 700 passagers, *The Spruce Goose,* projet financé par un contrat de guerre passé avec le gouvernement ; Hughes pilote l'avion pour son unique vol, le 2 novembre 1947. Il revient au cinéma en 1948, prenant le contrôle de la firme RKO. Une commission sénatoriale fait sur lui une enquête, et son rapport entache sa réputation (1950). Il mène alors une vie de reclus, sans abandonner les affaires : en 1966, il revend 75 % des actions de la compagnie aérienne TWA, qui lui appartiennent, et investit dans les hôtels et les casinos du Nevada. Il meurt à bord d'un avion, entre Acapulco et Houston.

Bibliographie

W. L. Miller, *Jimmy Carter, l'Homme et ses croyances* (Paris, Economica, 1980).

J. Grapin, *Radioscopie des États-Unis, de la chute de Saigon à la prise de Kaboul* (Calmann-Lévy, 1980).

P. Milza, *le Nouveau Désordre mondial* (Flammarion, 1983).

Chapitre XXIX 1981-1985

L'Amérique prend un nouveau cap

> *Nous ne sommes pas, comme certains voudraient nous le faire croire, condamnés à un déclin inévitable.*
>
> Ronald Reagan, le 20 janvier 1981.

Ronald Reagan, le nouveau président, met en place son programme : moins d'interventions étatiques, plus de recours à l'initiative individuelle. Mais la « reaganomie » va plus loin : s'inspirant des économistes, tel le Californien Arthur Laffer, l'équipe de Reagan entend surmonter la crise économique, en stimulant non plus la consommation, mais l'offre. Le taux d'imposition sera diminué pour encourager l'investissement et la production. Ainsi seront créés des emplois. Le gouvernement veut étendre la déréglementation pour accroître la concurrence. Au début, le système fédéral de réserve maintient un taux d'intérêt élevé, pour éviter la reprise de l'inflation, taux qui sera progressivement abaissé en 1983-1984.
Les résultats de cette politique se font sentir lentement. En 1981, une récession s'amorce, de courte durée. En 1983, le redressement est net et continue en 1984. Il se manifeste d'abord dans la construction immobilière. Le dollar, en constante augmentation, passe la barre des 10 F en janvier 1985. Les capitaux étrangers affluent. L'économie continue à progresser, mais au taux de 2,3 %. Restent deux problèmes : le déficit budgétaire, toujours en augmentation, et la situation critique des agriculteurs.
En novembre 1984, Reagan jouit d'une forte popularité. Exprimant des valeurs simples, traditionnelles, manichéennes même, il redonne confiance aux Américains. Il est réélu avec une avance considérable sur son adversaire démocrate, Walter Mondale. Pour la première fois, ce dernier avait choisi une femme comme colistier, Geraldine Ferraro, membre du Congrès pour l'État de New York. Reagan l'emporte dans 49 États et obtient 54 455 000 voix et 525 mandats du collège électoral, contre 37 580 000 voix et 13 mandats.
En politique extérieure, face à l'U.R.S.S. et au reste du monde, Reagan veut une Amérique forte. Il augmente le budget de la défense et renforce l'arsenal conventionnel et nucléaire.
Les relations sino-américaines s'améliorent. En 1982, le vice-président se rend en Chine. C'est le début d'une phase d'échanges

technologiques et de négociations industrielles. En mai 1984, Reagan y fait une visite officielle.
Deux zones de tensions inquiétantes : le Moyen-Orient et l'Amérique centrale. La situation s'aggrave au Liban ; le 6 octobre 1981, Anouar el-Sadate est assassiné ; l'affrontement irako-iranien s'amplifie. En septembre 1982, les Américains décident d'envoyer à Beyrouth des troupes, qui se retirent bientôt, pour revenir lorsque Bachir Gemayel est assassiné. Mais elles quittent définitivement le Liban en février 1984.
En Amérique centrale, les États-Unis, craignant la montée du communisme, mènent une politique à la fois modérée et vigilante. L'aide au Nicaragua est stoppée, mais les *contras,* forces anti-sandinistes, continuent à recevoir une aide non officielle, par la CIA. Au Salvador, après avoir envoyé des conseillers militaires, les États-Unis soutiennent un modéré, Duarte, qui prend le pouvoir. En octobre 1983, à la Grenade, après l'assassinat du Premier ministre, les marines interviennent pour éviter la mainmise communiste sur cette île.
En 1985, Ronald Reagan conserve un discours fort, tout en adoptant une attitude modérée. La venue au pouvoir de Mikhaïl Gorbatchev en U.R.S.S., en mars 1985, amorce une période de dialogue et de détente. Reagan redonne poids et respectabilité à la présidence américaine.

Vie politique et institutionnelle

1981

☐ **20 janv.** Entrée en fonction du 40e président, Ronald Reagan. George Bush, vice-président.

☐ **30 mars** Attentat contre le président à Washington. Reagan blessé.

☐ **21 sept.** Sandra Day O'Connor, première femme membre de la Cour suprême.

☐ **4 déc.** Un ordre exécutif autorise les enquêtes de la CIA et autres agences sur des citoyens américains aux États-Unis.

1982

☐ **25 juin** Démission du secrétaire d'État Alexander Haig, remplacé par George Schultz.

☐ **2 nov.** Succès démocrate aux élections de mi-parcours. Les républicains conservent la majorité au Sénat avec 54 sièges contre 46, mais n'ont que 166 sièges à la Chambre contre 269.

1983

☐ **9 oct.** Démission du secrétaire de l'Intérieur, James Watt, à la suite d'une remarque raciste. Remplacé par William Clark, ancien conseiller à la Sécurité.

1984

☐ **7 oct.** Premier débat télévisé de la campagne présidentielle.

☐ **11 oct.** Débat télévisé entre le vice-président Bush et Geraldine Ferraro.

☐ **21 oct.** Second débat télévisé Reagan-Mondale.

☐ 6 nov. Élections présidentielles. Ronald Reagan réélu.

1985

20 janv. Début du second mandat de Ronald Reagan.

Politique extérieure

1981

☐ **20 janv.** Libération des 52 otages détenus en Iran. Le 21, Jimmy Carter les accueille à Wiesbaden (R.F.A.). Les États-Unis s'engagent à dégeler les capitaux iraniens et à bloquer la fortune de l'ancien chah. Ils n'interviendront pas dans les affaires intérieures de l'Iran et lèvent les restrictions sur les échanges commerciaux.

☐ **2 mars** Reagan annonce son intention d'envoyer 20 conseillers de plus au Salvador et la valeur de 25 millions de dollars en équipements militaires.

☐ **21 avr.** Annonce d'une vente d'armes à l'Arabie Saoudite pour un milliard de dollars. Protestation d'Israël. Vente approuvée par le Sénat le 28 octobre 1981.

☐ **24 avr.** Levée de l'embargo sur les ventes de blé à l'U.R.S.S.

☐ **Mai** Expulsion de diplomates libyens.

☐ **16 juin** Annonce d'une prochaine vente d'armes à la Chine.

☐ **10 août** Reagan autorise la fabrication de la bombe à neutrons.

☐ **19 août** Deux chasseurs libyens abattus dans le golfe de Sidra.

☐ **2 oct.** Reagan présente son programme de défense. Propose de construire 100 bombardiers B1 et 100 fusées MX.

☐ **18-19 oct.** Visite du président Mitterrand à l'occasion du bicentenaire de la victoire de Yorktown. Entretien Mitterrand-Reagan à Williamsburg pour renforcer les forces stratégiques en Europe.

☐ **18 nov.** Reagan propose un contrôle de l'armement dans un discours télévisé retransmis en direct en Europe. Les États-Unis s'engagent à renoncer à l'installation de fusées de moyenne portée en Europe si l'U.R.S.S. démantèle ses SS 20.

☐ **28 déc.** Après l'instauration de la loi martiale imposée en Pologne par l'U.R.S.S. et les représailles contre le syndicat Solidarnösc, Reagan annonce des sanctions : embargo sur le matériel de haute technologie destiné au pipeline qui doit acheminer le gaz naturel soviétique vers l'Europe, et sur les vols de « Aeroflot » à destination des États-Unis. Embargo levé le 13 novembre 1982.

1982

☐ **10 mars** Sanctions économiques contre la Libye pour protester contre ses actions terroristes. Embargo sur l'exportation de matériel de haute technologie et sur le pétrole libyen.

☐ **21 mai** L'armée britannique débarque aux Malouines. Soutien des États-Unis ; violente critique de l'Argentine.

☐ **Juill.** Aide au Salvador.

☐ **20 août** 800 *Marines* débarquent à Beyrouth, dans le cadre de la force multinationale qui veille au retrait des soldats palestiniens. Les *Marines* restent jusqu'au 10 septembre puis reviennent le 29, après le massacre de Palestiniens aux camps de Sabra et de Chattila. Le 30, un *Marine* tué, 3 blessés.

☐ **Déc.** Voyage présidentiel en Amérique latine.

1983

☐ **Janv.** Vente d'armes au Guatemala ; aide renforcée au Salvador.

☐ **18 avr.** Attentat à l'ambassade des États-Unis à Beyrouth : 63 morts, dont 17 Américains.

☐ **Mai** Exportation de matériel de haute technologie vers la Chine.

☐ **Juill.** Traité sino-américain sur les exportations de textiles chinois vers les États-Unis.

☐ **28 juill.** Augmentation de 50 % de l'exportation des céréales vers l'U.R.S.S. Nouvel accord de 5 ans.

☐ **1er sept.** L'aviation soviétique abat un Boeing des Korean Airlines. Le 5 septembre, sanction symbolique des États-Unis : suspension des négociations sur l'ouverture d'un consulat à Kiev.

☐ **23 oct.** Attentat à Beyrouth. 241 marines tués.

☐ **25 oct.** Débarquement américain dans l'île de la Grenade. Succès de l'opération.

☐ **11 nov.** Les premières fusées américaines à moyenne portée arrivent en Grande-Bretagne. 572 doivent être installées en Europe.

☐ **23 nov.** En réponse à l'installation des fusées américaines en Europe, l'U.R.S.S. abandonne les pourparlers SALT.

☐ **4 déc.** Les bombardiers américains attaquent les positions syriennes près de Beyrouth.

☐ **28 déc.** Les États-Unis annoncent leur retrait de l'Unesco. Décision maintenue le 19 décembre 1984.

1984

☐ **10 janv.** Reprise des relations diplomatiques avec le Vatican, après une interruption de 117 ans.

☐ **7 févr.** Les troupes américaines quittent le Liban.

☐ **Avr.** Le Congrès condamne le minage des ports du Nicaragua par la CIA.

☐ **26 avr.-1er mai** Visite du président Reagan en Chine. Accords pour des échanges scientifiques et culturels, pour une coopération économique et pour le développement de l'énergie nucléaire en Chine.

☐ **6 juin** 40e anniversaire de D. Day. Reagan se rend en Normandie.

☐ **Mai** Funérailles solennelles du soldat inconnu mort au Viêt-nam.

☐ **Août** Promesse d'aide accrue au Salvador.

☐ **20 sept.** Explosion à l'ambassade des États-Unis à Beyrouth. Deux Américains tués.

1985

☐ **1er mars** Soutien accru des États-Unis aux *contras* du Nicaragua.

☐ **5 mai** Reagan se rend au camp de concentration de Bergen-Belsen et au cimetière militaire de Bitburg (Allemagne de l'Ouest), où son enterrés 49 SS. Vive polémique aux États-Unis et dans le monde.

☐ **14 juin** À Athènes, détournement sur Beyrouth d'un avion de la TWA par 2 terroristes chiites.

☐ **23 juill.** Visite à Washington du président de la République populaire de Chine, Li Xiannian. Accord sur la vente de matériel nucléaire non militaire.

☐ **9 sept.** Sanctions contre l'Afrique du Sud.

☐ **10 oct.** L'aviation américaine intervient pour intercepter 4 terroristes palestiniens qui avaient participé à la prise d'otages sur l'*Achille Lauro.*

☐ **19-21 nov.** À Genève, rencontre au sommet Gorbatchev-Reagan.

☐ **22 nov.** Angola : les États-Unis décident d'aider financièrement l'UNITA.

☐ **Déc.** La Grande-Bretagne se rallie au plan de défense stratégique des États-Unis (« guerre des étoiles »).

Économie et société

1981

Taux d'inflation : 14 % ; taux de chômage : 7,4 %.

☐ **7 janv.** L'indice Dow Jones perd 23,8 points. Situation stabilisée le 19 janvier.

☐ **17 févr.** Les sociétés de construction automobile annoncent des pertes importantes en 1980, face à la concurrence étrangère.

☐ **18 févr.** Discours sur l'état de l'Union. Le président annonce son plan économique : diminution de 41 milliards de dollars dans le budget annuel de l'État ; réduction de 10 % des impôts pendant 3 ans ; 5 milliards supplémentaires pour la Défense. Déficit prévu : 45 milliards.

☐ **3 août** Grève nationale de 13 000 contrôleurs aériens. Reagan leur ordonne de reprendre le travail le 5 août.

☐ **4 août** Le Congrès accepte le plan de réduction de l'impôt : 5 % au 1er octobre, 10 % au 1er juillet 1982, 10 % au 1er juillet 1983.

☐ **22-23 oct.** Conférence Nord-Sud, des pays riches et des pays pauvres, à Cancún, Mexique. Négociations économiques auxquelles participent 22 États, dont les États-Unis.

1982

Le taux annuel d'inflation tombe à 6 %.
L'indice des prix à la consommation augmente de 3,9 %, la plus faible augmentation depuis 1972.
Le P.N.B. perd 1,8 %.
Taux annuel de chômage : 9,7 %.

☐ **26 janv.** Discours sur l'état de l'Union. Reagan veut transférer certains programmes fédéraux aux États et autorités locales.

☐ **28 févr.** Le syndicat des ouvriers de l'industrie automobile, *UAW*, négocie un nouveau contrat avec Ford : stabilité de l'emploi en échange d'une augmentation de salaire. Même type d'accord signé le 21 mars avec General Motors.

☐ **12 juin** Manifestation à New York, contre l'armement nucléaire : 500 000 personnes.

☐ **15 juin** Décision de la Cour suprême : tout enfant en âge scolaire a droit à l'enseignement gratuit, quelle que soit sa nationalité, même s'il est fils d'immigrés clandestins.

☐ **19 juill.** Le taux de pauvreté atteint 14 % : taux le plus élevé depuis 1967, en augmentation de 7,4 % depuis 1980. Le seuil de pauvreté est fixé à un revenu de 8 414 dollars par an pour un foyer de 4 personnes.

☐ **8 sept.** Le président annonce qu'il ne s'opposera pas au projet de loi déposé par le sénateur de Caroline du Nord autorisant la prière à l'école.

☐ **26 oct.** Le déficit pour l'année fiscale 1982 s'élève à 110 milliards de dollars ; nouveau record.

☐ **16 déc.** D'après une enquête, les usines ne travaillent qu'à 67,8 % de leurs capacités.

☐ **27 déc.** L'indice Dow Jones atteint 1070,55.

1983

Les prix à la consommation augmentent de 3,8 %.
Les revenus augmentent de 6,3 %.
La construction automobile augmente de 10,2 %.

☐ **12 avr.** Chicago : élection du premier maire noir, le démocrate Harold Washington.

☐ **20 avr.** Loi sur la sécurité sociale, prévoyant une réorganisation du système.

□ **26 avr.** Rapport fédéral sur l'enseignement. Médiocrité du système : 23 millions d'Américains pratiquement illettrés.

□ **Mai** Attention prioritaire accordée au sida.

□ **Juin** Les Nippo-Américains faits prisonniers pendant la Seconde Guerre mondiale sont indemnisés.

□ **27 août** À Washington, 250 000 manifestants commémorent la marche de 1963 menée par Martin Luther King pour les droits civiques.

1984

Les prix à la consommation augmentent de 4 %.
Les revenus augmentent de 6,8 %.
Déficit extérieur : 107 milliards 600 millions de dollars.
Les États-Unis ont recensé 236 158 000 habitants.

1985

Les prix à la consommation augmentent de 3,8 %.
Les revenus augmentent de 5,95 %.
Taux de chômage : 6,8 %.
Déficit budgétaire : 211 milliards 900 millions de dollars. Pour la première fois depuis la Première Guerre mondiale, les États-Unis sont endettés.

□ **2 janv.** Rencontre Reagan-Nakasone pour rétablir l'équilibre des échanges commerciaux entre États-Unis et Japon.

□ **11 janv.** L'Association nationale des chefs de tribus indiennes rejette les propositions faites en novembre 1984 par la commission présidentielle concernant la fermeture du Bureau des affaires indiennes, l'introduction dans le privé des entreprises gérées par les tribus, l'augmentation des investissements extérieurs dans les réserves et le rattachement de la justice tribale à la cour fédérale.

□ **22 sept.** À New York, réunion des ministres des Finances et des banques centrales des 5 principaux pays non communistes pour rectifier les déséquilibres économiques.

□ **11-12 déc.** Le projet de loi Gramm-Rudman approuvé par le Congrès et signé par le président : le budget fédéral devra être équilibré dans les 5 ans.

□ **16 déc.** Nouveau record du Dow Jones : 1 553,10.

Sciences et technologie

1981

□ **12-14 avr.** 1er vol de la navette spatiale Columbia : 36 orbites en 54 heures.

□ **25 août** Voyager 2, lancé en 1977, s'approche de Saturne.

1982

□ **2 déc.** Première implantation d'un cœur artificiel. Le patient, Barney Clark, vivra 112 jours.

1983

□ **18-24 juin** Vol de Challenger, deuxième navette spatiale ; à bord, Sally K. Ride, première femme astronaute.

1984

□ **13 févr.** Première transplantation d'un cœur et d'un foie sur une fillette de 6 ans, au Texas.

□ **23 avr.** Identification d'un virus du sida.

□ **11 oct.** Kathryn D. Sullivan, première femme à marcher dans l'espace au cours du 6e vol de la navette Challenger.

□ **16 oct.** Implantation d'un cœur de singe dans le corps d'un nouveau-né, qui survivra jusqu'au 15 novembre.

☐ **12 déc.** Floride : découverte d'ossements et de crânes humains vieux de 7 000 ans. L'état de conservation du cerveau permet d'en extraire l'ADN.

Civilisation et culture

1981

☐ **6 juin** Maya Yang Lin, 21 ans, étudiante en architecture, gagne le concours pour le monument prévu à Washington à la mémoire des militaires tombés au Viêt-nam.

1982 Publication du *Destin de la Terre,* de Jonathan Schell ☐ Sortie du film *E.T., l'extraterrestre,* de Steven Spielberg.

1983

☐ **20 nov.** *The Day After,* téléfilm montrant les effets d'une attaque nucléaire aux États-Unis.

1984 *Van Gogh à Arles,* exposition au Metropolitan Museum of Art de New York.

☐ **9 juin** Les 50 ans de Donald Duck, le canard héros de Walt Disney.

☐ **28 juill.-12 août** Jeux Olympiques d'été à Los Angeles.

1985

☐ **2 oct.** Mort de l'acteur Rock Hudson, victime du sida.

Biographies

O'Connor, Sandra Day (1930, née au Texas). En 1952, elle sort diplômée en droit de l'université Stanford (Californie) et épouse un compagnon d'études. Après 2 ans passés en Allemagne, le couple s'installe comme avocats à Phoenix (Arizona). Ils ont 3 enfants. Sandra entre dans la politique pendant les années 60. Républicaine, elle est élue assistante de l'attorney général, puis sénateur de l'Arizona. En 1973, elle est chef de la majorité au Sénat, puis est élue juge de cour supérieure, en 1974. À l'encontre du libéralisme qui prévaut à la Cour suprême, sous la direction du juge Warren, elle est opposée à tout « activisme » de la part des juristes. Aussi Reagan la nomme-t-il à la Cour suprême le 25 septembre 1981, après s'être engagé, au cours de sa campagne électorale, à y faire siéger une femme.

Baldwin, James Arthur (1924-1988). C'est un enfant du ghetto noir de Harlem, à New York, et un fils de pasteur. Encore lycéen, il est pendant 3 ans pasteur pentecôtiste. Très jeune, il décide de se consacrer à l'écriture. Pendant la Seconde Guerre mondiale, à New York, où il travaille, il est victime du racisme. Après la guerre, il passe 5 ans à Greenwich Village, quartier bohème de New York, où il écrit et vit de petits emplois. Il milite dans plusieurs associations pour la défense des Noirs. Son œuvre est bâtie selon deux axes. D'abord son engagement dans la lutte des Noirs. Selon lui, les Noirs américains, influencés par la culture dominante, blanche et raciste, ont appris à se détester. Ils doivent retrouver leur identité. Baldwin ne croit ni à la bonne foi des Américains blancs, ni aux grands mythes qu'ils se sont donnés. Ensuite la quête de sa propre identité et son homosexualité, aspect plus personnel de son œuvre. Être homosexuel, c'est faire partie d'une autre minorité persécutée. Il publie *les Élus du Seigneur* en 1953, *Un autre pays* en 1962, *Chassés de la lumière* en 1972. Il se retire à Saint-Paul-de-Vence.

Clay, Cassius (1942), né dans le Kentucky. Son grand-père était esclave ; c'est le patron de son père qui lui donne son nom. Très jeune, il se destine à la boxe : il est champion olympique à 18 ans. Cassius Clay, qui aime volontiers ridiculiser ses adversaires, révolutionne la boxe des poids lourds. Passé professionnel, il remporte 56 victoires en 60 combats ; il est 19 fois champion du monde. Conscient de l'impact de la publicité télévisuelle, il devient une idole médiatique, ce qui lui permet d'énoncer publiquement ses idées politiques et religieuses. Il adhère aux Black Muslims en 1964 et prend le nom de Muhammad Ali. En 1967, il refuse d'aller au Viêtnam ; sa licence de boxeur lui est alors retirée, ainsi que son titre mondial. Il est condamné à 5 ans de prison, qu'il ne fera pas. Réhabilité plus tard, il revient sur le ring. Aujourd'hui, retiré de la boxe, il se consacre aux affaires et à des activités philanthropiques et religieuses.

Bibliographie

G. Sorman, *la Révolution conservatrice américaine* (Fayard, 1983).

Chapitre XXX **1986-1988**

Les États-Unis aujourd'hui

Je prédis que l'identité des États-Unis sera une seule et unique identité,
Je prédis que l'Union sera de plus en plus étroite entre les États, et indissoluble,
Je prédis des splendeurs et des grandeurs qui rendent insignifiante toute la politique antérieure du Globe.

Walt Whitman, *A un de ces jours !* (1860),
poème extrait de *Feuilles d'herbe.*

Pendant ces huit années à la Maison-Blanche, Ronald Reagan a été un « grand communicateur ». Il s'est montré énergique dans sa politique intérieure comme dans les relations extérieures. L'Amérique lui sait gré d'avoir déployé ces qualités à un moment opportun. Il laisse un bilan honorable. Sur le plan économique, la situation s'est améliorée, bien que l'équilibre soit encore précaire. Dans l'économie mondiale, le pays élabore aujourd'hui sa politique par plans concertés avec ses partenaires. La société américaine se compose d'une population vieillissante. Le taux de natalité est en baisse, tandis que l'espérance de vie ne cesse d'augmenter. C'est une population en mouvement : un Américain sur six déménage tous les ans. Le phénomène de l'immigration, s'il pose des problèmes sociaux et économiques évidents, crée une dynamique stimulante.

En politique extérieure, des tensions demeurent en Amérique latine. Le Moyen-Orient semble trouver des solutions. Les relations avec les pays communistes ne cessent de s'améliorer, tant avec la Chine qu'avec l'U.R.S.S., particulièrement grâce à la politique d'ouverture et de transparence voulue par Mikhaïl Gorbatchev.

L'Amérique demeure une superpuissance, mais elle a pris conscience de ses limites face au reste du monde. Elle sait qu'elle ne peut plus imposer de décision prise par Washington. Elle sait qu'elle appartient à un vaste bloc, dont elle n'est plus le chef, mais l'un des membres. Avec ce recul et cette maturité, elle peut faire face à l'avenir, sereine et énergique. Aux élections présidentielles de 1988, George Bush bat le démocrate Dukakis avec 54 % des voix et 426 mandats du collège électoral contre 112. Néanmoins les démocrates obtiennent 56 sièges à 44 au Sénat et 262 à 173 à la chambre des Représentants. La continuité républicaine est assurée.

Vie politique et institutionnelle

1986

☐ **13 mai** Rapport sur la pornographie de la commission spéciale du Département de la justice : mesures fermes à prendre contre ceux qui la fabriquent ou la vendent.

☐ **10 juill.** Le chef de la Cour suprême, Warren Burger, prend sa retraite. Reagan nomme William Rehnquist pour lui succéder et Antonin Scalia comme nouveau juge, nominations qui renforcent la tendance conservatrice de la Cour.

☐ **4 nov.** Aux législatives de mi-parcours, victoire des démocrates, qui conservent la majorité au Sénat par 55 sièges à 45, à la Chambre des représentants avec 258 sièges à 177.

1987

☐ **27 févr.** Démission du secrétaire général de la Maison-Blanche, Donald Regan, remplacé par l'ex-sénateur Harold Baker.

☐ **5 nov.** Démission du secrétaire à la Défense, Caspar Weinberger, remplacé par l'ancien conseiller de la Maison-Blanche, Frank Carlucci.

1988

☐ **8 nov.** Élections présidentielles : George Bush élu.

Politique extérieure

1986

☐ **1er janv.** Reagan présente ses vœux à la télévision soviétique et Gorbatchev à la télévision américaine.

☐ **7 janv.** Sanctions économiques contre la Libye, tenue pour responsable des attentats dans les aéroports de Rome et de Vienne, le 27 décembre 1985. Gel des capitaux libyens aux États-Unis. Les ressortissants américains reçoivent l'ordre de quitter la Libye.

☐ **23 janv.** Début d'une guerre des nerfs contre Kadhafi. Des bombardiers américains effectuent une série de vols près de la Libye.

☐ **14 mars** S'adressant au Congrès, Reagan annonce que le gouvernement aidera à « la révolution démocratique » dans les pays de droite et d'extrême-droite, même si les gouvernements de ceux-ci sont les alliés des États-Unis.

☐ **24 mars** Des missiles américains attaquent une base de missiles libyenne. Dégâts importants. Deux patrouilleurs libyens détruits.

☐ **25 mars** Le Congrès approuve un budget de 20 millions de dollars pour une aide militaire aux *contras* repliés au Honduras.

☐ **27 mars** L'Allemagne de l'Ouest se rallie au plan de défense stratégique américain (la « guerre des étoiles »).

☐ **Avr.** L'Italie se rallie au plan de défense stratégique américain.

☐ **2 avr.** Attentat à la bombe dans une discothèque de Berlin-Ouest. Un G.I. tué, 60 Américains blessés.

☐ **14 avr.** En représailles, les forces aériennes américaines attaquent 5 bases militaires libyennes et des camps d'entraînement près de Tripoli et de Benghazi.

☐ **6 mai** Israël se rallie au plan de défense stratégique américain.

☐ **27 mai** Reagan annonce que les États-Unis ne respecteront plus les accords stratégiques SALT II, qui n'ont jamais été ratifiés.

☐ **5 juin** Ronald Pelton, ancien employé à l'Agence fédérale pour la sécurité, jugé coupable d'espionnage en faveur de l'U.R.S.S.

□ **17 juin** Selon un magazine anglais, l'U.R.S.S. a une grande avance technologique sur les États-Unis dans la conquête de l'espace.

□ **19 juin** Richard Miller, ancien agent du FBI, jugé coupable de corruption et d'espionnage en faveur de l'U.R.S.S.

□ **27 juin** La Cour de justice internationale condamne l'action menée par les États-Unis contre le gouvernement du Nicaragua.

□ **30 juin** Retrait des cinq dernières compagnies pétrolières américaines encore en Libye.

□ **11-12 oct.** Rencontre au sommet Reagan-Gorbatchev à Reykjavik.

□ **21-22 oct.** Rencontre Reagan-Kohl à Washington.

□ **2 nov.** L'otage américain David Jacobsen, prisonnier des musulmans chiites au Liban depuis 17 mois, est libéré. Cette libération aurait été possible après accord secret de transfert de matériel militaire à l'Iran par l'intermédiaire d'Israël.

□ **13 nov.** À la télévision, Reagan reconnaît que les États-Unis ont envoyé secrètement armes et matériel militaire à l'Iran (moins d'une cargaison d'avion), mais nie que cet envoi ait été monnaie d'échange pour la libération de 2 otages détenus au Liban.

□ **19 nov.** À la télévision, Reagan défend la décision de Washington de vente d'armes à l'Iran.

□ **25 nov.** John Pointdexter, conseiller du président pour la Sécurité nationale, démissionne à la suite de révélations sur la vente d'armes à l'Iran. Le public apprend alors que l'argent aurait été ensuite envoyé aux *contras.* Renvoi, par Reagan, du lieutenant-colonel Oliver North, membre du conseil pour la Sécurité nationale, pour son rôle dans la transaction : début de ce que les médias vont appeler l'*Irangate.* Le président désigne une commission d'enquête, sous la direction de l'ancien sénateur John Tower.

□ **19 déc.** Le juge Lawrence Walsh désigné comme procureur spécial pour mener une enquête sur cette affaire. Deux commissions spéciales se constituent, une pour chaque Chambre.

1987

□ **14 janv.** Selon le quotidien *Washington Post,* la CIA est intervenue auprès des *contras* dès le début de leur activité.

□ **28 janv.** Interdiction de se rendre au Liban. Les 1500 Américains qui y résident doivent quitter le pays dans les 30 jours. La présence militaire américaine au Moyen-Orient sera intensifiée.

□ **26 févr.** La commission Tower présente son rapport au président : Reagan a été trompé par des employés peu scrupuleux.

□ **4 mars** À la télévision, Reagan reconnaît que l'échange d'armes contre les otages fut une erreur regrettable. Sa cote de popularité baisse considérablement.

□ **17 mai** L'Iran attaque la frégate *USS Stark,* patrouillant dans le golfe Persique : 37 morts.

□ **17 juin** Enlèvement à Beyrouth du journaliste Charles Glass, 9e otage américain au Liban. Il s'enfuit le 18 août.

□ **21 juill.** Le Japon se rallie au plan de défense stratégique américain.

□ **22 juill.** Premières escortes américaines de tankers dans le détroit d'Ormuz et le golfe Persique.

□ **1er-3 août** Délégation américaine au Viêt-nam pour retrouver 2 400 G.I. dont on a perdu la trace. Ce sont les MIA *(missing in action).*

□ **7 août** À Guatemala City, les présidents du Guatemala, du Costa Rica, du Nicaragua, du Salvador et du Honduras signent un plan de paix pour la région.

☐ **21 août** À Los Angeles, Reagan rencontre les chefs militaires et politiques du Nicaragua et les assure du soutien des États-Unis.

☐ **24 août** Le sergent des marines, Clayton Lonetree, 25 ans, condamné pour espionnage en faveur de l'U.R.S.S.

☐ **26 août** Los Angeles : dans un discours, Reagan encourage l'U.R.S.S. à faire progresser l'ouverture *(glasnost)*.

☐ **21 sept.** Dans le golfe Persique, un hélicoptère américain attaque un navire iranien qui posait des mines. L'équipage est fait prisonnier.

☐ **29 sept.** À l'unanimité, le Sénat vote l'embargo sur les importations en provenance d'Iran. Officiel le 26 octobre.

☐ **8 oct.** Des hélicoptères de combat américains attaquent dans la nuit 4 patrouilleurs iraniens dans le golfe Persique.

☐ **16 oct.** Un tanker aux couleurs américaines attaqué par un missile iranien dans les eaux territoriales du Koweït : 18 blessés.

☐ **19 oct.** Des navires de guerre américains bombardent une plate-forme pétrolière iranienne.

☐ **18 nov.** Le rapport final de la commission d'enquête sur l'Irangate accuse l'Administration et le président d'avoir occulté certains faits et trompé le peuple américain.

☐ **30 nov.** Diffusion à la télévision d'une interview de Gorbatchev, réalisée à Moscou, par des journalistes de la chaîne NBC.

☐ **8-10 déc.** Rencontre au sommet Reagan-Gorbatchev à Washington. Sujets abordés : le contrôle de l'armement, les conflits dans certaines parties du monde, les relations bilatérales, les droits de l'homme, les juifs en U.R.S.S. Le 8 décembre, signature d'un traité sur les armes nucléaires à moyenne portée. Approuvé le 30 mars 1988.

☐ **26 déc.** Gorbatchev est l'« homme de l'année » pour *Time Magazine.*

1988

☐ **1er janv.** Échange de vœux : Reagan à la T.V. soviétique, et Gorbatchev à la T.V. américaine.

☐ **25-29 janv.** Le président égyptien, Hosni Moubarak, à Washington pour tenter de rétablir la paix au Moyen-Orient.

☐ **8 févr.** Mikhaïl Gorbatchev annonce que l'U.R.S.S. retirera ses forces militaires de l'Afghanistan à partir du 15 mai prochain.

☐ **17 févr.** Un officier américain, observateur au Liban pour les Nations unies, est enlevé à Tyr.

☐ **21-22 févr.** À Moscou, rencontre entre le secrétaire d'État George Schultz et son homologue soviétique Chevardnadze. C'est la première d'une série de rencontres mensuelles.

☐ **25 févr.** L'U.R.S.S. démantèle ses missiles nucléaires à moyenne portée, les SS-12, installés sur 2 bases en Allemagne de l'Est, et les réexpédie en U.R.S.S. par le train.

☐ **14-17 mars** Visite à Washington du Premier ministre israélien, Yitzhak Shamir.

☐ **16 mars** Reagan donne l'ordre d'envoyer 3 200 soldats au Honduras, accusant le Nicaragua d'avoir envahi ce pays.
Un grand jury fédéral condamne Oliver North et John Pointdexter à l'emprisonnement pour conspiration contre le gouvernement.

☐ **16-17 mars** Pour la première fois depuis la Seconde Guerre mondiale, rencontre à Berne du secrétaire à la

Défense Carlucci et de Dimitri Yakov, ministre de la Défense soviétique.

☐ **23 mars** Signature d'un cessez-le-feu au Nicaragua entre le gouvernement sandiniste et les rebelles *contras.* 25 000 hommes sont morts depuis 1981.

☐ **25 mars** Dans un discours, Reagan défend North et Pointdexter de l'inculpation de conspiration contre l'État.

☐ **28 mars** 3 200 soldats américains quittent le Honduras.

☐ **31 mars** Le Congrès approuve une aide humanitaire de 48 millions dc dollars au Nicaragua.

☐ **5-7 avr.** 1 300 soldats envoyés au Panama pour assurer la défense des bases américaines.

☐ **8 avr.** 800 marines arrivent au Panama pour un programme d'entraînement.

☐ **18 avr.** 6 navires et 2 plates-formes pétrolières iraniens coulés par les Américains dans le golfe Persique.

☐ **29 mai-2 juin** À Moscou, rencontre au sommet Reagan-Gorbatchev. Le 1er juin, signature d'un traité rendant obligatoire le démantèlement de 2 500 fusées américaines et soviétiques à moyenne portée, Pershing-2 et SS-20.

☐ **3 juill.** Le croiseur américain *Vincennes* abat par erreur un avion civil iranien dans le détroit d'Ormuz. Reagan exprime ses regrets à Téhéran.

Économie et société

1986

☐ **8 janv.** Le Dow Jones perd 39,10 points.

☐ **21-22 févr.** Rencontre à Paris des ministres des Finances des pays les plus industrialisés pour stabiliser les monnaies à leur niveau actuel.

☐ **7 mars** Le système fédéral de réserve baisse le taux d'intérêt à 7 %. Il passera à 6,5 % le 18 avril et à 6 % le 10 juin.

☐ **4-6 mai** Sommet économique des pays les plus industrialisés, à Tokyo. Accords sur une meilleure coopération économique et sur les mesures antiterroristes.

☐ **3-11 juin** Reagan visite l'Europe : en Allemagne de l'Ouest pour le 40e anniversaire du plan Marshall. Reçu par le pape, le 6 juin.

☐ **8-10 juin** À Venise, sommet économique des 7 pays non communistes les plus puissants. Les Européens font bloc. La position américaine en est affaiblie.

☐ **26 août** Selon une enquête officielle, le taux de pauvreté est passé de 14,4 % en 1984 à 14 % en 1985.

☐ **22 oct.** Loi de réforme de l'imposition, la plus importante depuis la Seconde Guerre mondiale : à l'avenir, moins de tranches d'imposition et moins de possibilités de fraude.

☐ **31 oct.** Rencontre du secrétaire au Trésor, James A. Baker, et du ministre des Finances japonais, Kichi Miyazawa, pour préciser les modalités d'une coopération monétaire.

1987

☐ **8 janv.** Le Dow Jones franchit le cap des 2 000 : à la clôture, il est à 2 002,25.

☐ **9 janv.** Taux de chômage pour décembre 1986 : 6,6 % ; le plus bas depuis mars 1980. Il a été de 7 % pour l'année.

☐ **14 janv.** Rapport de la *National Urban League* sur la condition des Noirs : le racisme est en progression. En 1985, un Noir gagne en moyenne 6 840 dollars, soit 44 % de moins qu'un Blanc (11 671 dollars). En 1975, un Noir gagnait 38 % de moins qu'un Blanc. Taux de pauvreté parmi les Noirs en 1985 : 31,3 %.

□ **15 janv.** Le dollar a perdu 5 % de sa valeur par rapport au mark allemand dans la première quinzaine de 1986.

□ **27 mars** Washington décide d'imposer des tarifs douaniers qui doubleront le prix de certains produits électroniques japonais, car le Japon ne respecte pas les accords économiques de 1986. Le dollar à son niveau le plus bas depuis la Seconde Guerre mondiale par rapport au yen.

□ **25-27 avr.** Journées de manifestation contre la politique de Reagan en Amérique centrale et en Afrique du Sud.

□ **29 avr.-1er mai** Visite à Washington du Premier ministre japonais Yasuhiro Nakasone, pour régler le conflit économique entre les deux pays.

□ **7 juin** Manifestation raciste du Ku Klux Klan à Greensboro (Caroline du Nord), la première depuis 1979.

□ **25 août** Le Dow Jones à 2 722,42.

□ **3 oct.** Accord avec le Canada pour éliminer tout tarif douanier entre les deux pays dans les 10 ans.

□ **14-16 oct.** Le Dow Jones perd 261,43 points. Le vendredi 16, il perd 108,35 points.

□ **19 oct.** « Lundi noir » : le Dow Jones perd 508,32 points.

□ **31 déc.** Le Dow Jones est à peu près à son niveau de janvier 1987. Le dollar a perdu 23 % de sa valeur sur le yen, et 18 % sur le mark.

1988

Le taux de chômage est de 5,7 %.

□ **8 janv.** Publication du rapport Brody de la commission spéciale désignée par le président pour étudier les circonstances du krach boursier : le système financier a frôlé l'effondrement le mardi 20 octobre. Des changements radicaux sont nécessaires.

□ **13 janv.** Visite à Washington du nouveau Premier ministre japonais, Takeshita Noboru.

□ **27 janv.** En 1987, le P.N.B. a augmenté de 3,8 %.

□ **5 févr.** Première loi de l'administration Reagan sur le logement : débloque 15 milliards pour 1988, 15,3 milliards en 1989, pour la construction de logements sociaux. Prévoit un programme d'aide aux plus défavorisés.

□ **10 févr.** Le secrétaire à l'Enseignement déclare que, dans les universités de six États du Sud, l'intégration raciale prévue par la loi de 1964 n'est pas encore complètement respectée.

□ **12 févr.** Déficit commercial pour 1987 : 171 milliards, le plus grave de tous les temps. Les exportations ont augmenté de 11,4 % sur 1986, avec un total de 253 milliards, mais les importations sont en hausse de 10,7 %, à 424 milliards.

□ **22 mars** Loi pour la protection des droits civiques des malades contagieux, notamment de ceux atteints de sida *(Civil Rights Restoration Act)* – ils seront considérés comme des handicapés et protégés par des lois.

□ **19-21 juin** À Toronto, sommet économique des 7 principaux pays industrialisés.

□ **22 juin** Le Premier ministre japonais Takeshita Noboru à Washington.

Sciences et technologie

1986

□ **24 janv.** Voyager 2 s'approche de la planète Uranus.

□ **28 janv.** La navette spatiale Challenger explose quelques secondes après son décollage au cap Canaveral. Les 7 membres de l'équipage périssent.

□ **1er avr.** Naissance du premier bébé-éprouvette à Cleveland (Ohio).

□ **4 mai** Une fusée Delta retombe après son lancement et doit être détruite. Programme spatial à redéfinir en fonction des récents échecs subis.

□ **18 juin** Reagan signe un code de réglementation pour la recherche et les applications des manipulations génétiques.

1987

□ **1er-5 juin** 3e conférence internationale sur le sida à Washington.

□ **26 oct.** Lancement de la fusée Titan 34 D, à mission militaire secrète. C'est le 1er lancement depuis 2 ans.

□ **29 déc.** Le lancement de la navette spatiale repoussé à une date indéterminée.

1988

□ **11 févr.** Le programme spatial est redéfini : un champ d'activité plus vaste sera laissé au secteur privé.

□ **29 sept.-30 oct.** Expédition de la navette Discovery.

Civilisation et culture

1986 *De Courbet à Cézanne : un nouveau XIXe siècle,* exposition, au Brooklyn Museum à New York, de 130 toiles du musée d'Orsay.

□ **25 mai** 5 millions d'Américains forment une chaîne de l'Atlantique au Pacifique : *Hands Across America* veut alerter l'opinion sur la pauvreté aux États-Unis.

□ **3 juill.** Reagan rallume la flamme de la statue de la Liberté, nouvellement restaurée.

□ **4 juill.** Reagan et Mitterrand aux cérémonies de la fête nationale dans le port de New York.

□ **27 juill.** Le cycliste Greg Lemond, premier Américain à remporter le Tour de France.

□ **4 août** Reagan demande « une mobilisation nationale » contre la drogue.

1987 Publication de *l'Âme désarmée : essai sur le déclin de la culture générale,* d'Allan Bloom.

□ **11 mars** *Vision américaine : les Wyeth, trois générations de peintres,* exposition à Leningrad, puis à Moscou.

□ **17-19 sept.** Visite du pape, Jean-Paul II.

1988

□ **8 janv.** Article anonyme de la revue de l'ordre des médecins, intitulé « C'est fini, Debbie ». Un médecin raconte comment il a pratiqué l'euthanasie sur une jeune femme de 20 ans atteinte de cancer. Grand débat.

□ **7 mars** Publication de *Crise : comportement hétérosexuel à l'époque du sida ;* les auteurs, Masters et Johnson, affirment, lors de leur conférence de presse, que le virus du sida se propage de façon incontrôlée également chez les hétérosexuels. Panique du public.

Biographies

Reagan, Ronald. Né le 6 février 1911, dans l'Illinois, dans une famille modeste, Ronald Reagan fait des études universitaires médiocres, terminées en 1932. D'abord reporter sportif pour une radio locale, il part pour Hollywood en 1937 : il tourne 50 films, tous de série B. En 1939, il épouse l'actrice Jane Wyman, dont il divorce en 1948. Il sert dans l'armée de l'air de 1942 à 1945. En 1947, il est élu président du syndicat des acteurs et 5 fois réélu. En plein maccarthysme, c'est un démocrate libéral, qui sait faire face à la terrible HUAC. Il épouse en 1952 Nancy Davis, actrice débutante. Sous l'influence de sa belle-famille, il évolue vers le conservatisme et, en 1962, adhère au parti républicain, puis entre dans la politique. Il est élu gouverneur de Californie en 1966, puis en 1970. Il fait preuve de souplesse et d'une aisance naturelle pour la communication. Peu à peu, Ronald Reagan se fait le porte-parole de valeurs conservatrices qui sont en résurgence. Il l'emporte facilement sur Jimmy Carter aux présidentielles de 1980, puis sur Walter Mondale, en 1984. À la fin de son second mandat, il jouit d'une cote de popularité très honorable.

Bush, George (1924), né au Massachusetts. Il fait des études de sciences économiques à l'université Yale, dont il sort diplômé en 1948. Il reçoit, après la Seconde Guerre mondiale, la *Distinguished Flying Cross* pour ses services dans le Pacifique. Il s'installe au Texas et fonde deux sociétés à Houston, la Zapata Petroleum Corporation, puis la Zapata Offshore Company. Élu à la Chambre des représentants en 1966, réélu en 1968, il prend bientôt la tête du parti républicain ; c'est un modéré de tendance plutôt conservatrice. En 1971, Nixon le nomme ambassadeur à l'ONU. De 1973 à 1974, il est chef du comité national du parti républicain, après quoi il dirige, pendant un an, le bureau de liaison de l'ambassade de Pékin. Il est ensuite nommé directeur de la CIA jusqu'en 1977. En 1980, il dispute sans succès à Ronald Reagan l'investiture du parti républicain à la présidence. Devenu vice-président, il administre un comité pour les relations internationales. Il reprend le flambeau républicain à la Maison-Blanche et devient, le 8 novembre 1988, le 41e président des États-Unis.

Bibliographie

P. Mélandri, *Reagan* (Paris, Robert Laffont, 1988).

ÉVOLUTION DÉMOGRAPHIQUE
1880 - 1980

Année	Population (en millions)	Accroissement (en %)	Population urbaine (en %)	Population rurale (en %)
1880	50,1	26	28,2	71,8
1890	62,9	25,5	35,1	64,9
1900	75,9	20,7	39,6	60,4
1910	91,9	21	45,6	54,4
1920	105,7	14,9	51,2	48,8
1930	122,7	16,1	56,1	43,9
1940	131,6	7,2	56,5	43,5
1950	150,6	14,5	64	36
1960	179,3	18,5	69,9	30,1
1970	203,3	13,4	73,5	26,5
1980	226,5	11,4	73,7	26,3

N.B. En 1987, la population est estimée à 243 millions d'individus.

D'après Norton, Katzman, Escott, etc. : *A People and a Nation, a History of the United States.* Boston, Houghton Mifflin Co, 2e éd. 1986, vol. II.

BIBLIOGRAPHIE

Sidney E. Ahlstrom : *A Religious History of the American People,* New Haven, Yale U. Press, 1972.

Thomas Bailey : *A Diplomatic History of the American People,* New York, Appleton-Century-Crofts, 8e éd., 1969.

J. Béranger et **R. Rougé** : *Histoire des idées aux États-Unis du XVIe s. à nos jours*, Paris, P.U.F., 1981.

Ray A. Billington : *Westward Expansion. A History of the American Frontier*, New York, Macmillan, 1974.

John M. Blum, William S. McFeely, Edmund S. Morgan, Arthur M. Schlesinger, Jr, Kenneth M. Stampp, C. Vann Woodward : *The National Experience. A History of the United States*, NY, Harcourt, Brace and Jovanovich, 6e éd., 1985.

Daniel J. Boorstin : *The Americans*, New York, Random House, Vintage Books, 1974. Trad. en français : *Histoire des Américains,* 3 vol., Paris, A. Colin, 1981.

Jeannine Brun : *America ! America !*, Paris, Gallimard-Julliard, coll. « Archives », 1980.

Henry Steele Commager : *Documents of American History*, New York, Appleton-Century-Crofts, 9e éd., 1974.

Robert Dallek : *The American Style of Foreign Policy. Cultural Politics and Foreign Affairs*, New York, Alfred A. Knopf, 1983.

Nelcya Delanoë : *l'Entaille rouge. Terres indiennes et démocratie américaine*, Paris, Maspero, 1982.

Claude Fohlen : *les États-Unis au XXe s.*, Paris, Aubier, 1988.

John Hope Franklin : *De l'esclavage à la liberté*, Paris, Éd. Caribéennes, 1984.

Milton Friedman et **Anna J. Schwartz** : *A Monetary History of the United States, 1867-1960,* Princeton, Princeton U. Press, 1963.

Philippe Jacquin : *Histoire des Indiens d'Amérique du Nord*, Paris, Payot, 1986.

Maldwyn Allen Jones : *American Immigration*, Chicago, the University of Chicago Press, 1960.

André Kaspi : *les Américains*, 2 vol., Paris, Le Seuil, nouvelle édition, 1988.

J.-P. Lassale : *les Institutions des États-Unis*, Paris, La Documentation française, coll. « Documents d'études », 1985.

Élise Marienstras : *Nous, le Peuple. Naissance du nationalisme américain*, Paris, Gallimard, 1988.

Y.-H. Nouailhat : *Histoire des doctrines politiques aux États-Unis*, Paris, Que sais-je ? 1969.

Barry W. Poulson : *Economic History of the United States*, New York, Macmillan, 1981.

J.-L. Rieupeyrout : *Histoire du Far West*, Paris, Tchou, 1967.

J. Rivière : *le Système économique américain : empire et entreprise*, Nancy, Presses universitaires de Nancy, 1988.

M.-F. Toinet : *le Système politique des États-Unis*, Paris, P.U.F., 1987.

F.-J. Turner : *la Frontière dans l'histoire des États-Unis*, Paris, P.U.F., 1963.

US Department of Commerce, Bureau of the Census : *Historical Statistics of the United States. Colonial Times to 1970,* 2 vol., Washington, D.C., Government Printing Office, 1975.

Edgar B. Wesley, *Our United States. Its History in Maps*, Chicago, Denoyer-Geppert, 1956.

GLOSSAIRE

Act. Loi votée par le Congrès et signée par le président. Un *bill* (proposition de loi) peut provenir de la Maison-Blanche ou d'une des chambres du Congrès. Il est examiné en commission, adopté par chaque assemblée et transmis au président, qui doit le signer dans les dix jours. S'il refuse (*veto*), il renvoie le bill au Congrès, qui peut passer outre au veto en votant une nouvelle fois le projet à la majorité des deux tiers de chaque chambre. Si la session du Congrès prend fin sans que le président ait signé, le projet est enterré (comme s'il l'avait oublié dans sa poche : *pocket veto*).

Amendment. Voir **Constitution.**

Attorney-general. Chef du département de la Justice et membre du cabinet du président.

Ballot. 1. bulletin de vote ; 2. scrutin secret.
Les fonctions électives sont si nombreuses au niveau local et fédéral que les bulletins de vote américains atteignent des dimensions impressionnantes, car ils présentent tous les candidats à tous les postes. Actuellement, ils sont presque partout remplacés par des machines à voter. Pour les élections fédérales, le système adopté est le scrutin uninominal à un tour.

Bill. Voir **Act.**

Boss. Voir **Machine.**

Bootlegging. Pendant la prohibition, désigne, par référence au fait de cacher quelque chose à l'intérieur d'une botte, la fabrication, l'importation et le négoce des boissons alcoolisées. Al Capone fut le plus célèbre des bootleggers.

Brain trust. Équipe d'experts, conseillers du président Franklin Roosevelt. L'expression fut reprise pour désigner l'entourage du président Kennedy.

Busing. Plan conçu pour parvenir à la mixité raciale dans les écoles publiques. Il consiste à transporter des enfants noirs vers des écoles fréquentées surtout par des Blancs, et vice versa. Le 20 avril 1971, la Cour suprême accepte ce plan par un vote unanime. Appliqué dans le Nord et le Sud avec un certain succès, bien qu'il ait eu des ennemis, tel le président Nixon, il continue à être le moyen employé dans les régions où les deux populations vivent encore séparément.

Caucus. Voir **Primaries.**

Chicano (de *Mexicano*). Américain d'origine mexicaine. Population spécialement nombreuse dans les États du Sud-Ouest faisant frontière avec le Mexique. Depuis les années 60, c'est un groupe conscient de son ethnicité et de ses racines. Impact culturel important et activisme politique, surtout dans la vie politique locale.

Congress. Le Congrès, organe du pouvoir législatif, est formé de deux chambres d'importance presque égale (voir tableau p. 50), le Sénat (chaque État est représenté par 2 sénateurs) et la chambre des Représentants (435 députés répartis en fonction de la population de chaque État, déterminée par un recensement décennal). Le Congrès siège au Capitole. Les représentants sont élus pour deux ans ; les sénateurs, élus pour 6 ans, sont renouvelables par tiers tous les deux ans. Lorsque ces élections ont lieu au milieu du mandat présidentiel, ce sont les *midterm elections.*

Constitution. Vieille de 200 ans, c'est la plus ancienne Constitution démocratique actuellement en vigueur. Elle se compose de trois parties : les 7 articles élaborés en 1787, qui définissent les trois pouvoirs et le principe du fédéralisme ; la Déclaration des droits *(Bill of Rights)*, ajoutée dès 1791, qui forme les 10 premiers amendements ; et 16 autres amendements qui ont permis d'adapter le texte d'origine aux nouvelles conditions créées par la croissance. Pour entrer en vigueur, un amendement doit être adopté à la majorité des deux tiers de chaque assemblée fédérale, puis ratifié par les trois quarts au moins des États. Le président ne joue aucun rôle dans cette procédure. Chaque État a également sa Constitution, fondée sur la séparation des pouvoirs.

Convention. Réunion nationale de chacun des deux grands partis, pendant l'été qui précède une élection présidentielle. Les délégués à la convention sont choisis soit par des comités locaux *(Caucus)*, soit, plus souvent, lors d'élections primaires *(Primaries)*, au niveau de l'État. La Convention nationale désigne le candidat du parti à la présidence et lui donne l'investiture *(Nomination)*.

Deficit spending. L'un des points de la théorie keynésienne concernant le rôle du gouvernement dans la gestion de l'économie nationale : quand il y a baisse du revenu national et des dépenses privées, l'État doit, à l'inverse, faire des dépenses supplémentaires pour soutenir la demande et « réamorcer la pompe ». Ce fut la politique préconisée par les économistes lors du New Deal, mais que Roosevelt n'adopta que partiellement. Théorie rejetée par les économistes contemporains, qui préconisent de stimuler l'offre *(supply-side economics)*.

Dixie. L'origine de ce terme est discutée : il peut s'agir du nom d'un personnage évoluant dans un spectacle créé en 1850, un *minstrel play*, où acteurs et chanteurs étaient déguisés en Noirs ; c'est aussi le titre d'une chanson populaire de 1859. Le mot désigne les États du sud des États-Unis, appelés aussi Dixieland. Zone séparée du Nord par la *Mason-Dixon Line*, entre la Pennsylvanie et le Maryland, du nom des deux topographes qui en firent le relevé entre 1763 et 1767.

Élections. Voir **Ballot, Congress, Electoral College, Primaries.**

Electoral College. Collège de Grands Électeurs qui choisit le président. L'élection présidentielle est à deux degrés : le suffrage populaire (en novembre, tous les quatre ans) désigne 538 *Electors* (chaque État a autant d'électeurs que de représentants et de sénateurs ; le District of Columbia en a 3), qui, à leur tour, élisent le président.

Executive agreement. Accord conclu par le président avec un autre chef d'État et ayant valeur de traité. La décision peut être prise sans consulter le Congrès ou avec son accord. De 1945 à 1970, par exemple, les États-Unis ont signé 368 traités et 5 590 *executive agreements.*

Executive order. Décret-loi, décidé par le président, le gouverneur d'un État ou le maire d'une municipalité.

Farm Bloc. Coalition de sénateurs et de représentants des États agricoles des deux grands partis. Constitué au début des années 20 pour faire adopter une législation en faveur des agriculteurs, le Farm Bloc n'a jamais cessé d'être influent.

Fondamentalisme. Tendance conservatrice, touchant toutes les branches du protestantisme, opposée à toute innovation dans le domaine religieux, et qui maintient une interprétation strictement littérale de l'Écriture. Depuis le début du XXe siècle, les fondamentalistes s'opposent à l'enseignement des théories évolutionnistes dans les écoles et les universités (cf. procès Scopes). Aujourd'hui, le renouveau fondamentaliste est lié à la résurgence du conservatisme et au développement du mouvement de la *Moral Majority.*

Frontier (abréviation de Frontier of Settlement). Front pionnier qui, au contact des Indiens et des régions inexplorées, s'est déplacé d'est en ouest au fur et à mesure du peuplement de l'Amérique du Nord. Le Bureau du recensement l'a considéré à part jusqu'en 1890, en raison de sa faible densité de population : 2 à 6 hab. au mille carré (=2,59 km²). L'historien F.J. Turner a proposé en 1893 une explication de l'histoire des États-Unis par l'influence de la Frontière sur les institutions, la société et le caractère américains.

Gerrymandering. (Du nom du gouverneur du Massachusetts, Eldridge *Gerry*, qui, le premier, utilisa cette méthode en 1812, et du mot *salamandre,* rappelant la forme du comté d'Essex, Massachusetts, où elle fut pratiquée.) Division d'une circonscription électorale tendant à donner la majorité à un parti dans le plus grand nombre de districts.

G.I. (Government Issue). Se dit de tout ce qui est fourni aux recrues dans l'armée des États-Unis ; par extension, soldat américain.

Homestead (habitation, et terrain sur lequel elle se trouve). Portion de terres fédérales cédée par le gouvernement. Après de longues années de revendication, les Américains ont obtenu en 1862, par le *Homestead Act,* que le gouvernement donne gratuitement 160 acres (env. 65 ha) à tout citoyen (ou futur citoyen) des États-Unis qui s'y installerait pour cinq ans.

Hyphenated American. Américain né à l'étranger ou né de parents étrangers, dont la désignation nationale comporte un trait d'union *(hyphen)*, [ex. Italo-Américain]. Ces « Américains à trait d'union » constituent une force électorale importante dans certaines régions et forment parfois des groupes de pression. Il est arrivé qu'ils gênent la conduite de la politique extérieure par leur allégeance à leur ancienne patrie, notamment pendant les deux guerres mondiales.

Impeachment. Mise en accusation du président ou d'un haut fonctionnaire pour « trahison, corruption ou autres crimes et délits majeurs ». La chambre des Représentants instruit l'affaire. Le Sénat prononce le jugement (et éventuellement la destitution) à la majorité des deux tiers. Jusqu'à présent, aucun président n'a été destitué : en 1868, Andrew Johnson a évité de justesse la procédure d'*impeachment* ; en 1974, Nixon a donné sa démission avant qu'elle ne soit engagée.

Injunction. Décision d'un tribunal qui, dans un procès, enjoint à l'une des deux parties d'exécuter un ordre. Avant 1932, cette procédure était très souvent employée contre des ouvriers en grève. Actuellement, son usage est limité aux cas où une grève menace la sécurité du pays.

Jim Crow. Expression tirée du titre d'une vieille chanson. Terme populaire désignant la ségrégation ; couramment employé dans la seconde moitié du XIXᵉ siècle et au début du XXᵉ. Les lois Jim Crow établirent une stricte ségrégation dans le Sud, où se trouvait concentrée la majeure partie de la population noire.

Lobbying. Action d'un groupe de pression local ou national auprès des législateurs pour faire passer une loi, ou empêcher son passage, dans la défense de leurs propres intérêts. (Ex. le lobby pétrolier, le lobby conservateur.)

Machine. Organisation locale d'un parti politique, dominée par un patron, le *Boss,* qui distribue faveurs et postes officiels à ses amis, créant ainsi un réseau puissant qui contrôle les organes du gouvernement local. L'apogée du *boss system* se situe dans la seconde moitié du XIXᵉ siècle. Au XXᵉ siècle, certains maires de grandes villes ont pu jouer un rôle comparable (Daley à Chicago, par exemple).

Mason-Dixon Line. Voir **Dixie.**

Melting Pot (creuset). Expression couramment utilisée au début du XXᵉ siècle (Israël Zangwill,

1908) pour désigner le processus d'assimilation des immigrants de toutes origines. Cet idéal a été battu en brèche à partir des années 60 par les mouvements noir, indien, et par le renouveau des revendications ethniques, qui lui ont opposé le concept de pluralisme culturel. Entre ces deux thèses contradictoires existent, en réalité, plusieurs visions plus nuancées du problème de l'intégration des immigrants à la société américaine.

Midterm Elections. Voir **Congress.**

Nomination. Voir **Convention.**

Pentagon. Édifice, ainsi nommé en raison de sa forme, qui abrite, à Arlington, Virginie, l'état-major des armées depuis 1942 et, depuis 1949, le département de la Défense établi par le *National Security Act* de 1947.

Primaries (élections primaires). Première étape du processus électoral. 1. Avant chaque consultation électorale, les adhérents désignent, dans le cadre de chaque État, les candidats du parti à tous les postes électifs.
2. Chaque parti désigne ses délégués à la Convention nationale avant les présidentielles, en les élisant soit dans des élections primaires, soit dans des *Caucus.* Le Caucus réunit les membres du parti au niveau local, au niveau de la circonscription électorale et au niveau de l'État.

Section. 1. Région des États-Unis qui se définit par des traditions et des intérêts communs (ex. le Sud, le Midwest). L'esprit « sectionnel » *(sectionalism)* a causé de nombreux conflits, dont la guerre de Sécession est le plus grave.
2. Portion de terres fédérales d'une superficie de 640 acres (1 mille carré, env. 259 ha), vendue au prix officiel de 1 dollar l'acre. Selon la *Land Ordinance* de 1785, les Territoires de l'Ouest sont divisés en *townships* de 36 *sections.*

Spoils System. « Système des dépouilles ». Après une élection, le parti vainqueur remercie ceux qui l'ont aidé en leur donnant des postes administratifs. Encouragé par le président Jackson, ce système a conduit à de nombreux abus au XIXe siècle. Il a été en partie remplacé depuis un siècle par le recrutement des fonctionnaires sur concours *(merit system).*

Thanksgiving Day. Action de grâces pour les récoltes, célébrée par les colons de Plymouth dès le premier anniversaire de leur arrivée (1621) et devenue fête nationale en 1863. La célébration religieuse a fait place aux festivités familiales (repas traditionnel avec dinde, airelles, tarte à la citrouille).

Veto. Voir **Act.**

Western Hemisphere. Hémisphère occidental. Concept politique, utilisé, notamment, par Jefferson et par Monroe. Désignation de la moitié du globe délimitée par des méridiens passant au milieu des océans Atlantique et Pacifique, c'est-à-dire du continent américain, nord et sud, isolé de l'Europe et de l'Asie.

INDEX

Les chiffres romains renvoient aux cartes.

Aubin Imprimeur
LIGUGÉ, POITIERS

Photocomposition Maury Malesherbes
Dépôt légal février 1989
N° série éditeur 15101
N° d'imprimeur P 30547
Imprimé en France
(Printed in France) — 740004 - février 1989